TRANSITIONS PLURIELLES

exemples dans quelques sociétés
des Amériques

LACITO
Laboratoire de Langues et
Civilisations à Tradition Orale
(UPR 3121 du CNRS)
44, rue de l'Amiral Mouchez
75014 Paris

Département «Linguistique culturelle :
Langue, culture et environnement»

Collection «LANGUES ET SOCIÉTÉS D'AMÉRIQUE TRADITIONNELLE»

Sous la direction de Françoise GRENAND

On pourrait croire les sociétés d'Amérique traditionnelle, comme de nombreuses autres sur terre, au cœur d'un dilemme pitoyable : se raccrocher à un passé oublié et donc sublimé; ou bien se mouler dans un modernisme davantage subi que voulu. Les choses ne sont heureusement pas si simples. Chacune de ces sociétés, au gré de tâtonnements, d'erreurs, d'enthousiasmes, de coups de folie ou encore de lancinants arrêts sur image, essaie de composer, conjuguant les événements avec les tempéraments. Elles n'y parviennent pas toujours. Mais ce qu'il convient de retenir, c'est que, contrairement à l'une des idées reçues les plus répandues en cette fin de millénaire, elles ne restent pas passives et ne s'éteignent plus. Derrière un modernisme de façade, elles cherchent à préserver l'essentiel : ce pourra être un rituel, un cycle mythique, une règle de mariage, une langue, un territoire, des savoir-faire.

La collection «Langues et Sociétés d'Amérique Traditionnelle», ouverte à tous les domaines de la recherche, s'est donné pour but de faire connaître ces mouvements composites de résistance et de recréation permanente. Elle accueille aussi bien des études linguistiques que des travaux en ethnohistoire, en tradition orale ou en ethnographie. Elle publie des textes en français et en anglais, à l'occasion en espagnol.

Titres parus

1 - F. GRENAND, 1989 - *Dictionnaire wayãpi-français, lexique français-wayãpi (Guyane Française)*, 538 p., 2 cartes, fig.

2 - A. H. KUIPERS, 1989 - *A report on Shuswap with a Squamish Lexical Appendix*, 250 p.

3 - P. MARTIN, 1991 - *Le montagnais. Langue algonquienne du Québec*, XIII-162 p.

LANGUES ET SOCIÉTÉS D'AMÉRIQUE TRADITIONNELLE
- 4 -

TRANSITIONS PLURIELLES

exemples dans quelques sociétés des Amériques

Françoise GRENAND & Vladimir RANDA
éditeurs

SELAF n°349

PEETERS
PARIS
1995

ISSN 1142-7019
ISBN 2-87723-098-8
ISBN 90-6831-679-6
D. 1995/0602/26

Dépôt légal: mars 1995

Sommaire

Introduction
Transition culturelle : des tracasseries quotidiennes aux enjeux symboliques
Françoise Grenand

Changement culturel
Changements linguistiques

De l'arc au fusil
Un changement technologique chez les Wayãpi (Guyane)
Pierre Grenand

1. L'armement traditionnel des Wayãpi
2. Les contacts successifs avec le fusil
3. De l'objet à sa représentation

Évolution de la thérapeutique chez les P'urhépecha de la Sierra Tarasca (Michoacán, Mexique)
Élisabeth Motte-Florac

1. Les P'urhépecha ou Tarasques
2. Le parcours de l'accouchée
3. La fonction de sage-femme traditionnelle
4. Les pratiques de la sage-femme traditionnelle
5. Au-delà de l'accouchement, l'évolution de la thérapeutique traditionnelle p'urhépecha

Conclusion

Une mémoire de l'espace
Changements dans l'écosystème et leur interprétation chez un groupe maya du lac Atitlán (Guatemala)
Perla Petrich

1. Les limites du changement : les agencements symboliques
2. Santa Catarina Palopó
3. L'univers des enfants
4. L'univers des jeunes
5. L'univers des adultes
6. L'univers du village
7. La mémoire : source de sens
8. Matérialité de la mémoire collective : le lac et les volcans
9. La vision de la Vierge

Qu'est-ce qui fait bouger le mythe ?
Création et recréation du mythe chez les Émerillon (Guyane Française)
Éric Navet

1. Les mythes nous parlent-ils ?
2. La Création selon les Émerillon
3. Être ou ne pas être, version émerillon

Dynamique des traditions religieuses afro-brésiliennes
Candomblé et Umbanda
Ming Anthony

1. Le Temple Guaracy do Brasil
2. L'*Umbanda*, combinaison variable de traditions
3. Représentation du monde divin, *Orixás* et «Entités»
4. Évolution des religions afro-brésiliennes
Conclusion

Messianisme et modernité chez les Ngöbe-Guaymi (Panama)
Françoise Guionneau-Sinclair

1. Conditions d'une difficile enquête
2. Le mouvement prophético-messianique ngöbe
3. La période post-Mama Chi
4. Du messianisme au combat politique pour les droits indigènes

Une langue en kit
La créativité lexicale en inuit du Groenland oriental
Nicole Tersis

1. Historique d'un changement
2. La continuité dans le changement
3. Les emprunts directs au danois
Conclusion

La restructuration linguistique interne en quichua équatorien
Anne Fauchois

1. Historique
2. Le changement
3. L'apparition d'une nouvelle classe quichua et d'un nouveau registre de langue
4. Le changement linguistique
5. Le quichua, pour quelles fonctions ?

Langue évanouie et quête identitaire
L'omawa dans la région de Tefé (Amazonas, Brésil)
Françoise Grenand

1. Climat d'une découverte
2. L'histoire sans fin
3. Analyse diachronique du lexique omawa
4. Résistance passive d'une langue
Conclusion : désirs et stratégies d'une communauté

Carte. Ethnies faisant l'objet d'un article dans le présent ouvrage :

1. Afro-brésiliens. 2. Émerillon.
3. Tunumiit (Inuit). 4. Maya.
5. Ngöbe (Guaymi).
6. Omawa. 7. P'urhépecha.
8. Quichua. 9. Wayãpi.

Introduction

Transition culturelle : des tracasseries quotidiennes aux enjeux symboliques

Françoise GRENAND

> «*Face à ces contradictions, l'ethnologue éprouve parfois solitude et lassitude. Il doit pourtant se défier de cette vision radicalement pessimiste, devenue de tradition dans les ouvrages ethnographiques et propre à la pensée immédiate qui oppose sans cesse le "de mon temps" à l'"aujourd'hui".*»
>
> Michel Perrin, 1992 : 254

De nombreuses sociétés des Amériques sont actuellement confrontées, dans leur existence quotidienne comme dans les grands principes de la vie, à des processus de brassage, de reconstruction, de résistance, mais souvent aussi de dissolution culturelle. Dans le cadre général d'une anthropologie de l'actualité, nous avons choisi d'alimenter une réflexion sur ces processus et les réactions qu'ils engendrent[1]. Processus est à comprendre ici comme un itinéraire, une renégociation permanente des données. Peuvent intervenir des saccades, des retours en arrière, des accélérations brutales, ou au contraire des calmes plats d'une durée variable, mais cette dynamique doit toujours, à mon sens, être analysée en dépassant les termes simplistes d'une opposition entre tradition et modernité, dont l'assimilation serait le terme inéluctable.

Les notions d'acculturation et d'assimilation, auxquelles nous allons fatalement être confrontés au cours de cet ouvrage, restent, malgré de nombreuses mises au point, encore trop souvent confondues, et méritent que l'on s'y arrête. L'acculturation, prise ici dans un de ses registres de sens, qui est la rencontre de sociétés devenues minoritaires et de sociétés dominantes issues d'une invasion, peut être comprise comme le processus par lequel une communauté devient plus proche d'une autre, le plus souvent en en souffrant. L'assimilation, quant à elle, toujours en aval de l'acculturation, est à envisager comme la phase terminale du même processus, faisant qu'un groupe finit par s'incorporer à un autre, abandonnant sa particularité culturelle, voire sa

[1] Les différents aspects de la transition culturelle qui ont ici retenu notre attention ont représenté le thème qui alimenta la réflexion du département «Amérique» du LACITO durant deux années.

dénomination ethnique antérieure. Pour autant, il n'est pas obligatoire que tout processus d'acculturation débouche sur un phénomène d'absorption. Même si la première est davantage subie, alors que la seconde peut être acceptée, voire recherchée, il est des trajectoires qui se terminent sur des situations anomiques de déculturation, sans intégration d'aucune sorte dans un autre groupe. Ajoutons que l'acculturation tout comme l'assimilation, peuvent être envisagées aussi bien d'un point de vue individuel ou familial, avec une grande mobilité sociale, que d'un point de vue collectif, avec des interactions socioculturelles systématiques et continues.

Les paroles de JAULIN (1979) sont à méditer : «Les populations en mal d'elles-mêmes, incertaines, [...] sont face à une tâche considérable, celle de se situer hors du jeu occidental, alors qu'il les agrippe de toute part». Or, c'est à la fois vrai et faux. Il ne s'agit pour elles, en tout cas aujourd'hui, pas tant de se situer hors du jeu que d'essayer de le contrôler, en s'ingéniant à s'approprier les outils, tant conceptuels que matériels, de l'Occident. Plus d'une société amérindienne est actuellement tentée par cette quête, et sans doute l'appréciation de ses résultats fait-elle partie de la tâche de l'ethnologue. Bien que l'étude des étapes de cette appropriation soit nécessaire, cette démarche gagne à être envisagée dans sa globalité : l'analyse du seul développement des étapes, qui gonflerait le cadre historique et donc contingent, aussi bien que l'analyse qui insisterait sur les seules données socioculturelles et donc immanentes, toutes deux auraient du mal à laisser apprécier l'ampleur de la dynamique qui marque la recherche constante d'un équilibre.

Car il est clair que loin d'être les spectateurs passifs qu'un pessimisme chronique pourrait laisser croire, les communautés sont les acteurs de leur propre transformation. En ce sens, les exemples qui vont suivre mettent tous en lumière des réactions à des pressions acculturatrices. Les phénomènes de réaction identitaire et de revivalisme culturel dont on va parler, autant que les faits d'acculturation qui les précèdent, entrent dans un processus évolutif : on ne songe vraiment à défendre que ce qui est déjà menacé.

Le caractère hétérogène de ce recueil d'articles marque la complexité du phénomène de transition culturelle et le foisonnement des directions qu'il emprunte. S'ils illustrent diverses facettes de ce phénomène, c'est bien pour montrer qu'il participe, par les transmutations qu'il induit, de la construction de son avenir que tente chaque société. On rencontre bien plus souvent qu'on ne l'imagine des initiatives, des réponses, des prises de conscience. Cette conscientisation se concrétise dans des prises de responsabilité qui toutes légitiment une tradition, même et peut-être surtout refabriquée, et donc une identité culturelle revue et corrigée pour répondre aux besoins du moment. Ces actes, ces discours, ces souvenirs sélectionnés fondent en droit l'authenticité culturelle du groupe et en permettent une lecture de l'intérieur. Tenter de bâtir son avenir sans tout renier de son passé, telle nous semble être la gageure à laquelle nombre de sociétés des Amériques veulent encore croire.

Que ce soit dans le domaine du religieux, de la technologie, du savoir ancestral ou de la langue, on assiste, de la part des membres de sociétés minorées, à des manipulations des données conjoncturelles propres à transformer une situation de crise en réalité positive. Les phénomènes en réponse au changement méritent une plus grande attention. Les sociétés ne restent pas statiques devant les agressions culturelles. Elles cherchent au contraire à répondre en élaborant des stratégies que l'on a bien trop souvent tendance à n'accorder qu'à la seule conjoncture la plus immédiate. Or, la diversité des réponses n'empêche nullement que soit commune à toutes ces tentatives la démarche de sélection des critères de pertinence, ainsi que d'appréciation de la réalité en fonction des besoins.

Tous les écrits ici réunis témoignent donc d'une lutte plus ou moins bien couronnée de succès, mais dans tous les cas portée par l'espoir d'un état culturel et économique meilleur. Et ces attitudes frappent par leur similitude : essayer, malgré les mutations, de ne pas se soumettre corps et âme, de ne pas se laisser ballotter par le flot, donné comme irrésistible, de la civilisation occidentale. Non seulement se conserver un espace secret où les fleurs sauvages continueraient d'éclore et qui serait le lieu privilégié d'une indianité de la discrétion, mais, par un changement total de stratégie, abandonner cette politique de repli sur soi au profit d'une politique quasi offensive, pour le moins fortement revendicative. Françoise GUIONNEAU-SINCLAIR en apporte le témoignage avec l'émouvant épisode messianique dont elle décortique les étapes. Même l'article de Françoise GRENAND, qui conte pourtant l'agonie d'une langue, débouche sur la mobilisation contre le renoncement culturel, la langue perdue devenant l'argument symbolique d'une identité retrouvée.

C'est bien une quête de l'identité qui se fait jour à travers chacun des exemples choisis. Quand tout critère de différentiation semble faire défaut, à quoi se raccroche une communauté ou un groupe de communautés se sentant différents des autres et entendant maintenir cette différence? à une histoire commune? à un vécu commun? à une langue commune, voire un souvenir de langue commune? Et pourtant, si l'existence d'un groupe persiste alors que toute identification culturelle semble avoir sombré ou en tout cas n'être plus perceptible du dehors, c'est que doit exister, de manière totalement intériorisée ou encore inconsciente, des faits identitaires auxquels se rattacher, qui agissent comme éléments de cohésion, comme ciment fédérateur codé. Tout code ne vaut que s'il peut être décodé : c'est cette capacité partagée par un groupe de personnes qui leur permet de s'affirmer comme une entité solidaire.

Changement culturel

Toute tradition fut un jour une nouveauté et toute culture, prise à un quelconque moment de son histoire, est le produit d'un équilibrage particulier. Or, un équilibre est par définition instable : il est une zone plus ou moins bien définie entre le mythe d'un passé édulcoré et le rêve d'un futur magnifié. Dans tous les cas, il s'agit d'une invention syncrétique. Ce syncrétisme original n'est autre que la récupération d'éléments allogènes, lesquels, lorsqu'ils se mêlent au milieu historique, géographique, culturel et psychologique d'une communauté, forment une nouvelle donne, forgent une tradition transmuée, enrichie, et à chaque fois différente. L'élan d'une société est loin d'être à prendre comme un cheminement linéaire qui partirait d'un état dit traditionnel, donné comme plein, riche, en équilibre, pour aboutir à un autre état, dit dans le champ de la modernité, et donné comme acculturé, appauvri et avilissant.

C'est dans cette optique que Ming ANTHONY s'est attaché à l'étude des transformations internes des cultes afro-brésiliens. Celles-ci doivent être comprises comme autant d'étapes d'un processus toujours en devenir : ce «travail syncrétique», selon l'heureuse expression de DOZON (1974), vise à la domestication de rites nouveaux à l'intérieur de ces religions. La transe reste un phénomène charnière. «Les adeptes du *Candomblé* affirment volontiers qu'en se laissant "monter" par un dieu, ils lui offrent leur corps pour qu'il s'incarne, en échange de quoi le dieu leur offre sa protection» (MERCIER, 1993). Dans les cultes brésiliens, la relation de l'adepte à son dieu est régulée par un sacrifice sanglant selon un rituel semblable à celui des *Orisa* yoruba. Il n'est nullement surprenant que ces transformations accompagnent les bouleversements des pratiques sociales : le panthéon des *Orixás* lie les dieux, les hommes et la nature dans des rapports de dépendance réciproque; or les transformations sociales induites par une urbanisation sauvage l'ont peu à peu distancié des aspirations de ses adeptes. Le travail de transformation s'est opéré dans deux directions opposées : soit dans le sens d'une ouverture, marquée par un syncrétisme florissant ayant tendance à digérer des influences extérieures très diversifiées : c'est l'*Umbanda*. Soit au contraire dans le sens d'une fermeture, d'une tendance à un repli réactionnaire se traduisant par un néotraditionalisme insistant sur un durcissement des cultes : c'est le cas du *Candomblé*. Mais que marquent au juste ces deux courants? Ces forces à tendance centripètes sont-elles si antagonistes qu'elles en ont l'air des forces centrifuges? Non, car ces faisceaux tentent tous deux de répondre à cette quête identitaire que l'on ressent si fortement au Brésil. Les cultes afro-brésiliens, au même titre que le carnaval et son déferlement de rythmes de samba sont justement les lieux où les tensions sociales, en termes de lutte des classes, se dissolvent ou pour le moins, s'estompent.

«Les milieux évoluent et les sociétés changent» (GUILLE-ESCURET, 1989 : 22). Perla PETRICH nous propose ici une excellente illustration de cette maxime lapidaire. Prenant en compte les changements significatifs dans un paysage guatémaltèque, avec leurs répercussions sur des domaines aussi variés que l'artisanat, l'alimentation ou le foncier d'un village maya, Perla PETRICH nous montre quels sont les secteurs de recomposition accélérée, auxquels s'opposent des secteurs de ralentissement, puis explique que tout le jeu de la communauté consiste à créer un équilibre entre ces forces centripètes et centrifuges que nous évoquions plus haut, enfin conclut que cet équilibre est une forme de syncrétisme. Au terme de ce parcours, la société sort vainqueur, avec un imaginaire repensé et une mémoire recomposée. Lorsque les gens disent : «Voilà comment nous étions, spatialement, avant», il faut comprendre : «Voilà comment nous nous sommes réorganisés depuis».

Les logiques spatiales ne s'harmonisent pas forcément avec les logiques historiques et généalogiques, parce qu'elles ne fonctionnent pas à la même vitesse. Autrement dit, à chaque occasion de contact, tout groupe se livre à une réévaluation fonctionnelle de ses propres catégories et parvient ainsi à résorber symboliquement tout changement majeur risquant de l'ébranler. Cette réévaluation, qui s'effectue souvent en coulisse, est en quelque sorte doublée en façade par une résistance culturelle passive dans laquelle les catégories endogènes semblent alors laminées; elles ne sont souvent que masquées, demeurant plus vivantes et présentes que jamais, simplement réétalonnées de manière à toujours servir de repère. Il ne s'agit pas là d'acculturation, mais bien de stratégie de ficelage.

Le changement technologique dont nous parle Pierre GRENAND est de la même veine. Les emprunts ne se font jamais qu'en fonction des besoins. Si les conditions pour l'assimilation d'un trait culturel étranger ne sont pas réunies, la greffe ne prend pas. Car on adopte toujours ce pour quoi la place était prête. La pierre de hache ou l'incisive d'agouti encapuchonnées n'auraient su longtemps résister face au fer de hache troué ou à la lame de couteau emmanchée. Voilà pourquoi le changement technologique, qui peut être compris comme le processus par lequel la «conscience technique», pour reprendre l'admirable expression créée par LEROI-GOURHAN (1964) est singulièrement sollicitée, s'avère beaucoup moins subi qu'on pourrait le supposer.

«La création est de tous les instants de l'évolution humaine», rappelle opportunément Pierre GRENAND. La mutation totale que semble représenter le passage de l'arc au fusil n'est pas un précédent dans l'histoire des Wayãpi de Guyane. Elle fut devancée, au terme d'une migration, par le remplacement d'un type d'archerie par un autre. Autrement dit, il faut envisager une suite de changements, évitant ainsi de cristalliser la recherche autour de la fascination des objets européens, car le point dont on discute n'est, par nécessité logique,

que l'un des maillons d'une chaîne dont personne peut-être ne perçoit les deux bouts (HAUDRICOURT, 1962). La complexité des sociétés dites «techniquement simples» (*ibid.*) est trop souvent occultée. A outils simples, gestes composés, est un axiome dont il est bien trop souvent fait fi.

S'interroger sur la continuité des gestes, des savoirs et des pratiques associées à des techniques est tout aussi fructueux que de comprendre les représentations liées au changement technologique. On pourra créditer Élisabeth MOTTE-FLORAC de la même démarche dans son étude des changements survenus dans l'exercice de leur art par les sages-femmes de la Sierra Tarasque au Mexique. En outre, on lui saura gré d'insister à juste titre sur l'opposition somme toute malsaine qui est habituellement faite entre tradition et modernité, entre science et magie. Qui dit sages-femmes dit accouchées et le savoir des premières n'est validé que par la confiance que les secondes placent en elles. L'intromission des techniques et des valeurs occidentales dans ce schéma est analysée ici avec une finesse et une justesse de ton dont on peut féliciter l'auteur. Elle nous relate les chassés-croisés, les tâtonnements parfois pathétiques avant qu'un rééquilibrage finisse par se dessiner, car, conclut Élisabeth MOTTE-FLORAC, «la vie est mouvement, oscillation permanente autour d'un point».

Comme le rappelle si judicieusement Éric NAVET, dans un autre des articles, «c'est l'homme qui fait Dieu qui fait l'homme». C'est vrai des Émerillon, minuscule population forestière amérindienne de Guyane, qui essaie, malgré tout, de bricoler sa mythologie pour qu'elle puisse continuer de fonctionner, c'est-à-dire lui donner un rôle d'agent dans l'éventail de la diversité humaine et des attributs culturels diversement alloués aux hommes par la divinité. C'est également vrai, on l'a vu, des multitudes urbaines du Brésil, qui se fabriquent dans leurs cultes syncrétiques des synthèses de dieux anciens et nouveaux sensés davantage prendre en compte les transformations de la société. Ce tripotage du divin est un besoin que l'on retrouve partout. Le mythe, pas plus que l'histoire, n'est une matière figée; il est au contraire d'une texture malléable et la question se pose alors de savoir ce qui peut le faire bouger. Le mythe émerillon de la création que dissèque Éric NAVET est à cet égard très instructif. De structure ouverte, il permet les innovations et les ajustements qu'a nécessité après la Conquête le contact avec les Blancs et les Noirs, leur technologie et leurs mœurs. Même le chamanisme réussit à retrouver son aplomb en faisant de la figure du Blanc un fils obéissant de Dieu au contraire de l'Indien rebelle qui choisit l'affrontement : il sera donc chamane. Que le Blanc soit, pour le moment, plus riche et plus puissant devient dès lors purement conjoncturel et perd de sa pertinence.

L'histoire, même récente, est le terrain des mêmes jeux de stratégie, ce que nous ont déjà montré Perla PETRICH et Pierre GRENAND. Le contrôle des situations de collision culturelle est plus qu'on ne le croit dans les mains des intéressés et leurs récits en témoignent. Ils disent ne pas être dupes, affectent de détenir toutes les cartes, et, allant plus loin que les relations induites par la simple opposition Blanc/Amérindien, *décident* des configurations permises dans le triangle complexe des relations Blanc, Amérindien vu par le Blanc, Amérindien vu par l'Amérindien (PILETTE, 1992).

C'est ce qui fait tout l'intérêt de l'article de Françoise GUIONNEAU-SINCLAIR, qui, au-delà de banals réajustements religieux, nous fait pénétrer dans le syncrétisme en action. Partant d'une répression pour ainsi dire classique en Amérique Latine (une grève de travailleurs amérindiens suivie d'une gigantesque vague de licenciements), une prophétesse amérindienne, issue de ce milieu acculturé des montagnes de Panama, va mettre sur pied un mouvement messianique fondé sur une révélation chamanique quasi traditionnelle. Elle va promulguer un code éthique à mi-chemin entre les deux mondes mais dont la fonction essentielle est de garantir un espace spécifiquement indigène. Alors que la mort de la prophétesse semble vouer le mouvement à l'échec, ses fidèles les plus jeunes sauront réorienter le contenu de son message dans le sens d'une revendication plus politique. L'auteur fait alors cette remarque pleine de finesse : «Nous ne pensons pas que la population aurait participé à une action politique intense si le mouvement religieux n'avait précédé le mouvement politique».

Changements linguistiques

Les trois articles forts différents de Nicole TERSIS, Anne FAUCHOIS et Françoise GRENAND nous montrent les divers chemins que peuvent emprunter les moteurs du changement linguistique. Tous insistent pourtant sur le fait que la langue semble bien être un critère essentiel d'identification ethnique et l'un des ciments culturels les plus valorisés aujourd'hui encore. Le langage étant fait par définition pour communiquer, toute langue raterait son but, qui ne se donnerait pas les moyens de transformer ses outils lorsque mutent les paramètres de la communication; faute d'avoir su accompagner le changement de société, elle se vouerait au mutisme.

Cela ne semble pas être le cas de deux langues américaines fort éloignées dans l'espace, l'inuit et le quichua. Personne ne niera les traumatismes que crée l'emploi imposé ou simplement la fréquentation obligée d'une autre langue. L'étude des approximations lexicales qui en découlent est de ce point de vue intéressante : si elle permet de doser la déspécialisation sémantique, elle révèle aussi l'inventivité et la créativité sans borne de la langue minorée, certains secteurs du vocabulaire se montrant à cet égard plus prolixes que d'autres.

Autrement dit, ici comme ailleurs, les phénomènes de transition révèlent un jonglage extrêmement performant là où l'on n'attendrait qu'atonie et mutisme. L'inuit, jouant de possibilités intrinsèques de créativité rarement atteintes ailleurs, est capable de fortifier son vocabulaire de néologismes proprement extravagants, aboutissant à des familles entières de mots construits les uns sur les autres. C'est alors que la curieuse expression de Nicole TERSIS parlant de «langue en kit» dévoile toute sa saveur.

La standardisation, qui entre dans le cadre très général de revalorisation des langues indigènes à l'œuvre dans toutes les Amériques, recouvre l'effort fait par les locuteurs d'une langue pour lui assurer un statut univoque : la capacité de couvrir tous leurs besoins langagiers. Les langues orales souffrent d'une difficulté supplémentaire : faites pour fonctionner en état d'interlocution, comment réagissent-elles lorsque cesse cette condition ? On pense bien sûr à l'écriture, qui peut aboutir à la modification des énoncés – le français en est un exemple fameux – et aller jusqu'à produire deux états de langues différents. On n'y pense cependant pas assez lorsqu'on met en place un programme d'alphabétisation dans une langue ordinairement faite pour communiquer entre des bouches et des oreilles et sans doute cela constitue-t-il une piste pour comprendre certaines causes d'échec de ces programmes. Surtout, l'on néglige habituellement les situations de fausse interlocution, comme celle que représente par exemple le langage radiophonique.

Anne FAUCHOIS s'est penchée avec maestria sur toutes ces questions à propos du quichua équatorien et sa fine analyse des critères de pertinence retenus par les locuteurs est renforcée par un historique des étapes, controverses incluses, de ces changements de statut.

L'Équateur n'est pas le seul pays où les Amérindiens se préoccupent ainsi de la standardisation des langues indigènes. Donnons-en deux exemples : les actes de l'Assemblée des Peuples parlant tupi-guarani en Bolivie réclament comme «une nécessité urgente l'unification de l'alphabet guarani et sa reconnaissance légale en tant qu'idiome» (ZOLEZZI, 1987). Cela passe selon eux par une écriture simple, basée sur l'adoption d'un signe par son et d'un son par signe. Quant au Guatemala, la loi de création de l'Académie des Langues Maya insiste sur «la nécessité de standardiser l'alphabet et l'orthographe et de normaliser la formation des néologismes et l'assimilation des emprunts» (TUJAB, 1987). Il semble bien que le but à atteindre soit une formalisation souple, qui «évite l'intimidation du purisme», selon l'heureuse expression lue dans la préface de Langues Autochtones du Québec (MAURAIS, 1992) car pour vivre, une langue a besoin de s'adapter à son milieu, cette adaptation étant la base minimale de la garantie de toute forme de fonctionnement. On pourrait ainsi éviter le piège de l'«insécurité linguistique», concept qui met fort bien en valeur cette attitude autodépréciative que prend tout locuteur d'une langue minorée lorsqu'il voudrait faire oublier ses propres particularités langagières[2] (LABOV, 1976). Différentes bulles correspondant à autant de fonctions sociales, sont alors chargées de valider l'emploi de la langue : langue scolaire, langue de culte, langue des médias, langue au foyer, diversement valorisées et donc diversement soutenues par des moyens peu ou déjà nettement artificiels (MAURAIS, *ibid.*).

On sait aujourd'hui que l'amélioration du statut socio-économique (selon des critères *toujours* exogènes, rappelons-le tout de même en passant) signifie très souvent l'abandon de la langue maternelle. La mort des langues marche du même pas qu'un prétendu progrès social, et l'on retrouve une fois de plus le concept d'insécurité linguistique. Ce qui est certain, c'est que nombreux sont les peuples à mettre aujourd'hui en équation le maintien de leur langue et celui de leur spécificité culturelle, la première devenant l'étendard d'une identité revendiquée. La Charte de la Langue Française au Québec, par exemple, contient cette phrase emblématique : «La langue française permet au peuple québécois d'exprimer son identité».

L'inégalité des langues est fondée sur des facteurs extralinguistiques; on voudra bien prendre conscience du caractère révolutionnaire de cette petite phrase, qui a encore bien du chemin à parcourir avant d'avoir, par exemple, convaincu de sa pertinence les fonctionnaires des ministères de l'Éducation des différentes nations qui ont en charge des peuples minoritaires. L'école assimilatrice est nécessaire, mais non pas suffisante pour le déclin des langues autochtones; voilà une idée qui n'est pas nouvelle. Ce qui l'est davantage, c'est de montrer qu'à l'inverse, une école adaptée, des programmes en langue indigène sont nécessaires mais nullement suffisants à la survie des langues autochtones. Ces langues ont besoin pour vivre d'un support culturel qui soit du domaine précisément du vécu. Quand une langue n'a plus rien à dire, il ne lui reste qu'à mourir.

Une des causes de la disparition des langues est, on peut s'en douter, l'extinction physique de ses locuteurs. «Pour le linguiste, une langue meurt au moment où elle cesse d'être utilisée pour transmettre oralement de l'information; lors donc qu'ont disparu ceux qui en faisaient usage» (MARTINET, 1993). On peut ajouter la honte d'être reconnu et identifié, par sa langue, comme membre d'une culture dépréciée. Aussi est-il bien clair que l'abandon progressif des marqueurs extérieurs de la culture, et la langue en est un fameux, empêche d'aborder le problème linguistique hors de son contexte socioculturel (LEE SPIRES, 1987).

---

[2] Je remercie bien sincèrement mon collègue Edema Atibwaka B. de m'avoir opportunément explicité cette notion essentielle.

«Qu'une langue puisse cesser d'exister, cela est hors de doute et l'on parlera à juste titre de la mort des langues. Quand et comment la chose se produit est une autre affaire» (MARTINET, *ibid.*). Voilà justement ce qui a intéressé Françoise GRENAND à propos de l'omawa, langue indigène anciennement parlée dans la vallée du haut Amazone au Brésil. La syntaxe est l'ossature d'une langue; le vocabulaire en est la chair. Le vocabulaire peut se transformer, soit en s'appauvrissant, soit au contraire en s'enrichissant, il peut changer de registre, la langue continue à fonctionner. A l'inverse, lorsque la syntaxe se brouille, la langue, incapable d'être énoncée, cesse de fonctionner; elle n'existe plus.

Le revivalisme linguistique n'a de chance d'aboutir qu'intégré dans un processus général de revivalisme culturel. «Peut-on revitaliser une langue complètement morte ? En principe oui, s'il y a des données écrites et si possible audiovisuelles suffisantes» (ANONYME, 1987). Il faut surtout cette donnée tout à fait essentielle à mes yeux qu'est l'envie et la fierté de parler sa langue! Il semble tout aussi présomptueux d'affirmer qu'une langue ne saurait revivre que d'avancer qu'une langue ne saurait mourir. L'hébreu, soutenu par l'élan politique de fragments d'un peuple décimé est aujourd'hui la langue bien vivante de l'État d'Israël. A l'inverse, le gaélique, malgré ce même élan politique des Celtes d'Irlande est une langue en voie de disparition. Voilà sans doute, même si le succès de l'école en basque aboutit à une remontée du nombre des locuteurs, ce qui peut expliquer le pessimisme de DRAPEAU (1992 : 218), qui, en tant que Québécoise, sait fort bien de quoi elle parle : «Le bilinguisme généralisé est le stade qui précède la transition à l'unilinguisme dans la langue majoritaire».

La perte de l'identité accompagne souvent la perte de la langue, et vice versa. C'est un principe tellement fort que les politiques l'utilisent souvent comme argument. Ainsi, les Amérindiens du Brésil furent, à plusieurs reprises au cours de leurs contacts avec la société nationale, soumis à ce type d'argumentation : le concept de «détribalisation» était déduit de celui de perte de la maîtrise de la langue indigène. Cela entraînait *ipso facto* la perte du droit à la terre; les terres étaient alors déclarées *terras devolutas*, «terres dégagées», bonnes à être divisées en lots et offertes à des colons allogènes. Les Omawa dont Françoise GRENAND nous conte la lente agonie linguistique, auraient pu être de ceux dont Darcy RIBEIRO écrit (1959) : «Indiens, donc, mais si peu indigènes», ajoutant plus loin qu'ils «se sont fondus dans la population régionale». Tout pourrait, à première vue, le laisser croire; et pourtant, on l'aura compris, rien n'est plus faux.

Ainsi, la notion d'identité culturelle autour de laquelle nous tournons depuis le début de ces quelques pages ne s'est pas laissé piéger au filet que nous lui tendions, même camouflé sous l'interrogation connexe de la transition. On aura cependant acquis la certitude que les intéressés sont beaucoup plus souvent qu'on ne le croit impliqués dans le processus du changement, moins subi et davantage géré qu'il y paraît. L'autre grande leçon que l'on pourra, à mon sens, retirer de ces pages, est que la langue reste un des phénomènes identitaires autour duquel se cristallise la spécificité culturelle. Or comprenons bien ceci : il ne s'agit pas d'un critère défini par la science anthropologique (il est d'ailleurs des anthropologues (CARNEIRO DA CUNHA, 1986) pour ne pas croire que la langue ait cette importance), mais du signe fondamental que les intéressés donnent eux-mêmes pour base de leur identité; ce serait comme un nœud, un noyau à partir duquel on pourrait dévider tout l'écheveau de la culture. Et inversement, comme si toute la profondeur culturelle d'une communauté pouvait être appréhendée par la manière qu'ont les gens d'en parler. Vous changez de langue? alors vous avez changé de culture. Vous ne vivez plus comme avant? alors vous ne parlez plus des mêmes choses. Tout l'intérêt de l'étude des phénomènes de transition consiste à appréhender, au-delà des marges de manœuvre qui leur sont laissées, la part que les gens s'attribuent dans cette dynamique sociale.

Ouvrages cités

ANONYME, 1987, Anteproyecto para el programa regional de revitalización lingüística, *América Indígena*, XLVII-3 : s.p.

CARNEIRO DA CUNHA, M., 1986, *Antropologia do Brasil : mito, história, etnicidade*, São Paulo, Brasiliense, Editora da Universidade de São Paulo.

DOZON, J.-P., 1974, La construction du monde, *in* Marc Augé (ed.), *Les mouvements politico-religieux : syncrétismes, messianismes, retraditionalismes*, Paris, Maspéro (Dossiers Africains), pp. 75-111.

DRAPEAU, L., 1992, Bilan de l'instrumentalisation et de la modernisation dans les langues autochtones, dans la perspective de l'aménagement du corpus, *in* J. Maurais (ed.), *Les langues autochtones du Québec*, Québec, Les Publications du Québec (Dossiers CLF, 35).

GUILLE-ESCURET, G., 1989, *Les sociétés et leurs natures*, Paris, Armand Colin (Anthropologie au Présent).

HAUDRICOURT, A.-G., 1962, Domestication des animaux, culture des plantes et traitement d'autrui, *L'Homme*, II : 40-50.

JAULIN, R., 1979, Préface à Darcy RIBEIRO, *Frontières indigènes de la civilisation*, Paris, Union Gérérale d' Éditions (10x18, série «7»).

LABOV W., 1976, *Sociolinguistique*, Paris, Éd. de Minuit.

LEE SPIRES, R., 1987, As línguas faladas no Brasil, *América Indígena*, XLVII-3 : 455-487.

LEROI-GOURHAN, A., 1964, *Le geste et la parole. 1. Technique et langage*, Paris, Albin Michel.

MARTINET, A., 1993, La naissance d'une langue, graphie et phonie, *La Linguistique*, 29-1 : 129-133.

MAURAIS, J. (ed.), 1992, *Les langues autochtones du Québec*, Québec, Les Publications du Québec (Dossiers CLF, 35).

MERCIER, J., 1993, Corps pour corps, corps à corps, *L'Homme*, 125-XXXIII (1) : 67-87.

PERRIN, M., 1992, *Les praticiens du rêve : un exemple de chamanisme*, Paris, P.U.F. (Les champs de la santé).

PILETTE, M.-L., 1992, Les deux flèches dans le crâne, ou comment l'Amérindien a tout vu, *Recherches Amérindiennes au Québec*, XXII, 2-3 : 89-100.

RIBEIRO, D., 1959, Préface à Roberto CARDOSO DE OLIVEIRA, *Do Índio ao Bugre : o processo da assimilação dos Terêna*, Rio de Janeiro, Livraria Francisco Alves Editora.

TUJAB, G., 1987, Lenguas indígenas del Guatemala que se encuentran en vías de extinción, *América Indígena*, XLVII-3 : 529-545.

ZOLEZZI, G. Ch., 1987, La recuperación de contactos entre pueblos nativos : el caso de los Izoceño-Guarani, *América Indígena*, XLVII-3 : 435-453.

De l'arc au fusil

Un changement technologique chez les Wayãpi de Guyane

Pierre GRENAND
ORSTOM

Les changements technologiques sont au cœur de la transformation, qu'elle soit lente ou rapide, des sociétés humaines[1]. Ils représentent le plus souvent une part capitale des travaux des archéologues et des historiens traitant de l'évolution des cultures de l'Ancien Monde et s'inscrivent dans un continuum – le seul que l'on puisse raisonnablement suivre selon LEROI-GOURHAN (1971) – allant de la révolution néolithique à l'industrialisation du XIXe siècle.

Mais dès lors que l'on aborde l'étude des sociétés primitives, sociétés à petites unités, sociétés froides..., appelons-les comme l'on voudra, dévolues classiquement aux anthropologues, tout se passe comme si l'étude de ce domaine relevait de deux champs distincts d'observation.

D'une part, on analyse des civilisations matérielles, des technologies, des savoir-faire à l'intérieur d'une culture ou d'une aire culturelle délimitée et les changements y sont surtout envisagés en tant qu'endo-évolution, même si les échanges intertribaux ne sont pas niés. D'autre part, on aborde les changements (qu'ils soient techniques ou non) induits par le contact avec le monde européen surtout en termes d'acculturation ou mieux encore d'impact destructeur. On opère ainsi une dichotomie entre deux champs d'observation dont la différenciation est essentiellement qualitative.

Or si l'on admet avec LEROI-GOURHAN (1973) que l'observation des techniques peut se faire séparément de l'histoire d'un peuple, sachant aussi que la création, l'échange et l'adaptation sont de tous les moments de la vie de

---

[1] Je remercie bien sincèrement Jean Jacques Piolat, fin connaisseur de l'archerie wayãpi, pour les excellentes critiques qu'il a portées sur ce manuscrit alors qu'il était encore à l'état d'ébauche. Tous les dessins agrémentant cet article sont de la plume de Danièle Molez.

l'espèce humaine, il semble raisonnable d'avancer qu'une hache, qu'elle soit en pierre ou en métal, peut être utilisée de façon tout aussi efficace dans des sociétés aussi différentes qu'une bande de chasseurs d'Australie, un groupe amérindien d'Amazonie ou une communauté bourguignonne. Reste à savoir comment et pourquoi. Mais il convient aussi de s'interroger sur la substitution quasi automatique de la première par la seconde, partout où ces deux formes ont été mises en contact.

Dans l'exemple que nous allons analyser, celui de l'arc et du fusil, ces deux objets en dépit de formes, de matériaux et de fonctionnements différents ont une même finalité, tuer, tout en visant deux objectifs distincts : combattre l'ennemi et surtout se procurer des aliments carnés.

Il est bien sûr délicat, dans le cas du continent américain, d'analyser un changement technologique aussi important sans prendre en compte l'évidence des formidables bouleversements démographiques, politiques et sociaux induits par l'Occident depuis le XVIe siècle, région après région et en conséquence d'en traiter sereinement en simples termes de tendance évolutive ou de diffusion (LEROI-GOURHAN, 1971). Pour cette simple raison, il nous semble plus prudent, dans le cas qui nous occupe, de ne pas séparer l'étude de l'évolution de l'armement de la société envisagée, en tant que dynamique adaptative, de celle de son contexte historique. Ce choix est par ailleurs renforcé par la possibilité de reconstruire les séquences événementielles qui ont présidé au passage de l'arc au fusil.

Pourtant, même si la piste historique offre des perspectives fructueuses, l'anthropologie contemporaine a pu montrer dans des domaines tels l'organisation sociale ou les systèmes de pensée à quel point la pérennisation des structures pré-coloniales était importante en dépit des chocs externes. En ce qui concerne la technologie, CHIARA (1986) soulignait récemment pour l'Amérique tropicale que bien peu d'ethnologues ont tenté de comprendre quelles représentations ont été ou sont encore associées aux changements technologiques[2]. J'ajouterai qu'il convient également de s'interroger sur la continuité de gestes, de savoirs, de pratiques associés à des techniques, bien antérieurs au contact avec le monde européen. Cette carence s'explique au moins pour les dernières décennies, par le fait que le sujet n'est le plus souvent abordé qu'à travers deux approches :

– celle de l'évolution technique s'inscrivant dans un schéma universel dynamique linéaire, illustrée par Leroi-Gourhan et dont l'évidence à cette échelle masque très sensiblement la réalité au niveau de l'observation de cas;

– celle de l'adaptation écologico-culturelle optimale à un milieu donné, illustrée par l'école de l'écologie culturelle qui s'intéresse surtout à des mesures d'efficacité ou de rendements et reste oublieuse d'un fait simple : l'optimisation

---

[2] Voir cependant l'excellent texte intitulé «L'équipement civilisateur» de RIBEIRO (1971).

ne vaut pour une ethnie donnée qu'à travers ce qu'elle définit elle-même comme proprement optimal.

Ce deuxième courant de pensée – propre à nos collègues nord-américains – est particulièrement bien représenté parmi les travaux sur l'Amérique tropicale, les mérites comparés de l'arc et de la sarbacane d'un côté avec ceux du fusil de l'autre ayant littéralement obsédé de nombreux auteurs. Or, BRUNELLI (1985), critiquant avec humour cette obsession de la valeur comparée de techniques mesurées en poids de protéines, ouvre à propos des Zoró de Rondônia (Brésil), une approche beaucoup plus nuancée en réexaminant d'un côté la fonction des armes et de l'autre les circonstances du changement. Néanmoins, il prend quelques risques en concluant, à partir du seul cas des Zoró, au manque de choix des sociétés amérindiennes face aux technologies venues de l'Occident qu'il considère de manière toute philosophique comme strictement imposées.

En vérité, nous manquons cruellement d'études de cas pour nous permettre une telle généralisation. Sans m'éloigner des propositions de Brunelli, c'est d'abord avec la volonté de fournir et d'organiser un matériau alliant histoire, technologie et écologie humaine que je me propose d'examiner le passage de l'arc au fusil chez les Wayãpi.

Je montrerai d'abord, à travers l'étude de l'armement, que la notion de changement technologique n'est pas liée à l'apparition des Européens. Nous verrons ainsi que les Wayãpi, sans modifier les fondements de leur culture surent, en migrant à travers le plateau des Guyanes, s'approprier de nombreuses techniques (sans compter les manifestations esthétiques porteuses de symboles) propres aux ethnies de cette région. En ce qui concerne l'armement, nous verrons aussi que des facteurs écologiques (ici l'existence d'un arbre fournissant un excellent bois d'arc) combinés à la mise en valeur de cette ressource peuvent être décisifs quant à l'adoption d'un objet nouveau, en l'occurrence, le remplacement d'un type d'archerie par un autre.

J'étudierai ensuite le passage de l'arc au fusil, processus beaucoup plus long et plus complexe qu'on ne l'imagine généralement, ce qui me permettra de nuancer la fascination que les objets européens sont sensés avoir exercée sur les Amérindiens. Ce faisant, je prendrai parallèlement en compte l'évolution des armes européennes entre le XVIe et le XXe siècles, ainsi que l'attitude des sociétés qui en étaient porteuses face aux sociétés amérindiennes.

Je terminerai par l'étude des places occupées aujourd'hui par l'arc et le fusil dans la société wayãpi, autant du point de vue des techniques d'acquisition que de celui des représentations et des significations sociologiques qui s'y attachent. Je m'interrogerai *in fine* sur les causes d'un aussi long processus de changement.

C'est donc à des formes et à des fonctions, selon les définitions qu'en donne SIGAUT (1987), que je m'attacherai, laissant de côté ce qu'il nomme les fonctionnements sur lesquels je ne possède que des données que je considère comme fragmentaires.

1. L'armement traditionnel des Wayãpi

1.1. Les arcs et les flèches des Wayãpi du XIXe siècle à nos jours

Parler de tradition et donc ici d'armement traditionnel est comme on le sait en anthropologie extrêmement relatif et risqué. Dans le domaine de la technologie comme dans tous ceux qui concernent notre discipline, le qualificatif de *traditionnel* s'inscrit dans le temps long, prenant sens ici par l'image de l'arc et de la flèche, et forme un couple d'opposition avec le mot *moderne*, sensé être illustré par les armes à feu d'irruption récente.

Avant de nous immerger dans notre propos, évoquons brièvement, afin d'éviter confusion et répétition, qui sont les Wayãpi. Avec les Émerillon, ils forment une intrusion de peuples tupi-guarani dans le plateau des Guyanes, région classiquement dominée par des peuples de langues karib et arawak dont RIVIÈRE (1984) a montré qu'ils constituaient une unité culturelle régionale pertinente. Les Wayãpi donc, originaires du sud de l'Amazone, se sont taillés entre 1730 et 1830 un territoire couvrant le centre-nord de l'Amapá (Brésil) et le sud-est de la Guyane française. Cette période d'expansion suivie par une autre de déclin induite principalement par un écroulement démographique dû aux maladies nouvelles, fut marquée, à la suite de contacts avec les autres peuples en place dans l'est des Guyanes, par de profonds changements dans le domaine de l'organisation sociale, de l'art et de la culture matérielle, le système de pensée et la langue demeurant très stables lorsqu'on les compare aux autres peuples tupi-guarani.

L'armement que je me propose ici d'examiner s'inscrit sans ambiguïté dans le cadre de ces changements.

L'arc wayãpi contemporain semble identique en tout point à ce qu'il était déjà dans le premier tiers du XIXe siècle. Si l'on ne peut fonder cette affirmation que sur un seul texte précis du strict point de vue descriptif, celui de CREVAUX (1883), les remarques ponctuelles des auteurs qui ont écrit au cours des cinquante années qui précèdent son voyage traitent de toute évidence de la même arme. Une gravure anonyme du début du XIXe siècle représentant un chasseur au repos montre d'ailleurs un arc et une flèche très similaires à ceux observables de nos jours. Les auteurs du XIXe siècle, tels ADAM DE BAUVE & FERRÉ (1833-34), LEPRIEUR (1834), CREVAUX (*ibid.*) et COUDREAU (1893) emploient, pour désigner l'objet, le mot **paira** (**paila**, selon notre graphie), vocable d'origine karib s'appliquant d'abord à l'*arbre* et au *bois* dans lequel l'arc est taillé puis secondairement à l'*arme* elle-même. Or, existe à côté de cet emprunt, le mot actuel que nous avons collecté pour l'*arme*, **wɨlapama**, mot stable dans les langues tupi-guarani pour désigner l'*arc* et ne pouvant qu'être déjà présent au XIXe siècle[3]. Le flou linguistique de nos prédécesseurs implique plusieurs choses : la première, qu'à cette époque le mot **paila** désignait pour les Wayãpi un *objet* dont la matière et l'aspect général étaient caractéristiques du plateau des Guyanes; la seconde, que le souvenir de la forme et de la matière de l'arc précédant leur migration était encore assez vivace pour que le mot désignant l'arc ancien ne pût être appliqué spontanément à l'arc récemment adopté; la troisième enfin, qu'aujourd'hui l'emprunt de la matière première, de l'objet qu'on en tire et du mot pour les dire est digéré au point que l'emploi du mot karib (**paila**) soit réservé à la désignation de la *matière*, permettant ainsi au vieux mot tupi pour l'*objet* (**wɨlapama**) d'être réutilisé sans risque d'équivoque.

L'arc de chasse des Wayãpi est une arme de grande taille (1m 97 en moyenne sur une série de dix arcs contemporains mesurés, CREVAUX indiquant sans autre précision une longueur de 2 m)[4], puissante et souple à la fois, singulièrement fine avec un diamètre moyen à l'empoignage de 23 mm et présentant une section qualifiée de haute avec une face interne ovale et une face externe plate selon la classification de HEATH & CHIARA (1977). Il s'agit d'une arme dite simple dont le corps n'est fait que d'un seul matériau, s'effilant progressivement à partir de l'empoignage vers les deux extrémités et présentant au repos une courbure minime, du moins chez les arcs de fabrication récente. Les extrémités ou épaules présentent avec le corps de l'arme deux décrochements d'un millimètre chacun sur une longueur de 2 cm qui sont destinés à recevoir, à la partie supérieure le nœud libre de la corde de tension et à l'autre, un nœud intermédiaire entre cette même corde et son prolongement torsadé en deux sections à équidistance du centre de l'arc. Spontanément, les Wayãpi indiquent pour ce prolongement une fonction de réserve en cas de rupture de la corde, mais la fonction esthétique peut être également avancée car la finesse de cette réserve écarte la fonction utilitaire, au moins sur la majeure partie de sa longueur.

Le matériau dans lequel est taillé l'arc est presque uniquement le cœur dur et foncé d'un arbre nommé **paila** par les Wayãpi, *bois de lettre* par les Français, *bwalet* par les Créoles et *Brosimum guianense*, une Moracée, par les botanistes[5]. Le cœur des arbres morts et déjà tombés au sol est débité à la hache,

---

[3] D'ailleurs, LEPRIEUR (1834) cite bien dans son vocabulaire le mot **ourapama** qu'il traduit par «corde d'arc»; erreur de traduction certes, mais l'existence du mot ne peut être mise en doute.

[4] ADAM DE BAUVE & FERRÉ (1834) parlent cependant d'arcs de 7 à 8 pieds de long, soit de 2,26 à 2,59 m!

[5] Dans les Guyanes, l'usage dominant de l'espèce *Brosimum guianense* (Aublet) Huber et parfois de l'espèce voisine *B. rubescens* Taubert, toutes deux de la famille des Moracées, appelle quelques remarques complémentaires.

Tout d'abord selon la révision des Brosimées faite par Berg en 1972, ces deux espèces croissent en de nombreux points des forêts humides d'Amérique tropicale, du Panama à l'État

dégrossi à la machette puis raboté et enfin longuement poli avec la mâchoire inférieure du pécari à collier. Cet outil est si parfaitement adapté au profilage progressif de l'arc que les Wayãpi affirment ne pouvoir lui substituer aucun outil métallique équivalent parmi ceux importés en Guyane. Cette remarque vaut d'ailleurs pour une partie non négligeable des observations ethnographiques examinées à l'échelle du bassin amazonien et ce pour des matériaux ligneux extrêmement variés. La corde est obtenue par torsion sur la cuisse de trois torons, d'abord vrillés séparément dans un sens, puis vrillés tous ensemble dans l'autre sens; elle est faite de fibres extraites des feuilles crassulentes de **kulawa**, une Bromeliacée (*Bromelia karatas*) cultivée dans les abattis. Pour la rendre imputrescible et afin qu'elle ne s'effiloche pas à l'usage, elle est frottée avec des tampons d'écorce de **tulili** (*Sclerolobium paraense*) ou de **sisi** (*Inga bourgoni, I. alba* et *I. pezizifera*), toutes riches en tanins, tandis que l'arc lui-même est régulièrement graissé avec l'huile extraite du fruit de carapa (**yanɨ**, *Carapa guianensis*) afin de lui conférer plus d'élasticité. A quelques variantes près, des observations similaires ont été effectuées sur l'ensemble du plateau des Guyanes par divers ethnographes tels ROTH (1924, 1929), YDE (1965), FRIKEL (1973), KOCH-GRÜNBERG (1982), etc.

En plus des arcs de chasse (utilisés également jadis pour la guerre), les Wayãpi fabriquent des arcs de pêche dont la différence réside essentiellement dans la longueur (de 1m 60 à 1m 70 seulement). Toujours suivant les mêmes techniques, sont fabriqués, avec la même minutie, des arcs de taille de plus en plus petite réservés aux adolescents et aux enfants, allant jusqu'à de touchants

---

de Rio de Janeiro. L'aire de répartition n'est cependant pas continue et le plateau des Guyanes est la région où le plus grand nombre de collectes ont été faites.

Ensuite, hors du même plateau des Guyanes, je n'ai trouvé dans les sources dont je dispose aucune citation évoquant l'usage de l'une ou l'autre espèce comme bois d'arc. Elle ne sont pourtant pas ignorées des populations contemporaines, puisque des auteurs comme LECOINTE (1922), RIZZINI (1986) et PIO CORRÊA (1984) les citent pour l'Amazonie brésilienne sous les noms de *muira pinima*, *muira piranga* ou encore de *pau rainha*, pour leur usage en marqueterie.

En contrepartie, pratiquement toutes les populations amérindiennes de l'est, du centre et du sud du plateau des Guyanes utilisent (ou utilisaient) ces espèces pour fabriquer leurs arcs. Ce sont d'ouest en est : les Taulipang, les Makushi, les Wapishana, les Waimiri-Atroari, les Waiwai et apparentés, les Tiriyo, les Arawak, les Karib (Kaliña, Galibi), les Wayana, les Aparai, les Émerillon, les Wayãpi et enfin les Palikur.

Un tel continuum indique que nous sommes face à un exemple peu discutable de diffusion culturelle. Ceci n'explique cependant pas pourquoi ces deux espèces de *Brosimum* ne sont pas utilisées par les Amérindiens pour leur archerie dans le reste de leur aire de répartition. Le seul critère qui pourrait être retenu, la rareté, n'est en aucun cas valide puisque les ethnies des Guyanes la considère comme constante, *Brosimum guianense* en particulier, croissant en peuplements éloignés les uns des autres. En conséquence, chaque communauté essaie de garder le monopole des peuplements qu'elle a localisés, non seulement à des fins d'usage mais aussi à des fins d'échange.

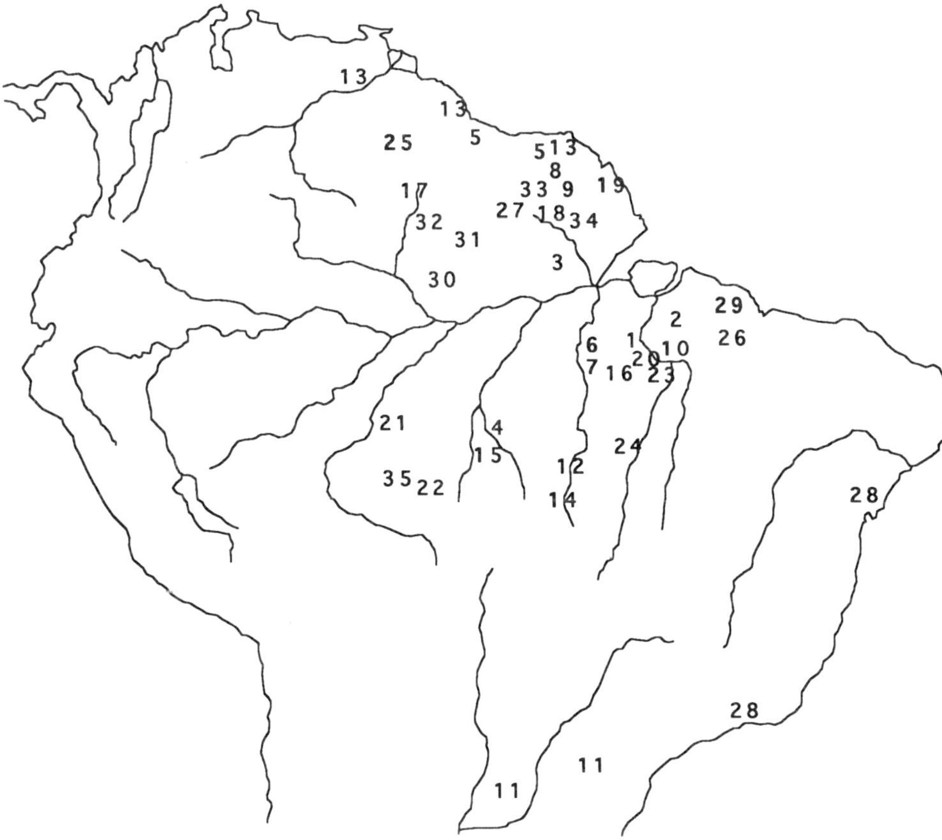

1 Akuawa-Asurini
2 Amanayé
3 Aparai
4 Apiaka
5 Arawak
6 Araweté
7 Asurini
8 Boni (Noirs Marrons)
9 Emerillon
10 Gavião du Pará
11 Guarani
12 Juruna
13 Kaliña
14 Kamayura
15 Kayabi
16 Kayapo
17 Makushi
18 Namikwan
19 Palikur
20 Parakanã
21 Parintintin
22 Surui de Rondonia
23 Surui du Pará
24 Tapirapé
25 Taulipang
26 Tenetehara
27 Tiriyo
28 Tupinamba
29 Urubu
30 Waimiri-Atroari
31 Waiwai
32 Wapishana
33 Wayana
34 Wayãpi
35 Zoró

Carte. Ethnies citées dans le présent article.

arcs miniatures de 30 cm au plus, rabotés dans des rognures pour les garçonnets faisant leurs premiers pas.

Les flèches sont des armes plus complexes dont la classification est faite par les spécialistes[6] soit à partir des pointes (chaque ethnie amérindienne en connaît plusieurs types), soit par le mode de fixation de l'empennage (en général, chaque ethnie n'utilise qu'un type de base). Un troisième mode de classification considéré comme secondaire par les organologistes est la manière dont est taillé l'empennage.

La flèche wayãpi (**wɨ lapa**) est un objet extrêmement long et fin[7] dont la hampe provient du pédoncule floral d'une graminée semi-cultivée (**wɨwa**, *Gynerium sagittatum*); il s'agit là d'un matériau alliant grande légèreté et bonne rigidité; cette hampe est complétée d'une pointe insérée directement ou munie d'un support intermédiaire, d'un empennage (sauf les flèches de pêche) auquel on adjoint à la partie sommitale deux duvets; enfin, un petit poinçon de bois inséré dans le talon du roseau permet la taille d'une encoche très résistante. Poinçon, empennage, pointe et support de pointe sont amarrés par des ligatures formant des décors variés presque tous nommés; ce sont soit des fils de coton fixés à la poix de **walatɨwã** et de **ɨwɨ'ɨ** (*Moronobea coccinea* et *Symphonia globulifera* d'une part, *Manilkara bidentata* d'autre part), soit, dans le cas des pointes de pêche, soumises à de fréquentes humidifications, des fibres de *Bromelia* fixées avec les mêmes poix. Enfin pointe, hampe et amarrages d'empennage sont peints ou décorés avec divers colorants végétaux. Ce sont douze à treize matériaux différents qui sont ainsi nécessaires pour la fabrication d'une flèche, faisant de cet objet l'un des plus sophistiqués de la technologie wayãpi.

L'empennage, que je rattache au type appelé radial ou parallèle selon les auteurs, est fait à partir de deux pennes de divers gros oiseaux dont on n'utilise que la moitié la plus large. Les plumes du hocco (**mɨtũ** , *Crax alector*), représentent 75% des empennages. Ces deux demi-pennes sont taillées de manière dite ondulée ou parfois en parallélogramme (CHIARA, 1986). L'amarrage est en fil de coton, ménageant des espacements très variables de façon à former des motifs qui sont tous nommés par les Wayãpi. Cet empennage très caractéristique de la région des Guyanes sera réévoqué plus avant sur un mode comparatif.

Les matériaux utilisés pour les pointes se combinent avec les formes pour déterminer la nomenclature telle qu'elle est énoncée par les Wayãpi. La voici sous la forme d'un tableau, sensiblement différent de celui que j'ai déjà publié (GRENAND, 1980), agrémentée de dessins (Fig. 1). Au-delà des classifications

---

[6] Voir en particulier pour l'Amérique tropicale MÉTRAUX (1949), HEATH & CHIARA (1977) et CHIARA (1986).

[7] Une longueur moyenne de 1m 87 a été obtenue sur un lot d'une quarantaine de flèches se répartissant en neuf grandes catégories.

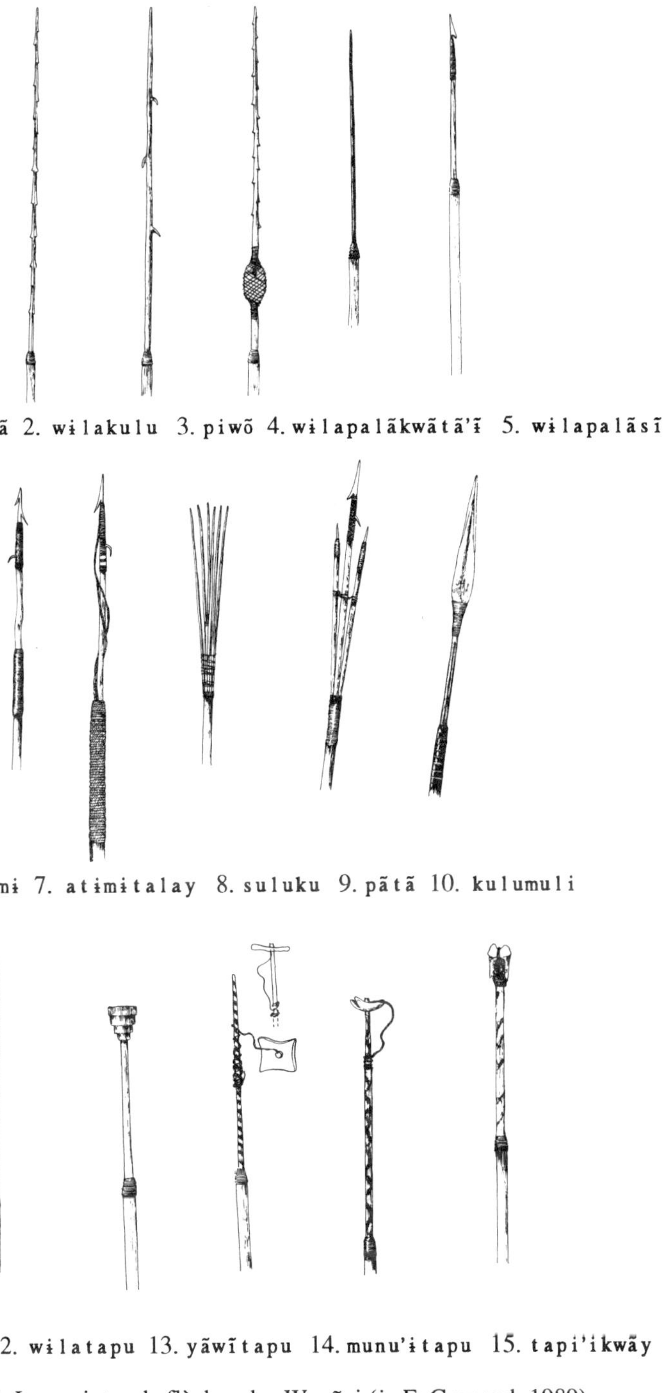

Figure 1. Les pointes de flèches des Wayãpi (*in* F. Grenand, 1989).

ethnologiques dont je me suis servi au cours de cette description, les Wayãpi retiennent pour nommer leurs flèches : la forme de la pointe, le matériau utilisé et les gibiers ou poissons recherchés. Sur ce dernier point cependant, on notera à la lecture du tableau un degré certain de polyvalence, les circonstances de l'usage donnant en outre lieu à un certain pragmatisme.

Les flèches wayãpi et leur utilisation

Types de base	*Nom*	*Qualification*	*Matériau*	*Utilisation*
aiguë avec empennage	**wɨlapalãkwã**	pointe barbelée à section circulaire[a]	bois durs[b]	gibier à plumes, iguane
aiguë avec empennage	**wɨlakulu**	pointe barbelée sommaire (barbes taillées à l'insertion des branchettes)	bois durs[b]	oiseaux petits et moyens
aiguë avec empennage	**piwõ**	pointe barbelée sifflante, avec graine dure évidée et percée d'un trou	bois durs[b] et graine de palmier **kunãnã** (*Astrocaryum paramaca*)	pour effrayer les singes dissimulés dans les grands arbres
aiguë avec empennage	**wɨlapalãkwã tã'ɨ̃**	pointe lisse taillée dans une branche fine	bois durs[b]	pour blesser les oiseaux (perroquets, aras...)
aiguë avec empennage	**wɨlapalãsĩ**	pointe foëne à une seule barbelure en os avec ergot	tibias de singe atèle ou de pécari à collier	singes, paresseux
aiguë sans empennage	**atɨmɨ**	pointe foëne à une seule barbelure en fer avec ergot	métal de récupération	gros poissons, caïmans
aiguë sans empennage	**atɨmɨtalay**	flèche harpon à pointe en fer amovible	métal de récupération; support de pointe en bois d'arc	poisson aïmara (*Hoplias macrophtalmus*)
aiguë sans empennage	**suluku**	flèche multipointe : 6 pointes lisses divergentes	bois d'arc (*Brosimum guianense*)	petits poissons en eaux calmes
aiguë avec ou sans empennage	**pãtã**	pointe foëne trifourchue[c]	bois durs[b], os, ou métal de récupération	poissons petits et moyens
lancéolée avec empennage	**kulumuli**	pointe lancéolée en bambou de section arquée amarrée sur un support de bois dur[d]	bambou **kulumuli** et plus rarement **takwãsĩ** (*Guadua spp.*)	tous les gibiers terrestres à poils (agouti, paca, pécaris, tapir...)
lancéolée avec empennage	**wɨlali**	pointe-aiguillon incisée enduite de poison	rachis de palmier **walakuli** (*Attalea attaleoides*) et poison *Strychnos*	singes essentiellement

tampon ou boncon avec empennage	**wɨlatapu**	pointe assommoir à tête aplatie	bois dur[d] **yawapoɨlɨ**, (*Sciadotenia cayennensis*)	pour capturer les oiseaux vivants ou tuer les petits pour les parures
tampon ou boncon avec empennage	**yãwĩtapu**	pointe assommoir faite d'un morceau de carapace de tortue enfilé sur un support de bois dur	tortue terrestre (*Geochelene denticulata*) et bois dur[d]	même usage que précédemment
tampon ou boncon avec empennage	**munu'ɨtapu**	pointe assommoir faite d'une graine taillée enfilée sur un support de bois dur	graine de **munu'ɨ** (*Dipteryx spp.*) et bois dur[d]	même usage que précédemment
tampon ou boncon avec empennage	**tapi'ikwãy**	pointe assommoir en molaire de tapir amarrée sur un support en bois dur	molaire de tapir et bois dur[d]	petit gibier à poils

a Il en existe plusieurs variantes nommées en fonction de la disposition des barbelures.
b De nombreuses espèces conviennent pour ces pointes : **ɨwapitã** (*Eugenia patrisii*), **pilalea** (*Calyptranthes spp.*), **yanu'ɨ** (*Hirtella racemosa*), **wɨlakɨtã** (*Mouriri crassifolia*) et **talakwa'ɨ** (*Mouriri sagotiana*).
c Il en existe trois variantes : soit à pointe lisse en bois dur, soit à pointe foëne en os sur support en bois dur, soit encore à pointe foëne en fer sur support en bois dur.
d Les supports de pointes de flèche sont taillés dans les mêmes bois que les pointes aiguës, auxquels ont peut adjoindre quelques autres espèces, telles **pakea'ɨ** (*Marlierea gleasonii*), **wɨlamunuwi** (*Heisteria microcalyx*) et **ɨãyũ** (*Rinorea spp.*).

1.2. L'armement traditionnel des Wayãpi est-il ancien ?

Penser en termes, soit de continuité profonde, soit de changements induits à partir de sphères extérieures, nous conduit en premier lieu à nous positionner face aux phénomènes de diffusion, sélection et innovation propres à toutes les sociétés.

L'archerie des Wayãpi, ainsi que d'autres traits de leur civilisation matérielle telles la vannerie et la parure, présentent de nombreuses affinités avec les autres cultures du plateau des Guyanes. Les modalités historiques du contact, y compris des processus d'absorption de groupes résiduels, ont été étudiées en détail dans un travail antérieur (GRENAND P., 1982) et je me suis contenté d'en rappeler plus haut les grands traits. Il n'est pas inutile cependant de réaffirmer que le panorama ethnique contemporain de l'est des Guyanes est bien peu de chose au regard de la multitude des groupes cités au début du XVIIIe siècle. Les morts ont façonné et façonnent encore à bien des égards le quotidien des vivants. Ce foisonnement ethnique, impliquant en particulier des réseaux d'échange complexes sur des aires très vastes, joua indubitablement un rôle dans la constitution de la culture wayãpi telle qu'elle nous apparaît aujourd'hui. C'est donc en tenant compte de blocs culturels plus que d'ethnies que j'essaierai de comparer l'archerie des Wayãpi, d'une part avec celle des Tupi-Guarani localisés au sud de l'Amazone, d'autre part avec celle des populations peuplant l'hinterland des Guyanes. Ce faisant, j'intégrerai à mon propos les bribes de savoir que les Wayãpi conservent de ces changements anciens.

Des sources dont nous disposons, se dégage une image partielle de l'archerie, les documents allant de monographies, telles celles de WAGLEY & GALVÃO (1961), OLIVEIRA (1970), ARNAUD (1983) ou BALÉE (1984), à des travaux plus généraux consacrés à la civilisation matérielle, comme ceux de ROTH (1924, 1929) et de MÉTRAUX (1928, 1949). Ils suffisent cependant à faire apparaître un contraste frappant entre les régions que nous envisageons.

En ce qui concerne les ethnies situées au sud de l'Amazone et singulièrement les Tupi-Guarani qui retiendront plus particulièrement mon attention, on note divers traits pertinents que l'on ne rencontre pas dans le plateau des Guyanes. Dans ces régions méridionales, l'arc n'est jamais fait en *Brosimum*, qu'il s'agisse des espèces *guianense* ou *rubescens*[8] pourtant toutes deux présentes dans l'ensemble du bassin amazonien et dans la forêt atlantique (BERG, 1972). Les matériaux dominants sont divers palmiers (des *Astrocaryum* et *Iriartea exhorriza*) et surtout les différents *pau d'arco* ou *ipê*, appellations recouvrant au Brésil plusieurs *Tabebuia* (syn. *Tecoma*). A l'exception de l'arc juruna, la *largeur* de ces arcs (de 4 à 7 cm) est en général beaucoup plus importante que celle des arcs guyanais. La longueur est un caractère moins saillant puisque la région présente aussi bien des arcs longs, au même titre que dans les Guyanes, c'est-à-dire de plus de 1m 80 (Tapirape, Amanayé, Parintintin, Kamayura), que des arcs courts (Tenetehara, Asurini, Akuawa-Asurini, Parakanã, Urubu, Surui du Tocantins). Le trait le plus remarquable reste la forme de la section aplatie qui présente presque toujours une face externe très convexe, voire presque semi-circulaire et une face interne plate ou légèrement bombée (Akuawa-Asurini, Surui du Tocantins, Asurini, Apiaka, Tenetehara, Arawete, Parintintin) (Fig. 2). Cette particularité semble un trait culturel caractéristique puisqu'elle est déjà signalée chez les Tupinamba du XVIe siècle. Tout au plus rencontre-t-on chez certains groupes tupi tels les Surui de Rondônia, les Zoró ou les Parakanã, des formes elliptiques mais toujours très aplaties.

Les arcs guyanais sont en revanche très différents. Tout d'abord, même si quelques matériaux secondaires sont notés çà et là, tels les bois de divers palmiers, de *Mouriri*, de *Peltogyne* ou de *Tovomita*, *Brosimum guianense* est (ou était pour les régions en partie déforestées) massivement utilisé depuis le pays wapishana et makushi à l'ouest au pays palikur à l'est; et depuis les Galibi au nord jusqu'aux Aparai au sud. La nervosité et la souplesse de ce bois permet indubitablement une largeur à l'empoignage extrêmement modérée et des

[8] Les bois de chacune de ces deux espèces sont extrêmement proches.

Figure 2. Sections d'arcs brésiliens.

Figure 3. Sections d'arcs guyanais : Wayãpi, Palikur, Wayana, Waimiri-Atroari.

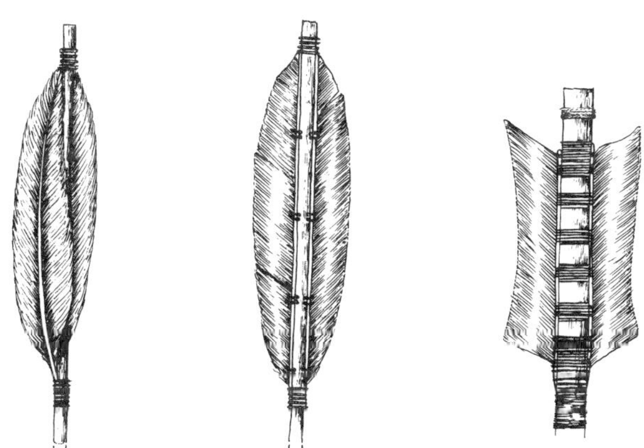

Figure 4. Différents empennages. Brésil : 1. Empennage tangentiel ou spiralé, anciennement dit «est brésilien». 2. Empennage parallèle cousu, anciennement dit «du Xingu» (*in* Chiara, 1986). Guyane : 3. Empennage parallèle ou radial (*in* F. Grenand, 1989).

performances balistiques remarquables. Cette dernière caractéristique n'existe au sud de l'Amazone que chez les Juruna et divers groupes gé (Kayapó et Gavião) maîtrisant la taille du bois des *Tabebuia*. La section est un autre indicateur pertinent puisque dans l'essentiel des Guyanes, elle est généralement plus haute que large; surtout, la convexité est majoritairement interne (elliptique, arrondie ou parfois ogivale), la face externe étant plate, légèrement concave, et plus rarement bombée. Le seul cas divergent de ce type général est celui des Waimiri-Atroari dont de nombreux arcs, parmi ceux que j'ai personnellement observés, sont de section rectangulaire (Fig. 3).

Le contraste offert par les flèches est tout aussi net que celui présenté pour les arcs.

Parmi les caractères les moins contingents, on note d'abord la longueur des flèches qui vont de petites (Surui du Tocantins, Parakanã, Tenetehara) à moyennes, voire grandes (Arawete, Urubu, Juruna, Tapirape, Parintintin). Viennent ensuite les pointes dont les types essentiels varient peu dans l'ensemble du bassin amazonien; la seule particularité notable est la présence fréquente de pointes lancéolées dépassant 35cm de long. Le matériau de base des flèches diverge plus sensiblement puisque la hampe florale du roseau à flèche (nommé en Amazonie brésilienne *uba* ou *camaiuva*) spécifique des Guyanes, est remplacée ici par le chaume de la même espèce ou par d'autres matériaux tels bambous grêles (*tacuapi*) ou palmiers graciles (surtout du genre *Bactris*). Le caractère le plus spécifique est sans aucun doute la fixation des empennages. Deux types de fixation dominent au sud de l'Amazone non seulement chez les Tupi-Guarani, mais aussi chez les Gé ou même les rares groupes karib et arawak : il s'agit de l'empennage tangentiel ou spiralé anciennement qualifié d'est-brésilien (avec une variante dite mixte) ou de l'empennage parallèle cousu à travers le corps de la flèche, anciennement dit du Xingu. Le premier est propre aux Tupinamba, aux Guarani, aux Tenetehara, aux Tapirape, aux Apiaka et aux Juruna (tous tupi-guarani) ainsi qu'aux Kayapó (gé). Le second caractérise toutes les ethnies du haut Xingu, les Akuawa-Asurini, les Asurini, les Kayabi, les Arawete et les Parakanã.

Toutes les particularités que je viens d'énumérer sont totalement absentes du plateau des Guyanes. Dans cette région, les flèches sont constamment longues (entre 1m 75 et 2 m) à l'exception encore de celles des Waimiri-Atroari, majoritairement faites de la hampe florale de *Gynerium*. Mais c'est l'empennage qui semble le plus caractéristique : il est parallèle ou radial selon la terminologie des différents auteurs; il est amarré sur la base de la hampe selon des ligatures diversement travaillées et surtout, comme le remarquait déjà MÉTRAUX (1949), il est taillé en pointe à la base laissant les dernières barbes de l'empennage légèrement déportées de chaque côté (Fig. 4). Cette particularité est expressément indiquée tant par les Wayana que les Wayãpi comme indispensable à une bonne giration de la flèche pendant son vol, affirmation restant à vérifier pour les autres ethnies. Cet empennage est si caractéristique que Métraux n'hésita pas à le considérer comme typique des Guyanes, intuition qui fut pleinement confirmée par les observations postérieures (YDE, 1965; FRIKEL, 1973).

Arrivé à ce point de la comparaison, il m'est possible d'affirmer que les Wayãpi, lors de leur migration vers le nord, modifièrent radicalement leur armement, et ce probablement en moins d'un siècle, à une époque – nous le verrons plus loin – où ils découvraient également le fusil. Quelle conscience ont-ils de cette micro-révolution ?

De l'archerie ancienne, ils n'évoquent que bien peu de choses (GRENAND, 1982) : un empennage torsadé amarré aux deux extrémités des deux demi-pennes, suggérant ainsi l'empennage spiralé ou plus probablement sa variante mixte. Très significatif à mon sens est le fait qu'ils affirment que cet empennage était caractéristique des flèches de guerre, renvoyant ainsi à une époque où ils s'installaient, progressivement mais par la force, dans leur nouveau territoire. La seule autre réminiscence des temps anciens est l'utilisation du bois du palmier **yata'ɨ** (*Syagrus inajai*), présent tant au sud qu'au nord de l'Amazone, pour confectionner les arcs. Pour donner plus de poids à cette affirmation, les Wayãpi septentrionaux avancent que l'usage en est encore présent dans leurs communautés méridionales. Or, non seulement j'ai dû prendre acte du contraire, mais encore j'ai pu constater que les Wayãpi de l'Amapá étaient les seuls à savoir aujourd'hui exécuter **paila tule**, «la danse de l'arc *paila*», arc nouveau adopté des ethnies guyanaises.

De l'histoire des changements techniques, il reste donc bien peu de choses, ce qui confirme pleinement l'idée de LEROI-GOURHAN (1973) selon laquelle ils opèrent tout à fait séparément de l'histoire des peuples eux-mêmes. Pourtant, même en l'absence d'études technologiques poussées, il me semble raisonnable d'avancer que non seulement l'archerie des Guyanes offrait sans doute aux Wayãpi un net progrès face à ce qu'ils connaissaient précédemment, mais encore qu'un facteur de dominance du nouvel environnement culturel a probablement également joué.

Sortant des conjectures, l'histoire de l'adoption du fusil, sensiblement mieux documentée, va nous permettre de discuter dans quelles conditions les changements sont perceptibles et dans quelles conditions les hommes se les approprient.

2. Les contacts successifs avec le fusil

Pour essayer de comprendre ce qu'ont représenté les armes à feu pour les Wayãpi, nous disposons de deux sources d'information : les propos des intéressés eux-mêmes et les écrits des voyageurs. En d'autres temps (GRENAND, 1982), j'ai postulé la subjectivité de ces sources tout en montrant que par leur complémentarité, elles parvenaient à se rééquilibrer. Dans un domaine comme la technologie, le sujet engage à moins de subjectivité et nous approchons avec plus d'aisance, au détour d'observations simples et couvrant des séquences-temps facilement identifiables, une image qui approche le réel.

2.1. Étapes fluctuantes d'un changement

L'arme à feu, sous des formes techniques successives que je vais tenter d'identifier, fait partie des préoccupations politiques, du discours usuel ou métaphorique et plus encore de la gestuelle des Wayãpi, le tout exprimé par des mots depuis déjà fort longtemps en usage, au plus tôt depuis le XVIIe siècle, au plus tard au siècle suivant.

C'est bien la langue qui, à travers ses néologismes et ses emprunts, nous restitue les rencontres successives avec ce symbole de la conquête du Nouveau Monde : **moka**, **alakausa**, **kalãwi**, marquent autant d'étapes historiques s'imbriquant par tassement du temps dans l'évidence finale qu'il s'agit bien toujours de **-lapa**, *l'arme*, concept universel, que sa fonction soit la chasse ou la guerre. Mais de quelle arme s'agit-il ? Pour les Wayãpi, le terme désignant l'*arme* est dérivé, non pas du mot *arc*, mais de celui désignant la *flèche* (**wɨlapa**). C'est elle qui frappe, c'est elle qui touche au but. Elle est le symbole de la force, de la victoire et de la puissance sexuelle. Elle a été révélée aux enfants des hommes par le fils de Soleil dont elle est les rayons (F. GRENAND, 1982). Cette symbolisation explicite, sans équivoque, l'équivalence sémantique accordée au fusil, nous indiquant du même coup sa place dans l'échelle des valeurs, celle de la surnature.

Les premières mentions qui sont faites des Wayãpi au XVIIIe siècle par les archives françaises les associent aux raids esclavagistes que les Portugais lancent vers le plateau des Guyanes et surtout spécifient qu'ils imposent leur supériorité aux autres ethnies grâce au fusil :

> *«Les Oyampis sont installés au delà des cacaoyers du Camopi au sud-ouest. Amiacaré* [un chef okomayana] *avait été chés ces Indiens pour faire banaré* [alliance] *avec eux; mais ils le reçurent lui et ses gens à coups de fusil, sans pourtant tuer personne.»* (lettre de KERKOVE, 1760)
>
> *«Les Indiens Oyampis ou Ouampi* [...] *ont eu une guerre considérable avec trois nations qui ont été repoussées et presque anéanties : parce que ces Oyampis étaient munis d'armes à feu que leur donnaient les Portugais pour les favoriser, les engager à leur fournir des esclaves.»* (TONY, [1769], 1842)

Il est important d'indiquer que pour les ethnies peuplant alors l'hinterland guyanais, l'utilisation d'armes à feu par des peuples venus du sud était l'exacte symétrie d'une pression guerrière impulsée au nord par les Anglais puis les

Hollandais avec des ethnies côtières arawak (Lokono) et karib (Galibi, Kaliña, etc.).

En vérité on ne sait pratiquement rien des modalités d'utilisation des armes à feu par les anciens Wayãpi. De quel armement s'agit-il au cœur du XVIIIe siècle ? Très probablement de fusils et de mousquets à platine à mèche ou à rouet, car il est douteux que les fusils à platine à silex qui équipaient depuis peu les grandes armées européennes (Dolínek & Durdík, 1993), eussent déjà atteint les forts portugais et encore moins qu'ils fussent distribués à leurs alliés amérindiens. Quant au nombre d'armes à feu par troupe armée, il devait être faible et restreint à un rôle dissuasif, le gros des hommes, difficilement contrôlable militairement, culturellement et psychologiquement, restant sans doute équipé des armes habituelles, arcs, flèches et casse-têtes. Dans ce contexte particulier où l'aspect psychologique était très puissant et l'implication pratique quasiment nulle, il est probable que les armes à feu eurent un rôle négligeable pour la chasse.

Les Wayãpi usent aujourd'hui pour désigner le fusil en tant qu'objet, du mot **alakausa** dont il est aisé, à travers diverses langues karib, de montrer qu'il est une altération du mot espagnol ou portugais *arcabuz*, éventuellement, même si c'est plus douteux, du français *arquebuse*. Il est peu probable cependant que les ancêtres des Wayãpi aient véritablement connu ou manipulé l'arquebuse, en raison de la pénétration assez tardive des Portugais dans le bas et le moyen Xingu. De plus, les Wayãpi septentrionaux les plus âgés et la majorité des Wayãpi méridionaux emploient de façon alternative le néologisme **moka**, «ce qui tue», vocable stable désignant dans la grande majorité des langues tupi-guarani un continuum d'armes à feu allant de l'arquebuse portugaise du XVIe siècle aux carabines à répétition contemporaines.

Le mot **alakausa**, même s'il a servi à désigner avant tout l'*arquebuse* pour d'autres ethnies côtières des Guyanes, n'a sans doute atteint les Wayãpi qu'au XIXe siècle, soit à travers les alliances matrimoniales ou les liens commerciaux contractés avec les Wayana, soit à travers les mécanismes d'absorption des groupes résiduels tupi ou karib du bassin de l'Oyapock, soit plus anciennement encore au cours de contacts sporadiques avec ces mêmes populations lors des raids du XVIIIe siècle. En bref, lorsque les Wayãpi empruntent ce mot, il ne désigne déjà plus l'arquebuse mais les armes à mèche ou à rouet ou au mieux le fusil à silex.

Retenons en définitive que les Wayãpi étaient porteurs d'armes à feu dès le XVIIIe siècle et que l'objet lui-même (qu'ils se le fussent déjà approprié ou non), à travers l'évidence même d'un mot tel **moka**, leur était connu dès le siècle précédent.

L'ensemble des témoignages des voyageurs ainsi que les matériaux historiques que nous avons relevés offrent pour le XIXe siècle une image toute différente. Les Wayãpi qui pénètrent à cette époque dans le bassin de l'Oyapock ne possèdent pas d'armes à feu et, pis encore, une anecdote contée par THÉBAULT DE LA MONDERIE (1857), fondée sur des observations faites en 1819 et intitulée *Étonnement pour un coup de fusil*, nous suggère qu'ils n'en ont jamais vu.

Une telle contradiction avec ce qui a été montré plus haut mérite pour le moins que nous la considérions comme une base essentielle de notre réflexion. En harmonie avec le texte de THÉBAULT, les récits wayãpi nient également la possession d'armes à feu dans «les temps anciens» (ces derniers commençant pour eux au-delà des six ou sept générations connues par les généalogies, soit il y a 150 ans environ). Par exemple, le récit qu'ils font du conflit ouvert qui les opposa aux Wayana dans le bassin du Jari, datable des deux dernières décennies du XVIIIe siècle, n'évoque que l'utilisation d'archerie et de casse-têtes, alors qu'en 1766, TONY (1842) parle, comme nous l'avons vu, de la crainte qu'ont les autres ethnies, aujourd'hui éteintes, des fusils de leurs ennemis wayãpi.

Ce va-et-vient fait de témoignages peu contestables pourrait être poursuivi pour cette période puisqu'un autre récit, wayãpi encore, met en scène ces derniers armés d'arcs et de flèches face à un groupe de métis possesseurs de fusils (identifiés par nous comme étant des *Cabanos*, obscurs héros et pitoyables vaincus de la grande révolte nativiste qui ensanglanta l'Amazonie entre 1828 et 1845). Ces hommes commencent par aider les Wayãpi à éliminer des membres d'une ethnie ennemie, les Namikwan, mais deviennent à leur tour des intrus dès lors qu'ils entendent s'insérer dans l'espace conquis par leurs alliés lors des trois décennies précédentes. C'est précisément en raison de leur possession d'armes à feu que les Wayãpi contemporains assurent qu'il fut bien difficile à leurs ancêtres de s'en débarrasser. Ce récit, même s'il ne crédite pas, bien au contraire, les Wayãpi d'armes à feu, indique pourtant que le fusil est associé à leur représentation de la guerre et surtout à ses aléas, la victoire et la défaite. Mieux encore, la suite du récit montre que face aux armes à feu, l'archerie ou les casse-têtes ne valent que s'ils sont employés avec ruse, c'est-à-dire en remodelant leurs techniques d'utilisation hors du code guerrier propre aux hostilités intertribales.

En définitive, le débat n'est pas de savoir si les Wayãpi ont possédé ou non le fusil dans ces périodes des premiers contacts avec les sociétés coloniales, les éléments dont nous disposons ne nous permettant pas de trancher, mais bien plutôt de se pencher sur sa représentation ambivalente. Au-delà de son efficacité potentielle capable de concurrencer l'archerie, l'important est qu'il engendre la crainte. Des facteurs psychologiques tel le bruit fracassant assimilé à des forces magiques destructives comme le tonnerre ont pu jouer un rôle dans ce sens. Citons par exemple THÉBAULT DE LA MONDERIE (1857) : «Ils se jetèrent à terre en tremblant et me prièrent de ne plus tirer», dont les paroles font écho à ce dialogue contemporain (GRENAND, 1982) entre un homme et sa mère lui racontant un épisode de découragement wayãpi au cours d'une guerre ancienne :

«**Pekũ**, la mère : *Ils en ont fait tellement, les Blancs ! Et les Noirs, c'est bien la même chose!*
– Lã, le fils : *Avec les fusils ?*
– **Pekũ** : *Avec leurs fusils. C'est avec cela qu'ils faisaient. Les nôtres ne tiraient même plus leurs flèches; ils ne tiraient plus leurs flèches...*»

Même si la crainte fut sans aucun doute la réaction première des Wayãpi, l'affaire des Namikwan évoquée plus haut montre aussi qu'ils prirent bien vite conscience des potentialités de l'arme à feu. En vérité peut-on imaginer des guerriers ne pas convoiter un tel véhicule de puissance ? Car c'est bien à la guerre et à rien d'autre qu'est liée tout d'abord l'émergence des premières armes à feu et de ce point de vue, tant les archives que les récits wayãpi sont cette fois-ci en accord parfait.

La suite des événements va modifier la situation des Wayãpi à un point tel qu'elle nous amène à prendre davantage en compte les facteurs historiques dans les aléas du changement. En effet après 1830, les Wayãpi, subissant d'effroyables épidémies, vont décroître rapidement et s'atomiser sur un territoire immense (plus de 30 000 km^2 pour une population probable de 800 à 900 personnes vers 1870-1880). L'usage de la violence, même s'il continue de peser lourd dans les rapports entre communautés, ne gardera plus que le caractère de simples et sporadiques vendettas, les récits contemporains n'évoquant à leurs propos que l'usage de l'armement traditionnel tel que nous l'avons défini précédemment.

Pourtant, durant toute la période couverte par les récits de voyageurs entre 1819 et 1891, les allusions au fusil, même si elles n'occupent jamais le centre des propos, ne sont point absentes. En effet si au début des contacts, les Wayãpi craignent les armes à feu, il apparaît bien vite qu'elles deviennent un objet de convoitise[9], non pas pour faire la guerre mais comme symbole de pouvoir, et surtout, étape essentielle du changement de représentation, pour chasser.

Hormis les voyageurs, officiels à des degrés divers, que je cite, nous savons par les textes manuscrits d'archives que la traite, très active dans le bassin de l'Oyapock entre 1835 et 1850, porte non seulement sur les curiosités, les hamacs et les animaux apprivoisés (base classique du commerce depuis la fin du XVIIe siècle avec l'ensemble des ethnies de la région) mais aussi sur la farine de manioc torréfiée (*farinha* au Brésil, *couac* en Guyane Française). Les villages amérindiens sont alors régulièrement envahis par les petits colons du bas-Oyapock qui tentent, dans le cadre d'une économie esclavagiste en crise, de compenser leurs maigres revenus par un commerce rêvé à haut profit mais

[9] On pourrait appliquer aux Wayãpi cette remarque de LOHSE (1988) concernant le commerce entre Européens et Amérindiens en Amérique du Nord : «With its machined steel barrel, brass and iron finishes and heavily varnished, carved wood stock, the gun was physically attractive and was first prized for notions of magical attribute. [...] At first, only powerful individuals could obtain a gun.»

souvent aléatoire, si l'on se réfère aux textes contemporains de BAGOT (1849) et de MARIN & MAZIN (1856).

Certes, les fusils ne figurent pas dans le troc ordinaire, mais les chefs en reçoivent cependant comme cadeau de prestige. Plus encore, les Européens lors de leurs déplacements étant dépendants du gibier pour leur ravitaillement, favorisent implicitement la familiarisation avec les armes à feu prêtant, le temps d'un voyage, des fusils aux Wayãpi qu'ils recrutent comme guides accompagnateurs. THÉBAULT DE LA MONDERIE indique par exemple lors de son voyage de 1836 :

«Je donnais à chacun d'eux un fusil et ils s'armèrent aussi de leurs flèches», tandis que quarante ans plus tard, CREVAUX (1883), répondant à la demande du jeune Wayãpi Yãwi, note :

«Je n'hésite pas à lui confier [mon fusil] après lui avoir montré la manière de s'en servir.»

Ces citations suggèrent tout d'abord que les Wayãpi, en excellents chasseurs qu'ils étaient et sont toujours, oublièrent rapidement leurs premières craintes et apprirent facilement, tout comme les Makushi observés par KOCH-GRÜNBERG (1982) au début de ce siècle, à manipuler le fusil et à bientôt l'employer avec une habileté égale à celle qu'ils déployaient avec leur armement indigène.

Ceci posé, la situation évoquée par les textes du XIXe siècle trahit sans doute, une fois de plus, un climat de frustration puisque l'objet convoité soit n'est possédé que par des chefs, acquérant ainsi une valeur de prestige (la vie du chef Pierre-Louis, collaborateur par excellence des Blancs selon un récit wayãpi, en offre une excellente illustration), soit reste sous le contrôle des Blancs et n'est dans ce cas manipulé que par des individus de confiance.

Pour faire bonne mesure, il convient de rappeler que la frustration que j'évoque à propos de l'armement était aggravée par des facteurs très pratiques, telles la fragilité et la complexité des munitions ainsi que la difficulté d'entretien des pièces métalliques. Jusqu'à Coudreau inclus, c'est-à-dire jusqu'à l'extrême fin du XIXe siècle, les rares fusils possédés par les Amérindiens sont des armes à percussion, le plus souvent monocanon, quelquefois pourtant à deux canons juxtaposés, se chargeant par la gueule à l'aide d'une baguette, cependant que les composants des munitions sont séparés : la poudre (contenue dans une poire), les capsules, les amorces et enfin les plombs. Seuls les voyageurs de la fin du siècle comme Coudreau utiliseront pour leur usage personnel – mais les Amérindiens sauront bien vite en apprécier la qualité – des armes à canon basculant chargées par la culasse, équipées de canons *choke-bored* et alimentées par des cartouches préfabriquées graissées pour leur conservation.

En définitive, tout au long de la période allant du dernier quart du XVIIIe siècle au premier quart du XXe siècle, la présence du fusil est indubitablement très sporadique. Aux désavantages techniques s'ajoute sans doute un facteur sociologique. Tant que les Wayãpi furent assez nombreux et leurs villages isolés – en tout cas hors d'atteinte d'éventuelles représailles –, les Européens en visite purent se sentir à leur merci et se montrer en conséquence très réticents à leur fournir des armes à feu. Je fonde cette hypothèse sur les fantasmes classiques de la mentalité coloniale (encore très prégnants de nos jours tant chez les militaires que les gendarmes) bien qu'ils ne transparaissent pas clairement dans les récits des voyageurs. En effet, en dehors du récit de MARIN & MAZIN (1856) qui essuyèrent une attitude hostile tant des Wayãpi que des Émerillon, les autres observateurs semblent ne s'être jamais sentis véritablement en état d'insécurité au milieu des Amérindiens. Plus encore, nombre d'entre eux considèrent même l'arc et la flèche comme des armes tout aussi redoutables que le fusil. S'il y a donc eu réticence de leur part à distribuer des armes à feu, il faut davantage l'attribuer à des facteurs psychologiques telle la sauvegarde du prestige à posséder un objet rare.

2.2. De l'arc au fusil : vers une appropriation

Durant les longues années qui séparent le dernier voyage de Coudreau (en 1891) et l'expédition de «redécouverte» du Dr. Heckenroth (en 1938), les Wayãpi (à l'exception cependant des habitants du moyen Oyapock), ne furent plus visités. Durant toute cette période, la source des objets d'origine européenne se situait dans la vallée du Maroni, 200 km plus à l'ouest. Après un long itinéraire de 400 km passant par les Noirs Boni (Aluku), les Wayana de l'Itany puis ceux du Jari, les objets désirés atteignaient les Wayãpi du Kouc, puis enfin ceux des sources de l'Oyapock. Au terme de ce parcours, les objets troqués par les Wayãpi se limitaient, selon les témoignages que nous avons recueillis dans les années soixante-dix tant du côté des donneurs que de celui des receveurs, à des fers de hache usagés, des machettes émoussées, des hameçons, des perles d'origine hollandaise, quelques longueurs de tissu rouge et de rares marmites ventrues, en échange de chiens dressés pour la chasse, de boules de coton filé, de hamacs tissés, d'arcs et de couronnes de duvet de toucan et d'agami. De fusil, point ! HECKENROTH & BAUP (1938), HURAULT & FRIBOURG-BLANC (1949), AUBERT DE LA RÜE (1950) sont unanimes : seuls l'arc et la flèche étaient utilisés lors de leurs visites. En écho, nos informateurs âgés qui ont bien connu cette époque confirment pleinement leurs dires, y ajoutant leur fascination devant les fusils de chasse modernes de leurs hôtes.

Il est vrai que les équilibres étaient désormais rompus. Au cours des longues décennies d'isolement où l'univers wayãpi s'était perpétué au sein de petites cellules humaines décidées à survivre face à des barbaries dont l'interprétation était si complexe, l'armement des Blancs (et les Blancs eux-mêmes !) avait bien changé. Ils revenaient avec des armes de bonne qualité, les premiers moteurs hors-bord mais surtout des médicaments efficaces face aux maladies importées. Au cours de ces années, lors des rares voyages que des leaders wayãpi accomplirent dans le bas Oyapock (les Blancs montent le fleuve, les Wayãpi le descendent), ils découvrirent ainsi pêle-mêle, le bateau à vapeur (pourtant moribond !), l'automobile, l'avion et l'hôpital.

Feu Miso m'évoqua souvent sa première vision d'un avion survolant l'Oyapock (il s'agissait sans doute de l'un de ces appareils américains des forces de libération du territoire entre 1940 et 1944). Ses compagnons et lui l'assimilèrent à l'un des monstres qui jalonnent le pays wayãpi et, pagayant de vive force, se mirent à couvert des arbres de la berge. Ce ne fut qu'une fausse alerte ! Tout s'accéléra pourtant, les Wayãpi entraient dans la modernité.

Comme tant d'autres objets, le fusil devint partie intégrante de la vie wayãpi. Pourtant les événements se reproduisirent d'abord comme au siècle précédent. Dès 1939, le chef Eugène Inãmu nommé «Grand Man» des Wayãpi reçoit un fusil de chasse; puis c'est le tour du chef Pierre Yakanali en 1947. Notons qu'il s'agit là d'une action diplomatique de la France visant à s'attacher leur fidélité. Comme précédemment les mêmes problèmes surgissent bien qu'à un degré moindre : les munitions sont rares et si les cartouches cartonnées sont plus sûres que l'équipement du XIXe siècle, le fort degré d'hygrométrie de l'air (la nuit, il avoisine 95%) entraîne rapidement leur gonflement. On les étale sur des nattes au grand soleil de midi mais au bout de quelques semaines, si le carton sèche bien, c'est la poudre qui ne supporte plus ce traitement. Le fusil, lui, tient mieux le choc : comme l'arc, on le graisse à l'huile de carapa, un morceau de pagne rouge emmanché sur un roseau à flèche suffisant à nettoyer le canon.

Dans sa fonction de pourvoyeur de viande, le fusil va rapidement être utilisé de façon remarquable, faisant mentir les pourfendeurs des méfaits de l'acculturation. Alors que l'arc est une arme individuelle, les fusils sont d'abord utilisés collectivement : les premières armes de qualité de la période 1947-1970 vont circuler à l'intérieur des familles étendues. Pour la période ici envisagée, cette affirmation joue principalement pour le moyen Oyapock où la création en 1948 d'un petit poste administratif sera pendant de longues années la source d'un ravitaillement en munitions régulier quoique modeste. Après 1962 la même situation sera vraie pour le haut Oyapock avec l'instauration des missions trimestrielles de la gendarmerie et bisannuelles de la médecine de secteur installée à Saint-Georges de l'Oyapock. Pour les communautés du Kouc et de l'Amapari au Brésil, la situation du XIXe siècle perdurera jusqu'à l'immigration du premier groupe en 1969-1970 sur l'Oyapock[10] et les contacts progressifs des

[10] En 1969, au cours du franchissement du partage des eaux entre les bassins de l'Amazone et de l'Oyapock, ayant prêté mon fusil à un Wayãpi du Kouc pour qu'il tire un pécari à collier et reproduisant bien involontairement les rapports caractéristiques du siècle passé, je le vis tenir l'arme à bout de bras et fermer les yeux lorsqu'il appuya sur la détente.

seconds avec l'organisme de tutelle brésilien (FUNAI) au cours des années qui suivront.

Ceci précisé, je concentrerai mon propos sur les villages du haut Oyapock. A notre arrivée (celle de Françoise et Pierre Grenand) en 1969, et davantage encore lors de notre installation en 1971, les fusils sont présents; on compte alors, pour un total de 39 hommes (grands adolescents et adultes) en âge de chasser, quatre armes à feu en état de marche dans la communauté principale, le village Zidok, et deux au village de Kamala-Pina. Il s'agit à cette époque de bons fusils de chasse cal. 16 à un coup, à canon basculant pour le chargement, tous de la marque Manufrance, sauf une arme de qualité excellente, de la marque Verney-Caron. Leur prestige est grand et leur efficacité reconnue. Néanmoins, la pénurie récurrente de munitions immobilise le plus souvent ces armes que l'on a pu voir soigneusement posées à plat sur des claies dans l'ombre des toitures, à côté des flèches et des arcs. Les cartouches alors utilisées sont encore en carton imperméabilisé, cependant que les cartouches plastifiées, qui viennent de faire leur apparition, jouissent déjà d'une haute réputation. Cette réputation court si loin que l'on voit alors des cartouches, allant toujours par trois, trôner sans protection sur les plats-bords avant des embarcations, prêtes à servir. Très vite, les chasseurs comprendront que des infiltrations d'humidité sont cependant toujours possibles par l'amorce, et l'on verra surgir toute une panoplie de protection : petits sacs en tissu cousus que l'on porte en bandoulière, sacs en plastique que l'on coince sous la ceinture du pagne, amarrage sur une liane, portée en sautoir dans le dos, des trois ou quatre cartouches jugées suffisantes pour une sortie de chasse, ou enfin, luxe suprême, quoique de transport infiniment plus contraignant, boîte étanche en plastique.

Très rapidement, les Wayãpi vont profiter de circonstances totalement nouvelles pour s'approprier les fusils tant désirés. Depuis le milieu des années soixante, une politique de contrôle à l'accès de leur territoire, associée à celle de contacts progressifs, a été mise en place par le gouvernement. Toute forme de troc inégal se trouve ainsi virtuellement condamnée, puisque les seuls intermédiaires sont désormais des fonctionnaires de la République (instituteurs et gendarmes). Entre 1971 et 1976, des opportunités de vente d'artisanat de haute qualité mises en place par la Préfecture de la Guyane vont permettre, en raison des prix de vente élevés, de drainer une masse monétaire considérable en direction des villages wayapi du haut Oyapock. Ce facteur suffit à lui seul à expliquer l'introduction accélérée des armes à feu chez les Wayãpi. C'est ce même facteur qui leur ouvre la porte à la sélection de leur armement, tant au niveau de l'arme elle-même qu'à celui des munitions. Dans un premier temps, la demande se concentra sur les munitions (2 000 cartouches annuelles environ pour les trois communautés entre 1971 et 1974 selon nos enquêtes). Avec la première attribution des Allocations Familiales Agricoles en 1975, l'augmentation des armes à feu explosa littéralement.

Les achats passèrent alors de :

1972	1 fusil		1975	9 fusils
1973	2 fusils	à :	1976	9 fusils
1974	3 fusils			

soit : 6 fusils acquis en trois ans, contre 18 acquis les deux années suivantes, ce qui fait 24 fusils au total. Bref, cinq années seulement ont suffi pour transformer des chasseurs à l'arc en chasseurs au fusil. Depuis, la tendance s'est d'autant moins démentie que, la remontée démographique aidant, toute une classe de grands adolescents ou jeunes adultes, la plupart mariés et père de famille, sont venus grossir le rang des chasseurs, avec l'envie de porter beau qui caractérise toute jeunesse impétueuse.

3. De l'objet à sa représentation

Une fois démontré que le passage de l'arc au fusil fut très lent, voire même marqué par des phases de recul, et surtout qu'il fut lié à des facteurs historiques aussi complexes que la propre modification de l'archerie entre la fin du XVIIIe et le début du XIXe siècles, subsiste une question essentielle.

Pourquoi, à un moment donné de leur histoire, les Wayãpi ont-ils décidé d'adopter massivement un objet dont ils savaient qu'ils ne maîtrisaient pas la chaîne opératoire ? Précisons d'entrée de jeu qu'ils sont parfaitement conscients de la fragilité de leur choix et des risques (de rupture dans l'approvisionnement, entre autres) qu'ils courent. Il n'est pas rare de les voir s'enquérir auprès des étrangers qui les visitent, s'il ne s'en trouve pas un, parmi eux, capable de fabriquer des armes à feu et susceptible de le leur apprendre. Le problème d'obtention de la matière première, immédiatement en amont de la fabrication, semble moins les gêner. Eux qui, jusqu'à il y a encore peu de temps, contrôlaient de haut en bas la fabrication de l'essentiel de leurs biens, restent d'ailleurs profondément songeurs devant l'hyper-spécialisation, le corporatisme et le cloisonnement technique de notre société. L'absence de maîtrise de la chaîne opératoire n'a pourtant pas été suffisante pour faire obstacle au changement.

Tournons-nous vers la fonction. L'égalité de fonction entre arc et fusil n'a vraiment été réalisée, nous l'avons vu, que dans la seconde moitié du XXe siècle, quand, réunis dans un seul concept, celui d'*arme*, **–lapa**, ils ont été, aussi bien l'un que l'autre, synonyme de réussite cynégétique, beaux objets dont on évoque les performances, liens tangibles entre la proie et le chasseur, compagnons rassurant l'homme immergé dans la forêt dominée par les maîtres des animaux, enfin, symboles éminents de la masculinité.

Aujourd'hui, et depuis moins d'une dizaine d'années, le fusil remplit seul la fonction cynégétique[11]. Une des raisons majeures, au niveau de la fonction toujours, de ce succès, réside dans le fait que, contrairement à une opinion répandue, l'emploi du fusil s'est moulé dans les pratiques de chasse déjà existantes. Comme l'arc et la flèche, les Wayãpi l'utilisent pour chasser devant soi, en tenant compte du degré de prévisibilité des espèces (GRENAND, 1980 et 1993). Comme avec l'arc et la flèche, ils approchent la proie au plus près, ne tirant jamais au jugé et toujours à l'arrêt et au posé. Enfin, autre point essentiel de la convergence qui s'est instaurée, les Wayãpi comparent de façon tout à fait explicite leur riche panoplie de flèches avec le large éventail de types de cartouches ou de plombs de chasse dont ils peuvent disposer. Pour bien comprendre à quel niveau se situe l'appropriation de la technique nouvelle et de l'objet nouveau, il suffit de rappeler avec quel soin, quelle patience et quelle rigueur les Wayãpi, ne se fiant pas (et avec juste raison) à des jugements totalement impressionnistes venus de l'extérieur, ont testé, année après année, chaque type de plomb avec chaque espèce de gibier, ainsi que chaque type de fusil en fonction de chaque type de chasse : furent ainsi mis à l'épreuve les différents calibres, le nombre de canons et leur position respective, les modes de chargement et d'éjection des cartouches, la robustesse et le silence du mécanisme, la résistance de la crosse aux chocs et à l'humidité, l'équilibre et le poids de l'arme, etc.

C'est grâce à cet apprentissage pragmatique, mené sans maître, et basé sur une série de critères fondés sur ceux de la chasse à l'arc (critères que les observateurs inattentifs prenaient pour de la fantaisie ou des caprices), que les Wayãpi devinrent en un temps record, non seulement de bons chasseurs au fusil, mais encore de fins connaisseurs des armes de chasse.

Contrairement à ce qui est parfois avancé dans les travaux contemporains pour d'autres Amérindiens, les Wayãpi ne retiennent pas la détonation du fusil, opposée au sifflement de la flèche, comme une entrave à l'activité cynégétique. Sans doute doit-on les suivre sur cette voie, surtout si l'on se livre au calcul suivant : actuellement, les communautés du haut Oyapock brûlent environ 4 000 cartouches par an sur un territoire de 770 km^2, ce qui revient à dire qu'ils ne produisent pas plus de cinq détonations par km^2 et par an. Cette perturbation sonore est en effet dérisoire si on la compare, par exemple, à la fréquence des

[11] Par contre, dans les activités halieutiques, l'arc et la flèche, absolument pas concurrencés par le fusil, restent d'un emploi d'une haute fréquence. Sans vouloir entrer dans un domaine de réflexion différent de celui qui m'intéresse ici, je me contenterai de noter que la ligne et l'hameçon métallique ont permis d'exploiter de nouvelles niches écologiques, telles que les eaux profondes de saison de pluies. Plus que le fil et l'hameçon, c'est l'épervier qui intervient en concurrent direct de l'archerie puisque, comme elle, il est utilisé dans les eaux rapides et peu profondes de saison sèche. Mais les grandes pêches au poison dans les petites rivières ou les rapides du fleuve offrent autant qu'avant l'occasion à tous les hommes, adultes, adolescents ou enfants, de prouver leurs talents de bons archers.

grosses branches cassées par le vent qui pètent avec fracas ou bien à celle des arbres qui s'écroulent lourdement sur le sol, en entraînant une foule d'autres dans leur chute. Je terminerai simplement en rappelant que dans cet univers tout uniment forestier, les bruits sont très vite tamponnés et comme étouffés dans l'air ouaté.

Il est pourtant un type de chasse difficilement compatible avec l'emploi du fusil, je veux parler de la chasse à l'affût sous ou même sur (à l'aide de plates-formes) les arbres en fruits, qui, à certains moments de l'année, concentrent les oiseaux. Il n'est pas contestable que la détonation ne soit pas, cette fois-ci, réellement perturbante. Pourtant, l'effet perturbateur ne semble pas porter sur la production, qui n'accuse pas de baisse sensible, mais sur le temps de la partie de chasse, qui s'infléchit au contraire à la hausse : en effet, les chasseurs doivent battre méthodiquement un secteur de forêt à la recherche des arbres ou des palmiers où ils savent pour l'heure trouver leurs proies occupées à la consommation des fruits.

Je n'ai pas procédé, contrairement à YOST & KELLEY (1983), à des mesures comparatives de rendements de chasse entre armes traditionnelles et armes importées, mais notre présence permanente dans les communautés du haut Oyapock entre 1971 et 1976 (époque du changement technologique), ainsi que nos séjours quasi annuels depuis lors jusqu'à aujourd'hui me permettent d'avancer avec certitude qu'il n'y a pas eu de changement dans les rentrées de gibier par tête d'habitant, le seul changement significatif ayant porté sur l'augmentation globale du tonnage, s'accompagnant d'une sensible augmentation de l'aire chassée. Ce gonflement s'explique d'ailleurs simplement par l'augmentation notoire et rapide du nombre de chasseurs (et celle des bouches à nourrir), due au récent accroissement naturel de la population, et non par un changement des habitudes de chasse. En tout état de cause, rien n'indique actuellement que l'introduction du fusil soit accompagnée, comme RAMBO (1978) le montre pour les Negritos de Malaisie, d'une raréfaction du gibier.

Face à ces constats, deux modes de raisonnement peuvent être adoptés :

– Le fusil n'est pas utilisé différemment de l'arc et les chasseurs ne retirent aucun avantage écologico-économique de son adoption, bien au contraire : en effet, d'une part ils sont tributaires de l'achat d'un objet qu'ils ne savent pas produire; d'autre part, un type de chasse est entravé par l'utilisation du fusil, il s'agit comme on l'a vu de la chasse à l'affût. Les Wayãpi opposent à ce raisonnement une série d'arguments technologico-économiques, au demeurant tous exacts : les flèches sont fragiles et doivent donc être fabriquées souvent et en grande quantité; le nombre de matériaux que nécessite leur fabrication est de surcroît élevé et long à réunir. De plus et surtout, le bois d'arc est devenu un matériau rare, voire très rare, et la gestion des gisements d'arbres tombés est souvent au cœur de controverses intervillageoises. Enfin, en réponse, les

cartouches sont peu volumineuses, cependant qu'armes et munitions, en l'état actuel de l'économie wayãpi, sont d'une obtention facile et garantie de suivi.

– On peut penser aussi que le fusil remplissant les mêmes fonctions que l'archerie, rien ne s'oppose à son adoption. La seule différence observable s'avère positive pour le fusil : elle réside dans le fait que la charge des cartouches à plomb s'écarte en gerbe, accroissant la probabilité d'impact, en particulier sur des gibiers de tailles moyenne et petite, alors que la flèche, par son impact isolé, fonctionne comme une balle.

On aura compris que le débat se réduit donc très vite à une tautologie dont on ne peut s'affranchir qu'en se tournant vers le discours que les Wayãpi ont élaboré, non pas simplement à l'égard du fusil, mais à l'égard de leur propre vision du monde.

Comme la plupart des Tupi (NIMUENDAJU, 1987; CLASTRES, 1974; VIVEIROS DE CASTRO, 1986), les Wayãpi entretiennent avec la nature un rapport d'angoisse. Ne pouvant parvenir à la divinité, ils sont sans cesse menacés par l'animalité. Or cette animalité, non seulement domine le monde forestier dont ils tirent avec sapience leurs ressources, mais encore sourd du monde des Blancs. Les Wayãpi ne voient d'autre issue que l'alliance, qui se trouve à la fois devoir être comprise comme un processus de domestication et fonctionner comme une mise à distance. L'alliance est donc tentée, d'une part avec les forces de la nature, et en particulier les maîtres des animaux (c'est la principale tâche du chamane), d'autre part avec les Blancs, détenteurs d'outils et d'objets que l'on ne sait pas fabriquer (c'est le souci majeur des leaders francophones).

Car le nœud du débat est là : ce n'est pas la plus ou moins grande performance de ces objets qui est en jeu, mais bien la possibilité de les obtenir (voire de les produire) de façon continue. De ce point de vue, la symétrie ne se fait plus, aux yeux des Wayãpi, entre flèche et fusil, mais entre gibier et fusil. En effet, si les habitudes alimentaires du gibier sont parfaitement connues, comme est parfaitement dominé le maniement du fusil, ce sont d'autres facteurs, ici les maîtres invisibles des animaux, là des fabricants blancs inconnus, qui contrôlent la présence, l'abondance, la rareté ou bien même l'absence, du gibier et des armes.

Sous un tel éclairage, l'on comprend mieux la rapidité avec laquelle les Wayãpi ont su profiter de la conjoncture favorable (qu'ils savent ne pas être éternelle) pour acquérir en masse dans les deux dernières décennies des armes à feu. L'alliance semblait viable, il fallait en profiter pour exorciser l'angoisse. Y ont-ils réussi ? Non. L'angoisse, plus que jamais demeure. Ils savent qu'ils ne maîtrisent pas plus la fabrication du fusil que celle des autres objets européens. Ils reconnaissent donc que l'alliance n'est pas équitable. C'est à l'aune de cette prise de conscience qu'il faut mesurer le désir d'entrer dans la modernité de la jeunesse wayãpi, aussi bien d'ailleurs que celle des autres Amérindiens de Guyane. Vouloir s'approprier les techniques de l'autre ne signifie en aucun cas renoncer à ses propres valeurs. Mais quel sera le prix à payer avant de parvenir à cet équilibre ?

Bibliographie

ADAM DE BAUVE, E. & FERRÉ, P., 1833-34, Voyages dans l'intérieur de la Guyane, *Bulletin de la Société de Géographie de Paris*, 1ère série, t. 20 : 105-178; 2e série, t. I : 165-178.

ARNAUD, E., 1983, Mudanças entre grupos indígenas tupi da região do Tocantins-Xingu (Bacia Amazônica), *Boletim do Museu Paraense Emílio Goeldi*, nova série, antropologia, 84 p., Belém.

AUBERT DE LA RÜE, E., 1950, Quelques observations sur les Oyampi de l'Oyapock, *Journal de la Société des Américanistes*, XXXIX : 85-96.

BAGOT, T. de, 1849, *Rapport de M. Bagot sur les Indiens de l'Oyapock et jusqu'à l'Amazone, d'après des données recueillies de 1830 à 1836*, Archives privées de E. Abonnenc.

BALÉE, W.L., 1992, *The persistence of Ka'apor culture*, Dissertation Information Service, n° 1416, Ann Arbor.

BERG, C.C., 1972, Olmediaceae-Brosimeae (Moraceae), *Flora Neotropica*, Monograph 7, New York, Hafner Publishing Company.

BRUNELLI, G., 1985, Bebe! Bebe!...Jikkoi! Les Zorós vont à la chasse, *Recherches Amérindiennes au Québec*, vol. XV, 3 : 45-57.

CHIARA, V., 1986, Armas : «Bases para uma classificação», *Suma etnológica brasileira*, 2, tecnologia indígena : 117-137, Petropolis, Vozes.

CLASTRES, P., 1974, *Le grand parler. Mythes et chants sacrés des Indiens Guarani*, Paris, Seuil.

COUDREAU, H., 1893, *Chez nos Indiens, quatre années dans la Guyane Française, 1887-1891*, Paris, Hachette.

CREVAUX, J., 1883, *Voyages dans l'Amérique du Sud*, Paris, Hachette.

DOLÍNEK, V. & DURDÍK J., 1993, *Encyclopédie des armes*, adaptation française de J. Bertrand, Paris, Gründ.

FRIKEL, P., 1973, Os Tiriyó : seu sistema adaptativo, *Völkerkundliche Abhandlungen*, Band V, Hannovre.

GRENAND, F., 1982, *Et l'homme devint Jaguar*, Paris, L'Harmattan.

GRENAND, P., 1981, *Introduction à l'étude de l'univers wayãpi. Ethnoécologie des Indiens du haut Oyapock (Guyane Française)*, coll. «Langues et civilisations à tradition orale», 40, Paris, SELAF.

— 1982, *Ainsi parlaient nos ancêtres : essai d'ethnohistoire wayãpi*, coll. Travaux et documents, 148, Paris, ORSTOM.

— 1993, Fruits, animals and people : hunting and fishing strategies of the Wayãpi of Amazonia, *in* C.M. Hladik *et alii* (eds.), *Tropical forests, people and food : biocultural interactions and applications to development*, Man and the Biosphere series, 13 : 425-434, Unesco and the Parthenon Publishing Group.

HEATH, E.G. & CHIARA, V., 1977, *Brazilian Indian Archery*, The Simon Archery Foundation, Manchester Museum, Manchester.

HECKENROTH, Dr. M. & BAUP, J. 1939, *Rapport de la tournée effectuée du 27 Juillet au 15 Septembre 1939 sur la bassin de l'Oyapock.*

HURAULT, J. & FRIBOURG-BLANC, A., 1949, *Mission astrogéodésique de l'Oyapock (Guyane Française)*, Juillet-Novembre, Paris, IGN.

KERKOVE, 1760, *Extrait d'un journal fait par M. Kerkove*, Bibliothèque Nationale, nouv. acq. fr. 2577.

KOCH-GRÜNBERG, T., 1982, *Del Roraima al Orinoco*, t. III, etnografia, coll. historico-economica, Ediciones del Banco Central de Venezuela, Caracas.

LECOINTE, P., 1922, *L'Amazonie brésilienne : le pays, ses habitants, ses ressources; notes et statistiques jusqu'en 1920*, T.II, Paris, A. Challamel, éd.

LEPRIEUR, F., 1834, Voyage dans la Guyane centrale, *Bull. de la Société de Géographie de Paris*, 2e série, t. I : 201-229.

LEROI-GOURHAN, A., 1971, *L'homme et la matière*, coll. «Sciences d'aujourd'hui», Paris, Albin Michel.

— 1973, *Milieu et techniques*, coll. «Sciences d'aujourd'hui», Paris, Albin Michel.

LOHSE, E. S., 1988, Trade goods, *in* W.C. Sturtevant (ed.), *Handbook of North American Indians*, vol. 4, History of Indian-White Relations : 396-403. Washington, Smithsonian Institution.

MARIN & MAZIN, 1856, *Relation de voyage de Marin et Mazin dans l'intérieur de la Guyane chez les Emerillon*, Archives privées de ME. Abonnenc.

MÉTRAUX, A., 1928, *La civilisation matérielle des tribus tupi-guarani*, Paris, P. Geuthner.

— 1949, Weapons, *in* J.H. Steward (ed.), *Handbook of South American Indians*, vol. 5 : 229-263, Washington, Smithsonian Institution.

NIMUENDAJU, C., 1987, *As lendas da criação e destruição do mundo como fundamentos da religião dos Apapocúva-Guarani*, São Paulo, Hucitec.

OLIVEIRA, A.E., 1970, Os Indios Jurúna do alto Xingu, *Dédalo*, VI, 11-12, São Paulo, Museu de arqueologia e etnologia.

PIO CORRÊA, M., 1984, *Dicionário das plantas úteis do Brasil*, 6 vol., Instituto Brasileiro de Desenvolvimento Florestal, Brasilia.

RAMBO, A.T., 1978, Bows, blowpipes and blunderbusses : ecological implications of weapons change among the Malaysian Negritos, *The Malayan Nature Journal*, 32 (2), 209-216.

RIBEIRO, D.,1979, Frontières indigènes de la civilisation, Paris, Union Générale d'éditions, Coll. 10 x 18, n° 1316.

RIVIÈRE, P., 1984, Individual and society in Guiana, a comparative study of Amerindian social organization, *Cambridge Studies in Social Anthropology*, 51, Cambridge University Press.

RIZZINI, C.T., 1986, *Árvores e madeiras uteis do Brasil : Manual de Dendrologia Brasileira*, 2a edição, São Paulo, Ed. E. Blücher ltda.

ROTH, W.E., 1924, An Introductory Study of the Arts, Crafts and Customs of the Guiana Indians, *Annual report of the Bureau of American Ethnology*, 38 : 25-745, Washington, Smithsonian Institution.

— 1929, Additional Studies of the Arts, Crafts and Customs of the Guiana Indians, *Annual report of the Bureau of American Ethnology*, 91 : 1-109, Washington, Smithsonian Institution.

SIGAUT, F., 1987, Des idées pour observer, *Techniques et Cultures*, 10 : 1-12.

THÉBAULT DE LA MONDERIE, F., 1857, *Voyages faits dans l'intérieur de l'Oyapock en 1819, 1822, 1836, 1842, 1843, 1844, 1845, 1846 et 1847*, édité à Nantes.

TONY, C., 1842, Voyage fait dans l'intérieur du continent de la Guyane, chez les Indiens Roucoyens par Claude Tony, mulâtre libre d'Approuague, 1769, *in* H. Ternaux-Conpans, *Essais et Notices pour servir à l'histoire ancienne de l'Amérique*, t. XXVIII.

VIVEIROS DE CASTRO, E., 1986, *Araweté : os deuses canibais,* Rio de Janeiro, Anpocs - Jorge Zahar.

WAGLEY, C. & GALVÃO, E., 1961, *Os Indios Tenetehara : uma cultura em transição*, Rio de Janeiro, Ministério da educação e cultura.

YDE, J., 1965, Material culture of the Waiwái, *Ethnografisk Rœkke*, X, Nationalmuseets Skrifter, Copenhagen, The National Museum.

YOST, J. A. & KELLEY, P. M., 1983, Shotguns, blowguns and spears : The analysis of technological efficiency, *in* Hames et Vickers (eds.), *Adaptative responses of Native Amazonians*, New York, Academic Press, pp. 189-224.

Évolution de la thérapeutique chez les P'urhépecha de la Sierra Tarasca, Michoacán, Mexique[1]

Élisabeth MOTTE-FLORAC
Université de Montpellier
CNRS-LACITO

L'une des caractéristiques les plus fréquemment mentionnées pour les zones rurales du Mexique, est la coexistence d'une *médecine traditionnelle* et de *Services Institutionnels de Santé* (MELLADO *et al.*, 1989). Ces modèles thérapeutiques font en général surgir les clichés de deux univers clos, opposés et conflictuels. Ces poncifs, fréquemment rencontrés au détour des publications, sont d'autant plus puissants que l'observateur est plus éloigné, dans l'espace ou la pensée, de cette réalité. Pour l'Occident, les termes de *médecine traditionnelle* évoquent d'ordinaire vie proche de la nature et coutumes ancestrales, sur fond d'exotisme ou de misérabilisme suivant le contexte. Ces images renvoient à celles du monde «dénaturé» et en perpétuel changement des pays industrialisés, un monde d'évolution et de «progrès», en un mot, celui de la *modernité*.

En fait, de précises et stables, ces limites se font d'autant plus floues et mouvantes que l'on pénètre plus avant dans les régions concernées. Là, un contact étroit avec le quotidien permet de percevoir une inversion des valeurs et l'existence d'un flux permanent dans les traditions, mouvement dont les caractéristiques – vitesse, intensité, sens... – sont variables et liées aux conditions locales, certes, mais aussi individuelles.

Cette évolution d'une thérapeutique considérée comme immuable suscite de nombreuses interrogations. Comment se traduit-elle dans la vie de tous les

[1] Tous mes remerciements vont à Richard Florac et Anne Fauchois pour l'attention qu'ils ont portée à la relecture de cet article.

jours? Quels en sont les traits saillants et les causes? Comment s'inscrit-elle dans le contexte de développement du pays? Quelles perspectives lui sont offertes?

Toutes ces questions seront analysées chez les P'urhépecha, population amérindienne du haut plateau central du Mexique. La Sierra Tarasca, où vivent certains d'entre eux, est une zone montagneuse d'accès difficile, longtemps restée à l'écart du monde moderne. Ces dernières décennies, l'amélioration des voies de communication, l'augmentation des moyens de transport, le développement des médias, l'ont peu à peu fait sortir de son isolement et ont constitué les moteurs essentiels d'un début d'intégration à ce que PAVAGEAU (1992) appelle la «société mexicaine globale». Divers changements ont alors commencé à apparaître ou à s'accélérer «dans les systèmes de valeur, les pratiques sociales et culturelles, les orientations idéologiques» (*ibid.*). Dans le domaine médical, cette ouverture a eu comme incidence la création de dispensaires, le passage de campagnes de vaccination, la promotion pour la planification familiale, etc.

De l'ensemble de la thérapeutique traditionnelle p'urhépecha, sera retenue pour cette analyse, la pratique obstétricale. Un tel choix présente de nombreux avantages : la natalité est encore très élevée dans cette région; les deux types de médecine offrent des chemins différents pour une même finalité; les sages-femmes traditionnelles sont encore nombreuses et très actives et leurs pratiques semblent se perdre dans la nuit des temps; les pathologies nouvelles sont peu fréquentes, etc. Par ailleurs, la naissance constitue une expérience incontournable de l'être humain et plus que tout autre événement, elle imprime avec force sa trace dans tous les aspects de l'existence. Peut-être parce qu'elle touche de façon directe les thèmes fondamentaux de la vie et de la mort et pose implicitement le problème de la destinée humaine; peut-être aussi parce qu'elle soulève les voiles d'une sexualité qui se veut cachée ou encore parce qu'elle confronte à la monstruosité, à l'anormalité.

Cette étude sera traitée en cinq parties où seront présentées successivement : la population, son histoire et ses conditions de vie; le parcours de l'accouchée; la fonction de sage-femme traditionnelle et ses pratiques avant d'aborder l'analyse de la mutation elle-même.

Est-il nécessaire de préciser que ce travail ne prétend nullement traiter de tous les aspects du processus d'évolution de la médecine traditionnelle des P'urhépecha de la Sierra Tarasca, moins encore de celle des P'urhépecha dans leur ensemble ou, à plus forte raison, de la médecine traditionnelle en général. Il ne s'agit une fois encore que d'un regard (le mien), d'une réflexion (la mienne), en des lieux (quelques villages) et temps (1981 à 1992) limités (MOTTE-FLORAC, 1992).

1. Les P'urhépecha ou Tarasques

L'origine des P'urhépecha (venus du nord? venus du sud?) reste aussi énigmatique que leur migration. Pour ARNAULD & MICHELET (1991), il est probable qu'ils occupent le Michoacán depuis fort longtemps tout en ayant été affectés d'une certaine dispersion. Une des particularités de cette civilisation est d'avoir été, dans les derniers temps avant la Conquête, la seule à tenir totalement en échec l'impérialisme aztèque (ARNAULD *et al.*, 1990). A l'arrivée des Espagnols, l'État p'urhépecha était à son apogée, entretenant des relations d'échanges commerciaux avec des régions lointaines et étendant sa domination sur une zone[2] très vaste, habitée par de nombreuses populations. En conséquence, comme le fait remarquer COE (1985), «les Tarasques qui dirigeaient l'État ne représentaient qu'environ 10% d'une population très mélangée dont la plupart des groupes étaient d'expression nahuatl».

De cette histoire faite de contacts multiples et plus ou moins anciens, il reste l'héritage d'une grande similitude de pratiques, de pensées et de dires, en particulier avec les populations du Haut Plateau Central dont une bonne partie appartient au groupe nahuatl. Cette communauté culturelle est particulièrement sensible dans le domaine de la thérapeutique. Cependant, malgré cette relative homogénéité, les P'urhépecha ont – comme le soulignent de nombreux auteurs – conservé une identité culturelle et linguistique[3] qui les démarque des autres civilisations mésoaméricaines.

L'arrivée des Espagnols marquera le déclin de cet Empire et l'aire p'urhépecha se réduira comme une peau de chagrin. Elle est actuellement limitée[4] à une zone divisée en deux noyaux principaux (*cf.* carte) : la région du lac de Pátzcuaro et la Sierra ou Meseta Tarasca. Cette dernière, considérée comme un lieu d'élection des établissements p'urhépecha pendant la période du Post-Classique (ARNAULD *et al.*, 1990) et zone de refuge pendant les temps troublés de la conquête (PAVAGEAU, 1992), est actuellement l'un des derniers bastions de conservation des patrimoines culturel et linguistique. Les difficultés d'accès de cette région volcanique, d'une altitude généralement supérieure à 2000 m (et culminant à 3845 m), ont longtemps été déterminantes. Mais, alors que les obstacles matériels de cet isolement tendent à disparaître, le relais semble être pris, ces dernières années, par un barrage idéologique, la conscience

[2] L'actuel État du Michoacán ainsi qu'une partie des états voisins.

[3] Pour la plupart des auteurs, la langue p'urhépecha (de tradition orale) est totalement isolée et ne peut être rattachée à aucune des familles linguistiques représentées en Amérique Centrale (FRIEDRICH, 1984).

[4] L'évaluation de la population vivant dans cette aire varie beaucoup suivant la source d'information; SCHEFFLER (1986) fait état de 92 642 personnes parlant le P'urhépecha en 1980.

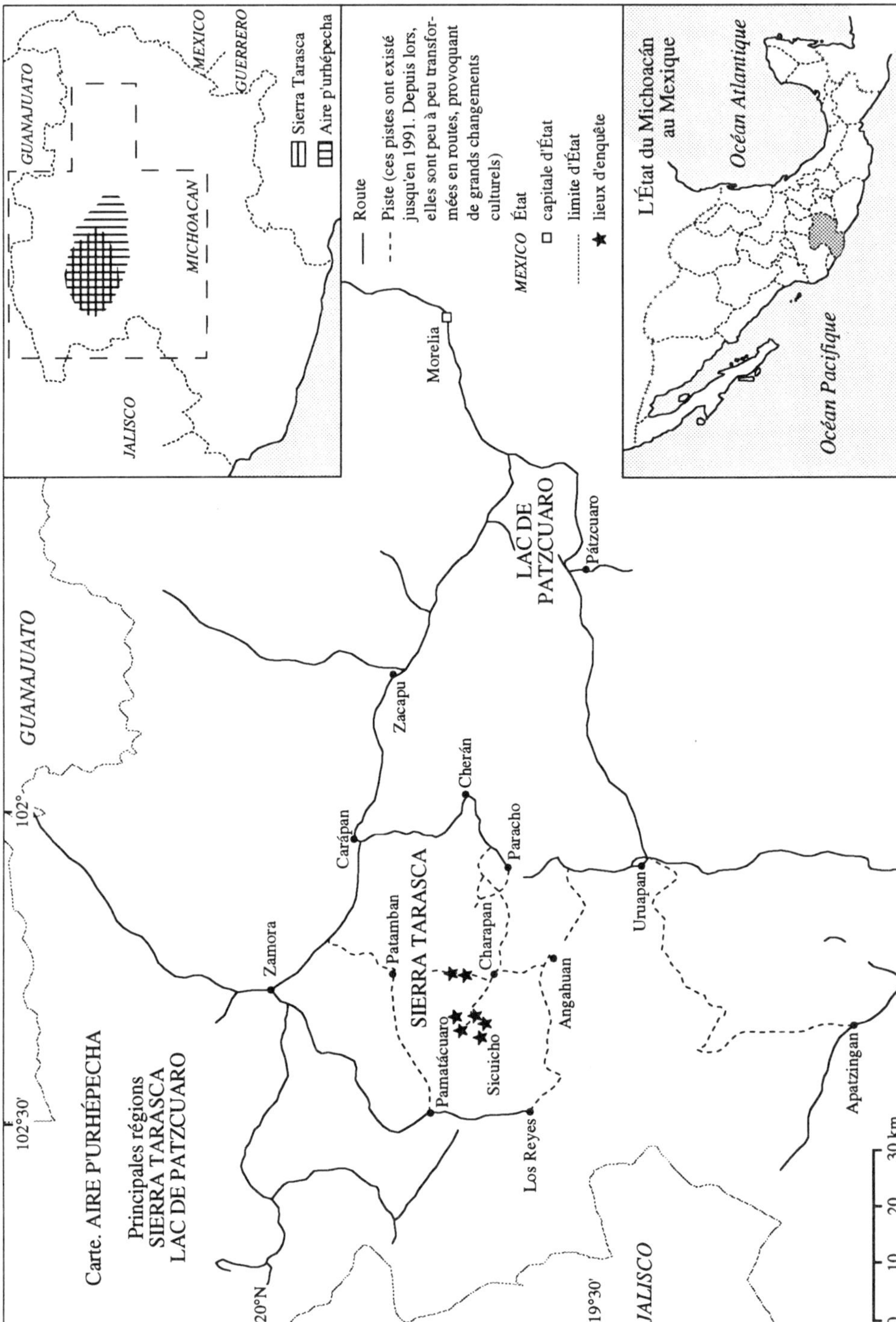
Carte. AIRE P'URHÉPECHA
Principales régions
SIERRA TARASCA
LAC DE PATZCUARO
GUANAJUATO
JALISCO
LAC DE PATZCUARO
SIERRA TARASCA
Zamora
Carápan
Zacapu
Cherán
Paracho
Patamban
Charapan
Angahuan
Pamatácuaro
Sicuicho
Los Reyes
Uruapan
Apatzingan
Pátzcuaro
Morelia
102°30'
102°
20°N
19°30'
0
10
20
30 km
GUANAJUATO
MEXICO
GUERRERO
MICHOACAN
JALISCO
Sierra Tarasca
Aire p'urhépecha
Route
Piste (ces pistes ont existé jusqu'en 1991. Depuis lors, elles sont peu à peu transformées en routes, provoquant de grands changements culturels)
MEXICO État
capitale d'État
limite d'État
lieux d'enquête
L'État du Michoacán au Mexique
Océan Atlantique
Océan Pacifique

de plus en plus aiguë d'une identité[5] à préserver, position partagée par nombre de minorités amérindiennes.

Essentiellement agricole et fondée sur une économie d'autosubsistance[6] (MOTTE-FLORAC, 1988), la société p'urhépecha, malgré une apparente persistance des formes culturelles, est en pleine mutation. Dans cette société rurale, les transformations matérielles, sociales, culturelles et politiques sont telles que, comme le souligne PAVAGEAU (1992) «une petite production familiale survit mais elle est peu florissante; il ne reste plus aux petits paysans qu'à chercher ailleurs d'autres moyens de subsistance». Cette recherche donne lieu à de nombreuses migrations temporaires vers d'autres villages, d'autres régions du Mexique ou encore vers «le Nord», les États-Unis. Ces déplacements ne sont pas sans conséquences sur la perception de la thérapeutique et contribuent à faire surgir de nouvelles façons d'observer et d'analyser la réalité, des exigences et des aspirations différentes.

2. Le parcours de l'accouchée

Le besoin de retrouver ses racines au moment de mettre un enfant au monde est particulièrement fort dans la Sierra Tarasca. Il se révèle dans la décision d'accoucher au village et d'y revenir, quel que soit le lieu – même lointain – où l'on se trouve en déplacement. Dans cette société patrilinéaire, les attaches qui priment sont celles de l'homme. Aussi est-ce dans la famille de son mari que la femme – qu'il s'agisse d'une «étrangère» ou non – accouchera, avec l'assistance d'une sage-femme choisie par sa belle-mère (au moins pour les premiers enfants et tant qu'elle résidera sous son toit[7]).

La cohabitation des thérapeutiques traditionnelle et moderne dans cette région[8], offre à ces femmes le choix de l'aide sollicitée au moment de la naissance. En fait, si ces médecines se proposent toutes deux de faire naître l'enfant attendu, les services qu'elles offrent et les méthodes qu'elles emploient sont très dissemblables et il en résulte un déséquilibre, toujours en faveur des sages-femmes traditionnelles. Aux yeux de la population féminine locale, la biomédecine n'offre qu'une série de handicaps : il faut accoucher au dispensaire

---

[5] Il est important de souligner que le savoir thérapeutique est assimilé de façon confuse mais très forte à la richesse et au pouvoir, cependant qu'il se trouve lié de plus en plus au problème identitaire de l'ethnie.

[6] Diverses productions secondaires de profit (exploitation du bois, artisanat, élevage, collecte, etc.) complètent cette économie familiale.

[7] La femme doit vivre chez ses beaux-parents tant que le couple n'a pas acquis sa propre maison.

[8] Pour le moins dans les villages où existe un dispensaire civil.

et non chez soi, avec l'assistance d'un homme, de surcroît toujours jeune, inconnu, qui ne parle pas la même langue, ne s'occupe jamais du reste de la famille, oblige à adopter la position couchée, offense la pudeur par ses gestes et son comportement, ne respecte aucune des traditions qui doivent accompagner la naissance...

Cependant, quand l'accouchement est particulièrement difficile – et si les conditions logistiques le permettent – il arrive que la sage-femme fasse appel au personnel du dispensaire civil le plus proche. Cette aide n'est sollicitée que lorsque, les heures passant, le danger pour la mère et l'enfant devient manifeste. En conséquence, seuls les cas difficiles échoient au médecin en service civil[9]. C'est pourquoi s'il arrive certaines fois que son intervention se voit couronnée de succès, il se trouve très souvent dans l'obligation de diriger ses patientes vers l'hôpital de Paracho ou celui d'Uruapan. Les raisons d'une telle solution ne tiennent pas seulement à la gravité des cas : parmi les causes multiples, on peut invoquer l'absence de matériel adapté, le manque d'expérience du jeune diplômé, ou encore sa réticence à engager sa propre responsabilité par peur d'éventuelles représailles en cas d'échec.

Ce transport jusqu'à l'hôpital le plus proche représente un des handicaps majeurs du possible succès des interventions. Il est souvent perçu comme un arrêt de mort et parfois refusé (MOTTE-FLORAC, à paraître); il est vrai que certaines familles ne peuvent faire face à une telle dépense. D'autre part, et souvent en raison de départs retardés par les difficultés matérielles, il arrive que la personne meure avant d'atteindre l'hôpital ou peu après son arrivée. Les débours sont alors plus importants encore tandis que s'y ajoutent de nombreuses difficultés d'ordre administratif. De semblables obstacles n'encouragent guère les changements d'attitude face à une telle solution.

Les résultats des interventions du médecin du dispensaire dans les accouchements difficiles sont déterminants pour l'évolution du comportement des femmes face à l'alternative qui leur est offerte entre les deux médecines. On ne saurait oublier que c'est de leur sollicitation que dépend la survivance des sages-femmes traditionnelles et de leurs pratiques. Si la biomédecine offre actuellement bien peu de contreparties à ses désagréments, il suffirait qu'elle compte à son actif de nombreuses réussites dans les cas où la thérapeutique traditionnelle a été tenue en échec pour que naisse un nouveau regard, la reconnaissance d'une certaine supériorité. Il ne fait aucun doute que, dans ce cas, les autres facteurs socio-culturels seraient révisés et la décision réenvisagée. Or, en raison de ses propres limitations et des difficultés liées à sa pratique dans cette région, les taux de réussite de la biomédecine ne sont guère convaincants et le récit des multiples drames qu'elle n'a su éviter ou dont on la dit responsable,

[9] L'année qui suit l'obtention du diplôme de médecin est obligatoirement consacrée au travail dans un dispensaire de zone rurale défavorisée.

continue à hanter la mémoire collective. Dans un tel contexte, seules de rares patientes peuvent lui trouver certains avantages et y recourir. Leurs motivations sont très variables, souvent liées à l'expérience passée d'une épreuve traditionnelle douloureuse ou à une pression forte et persistante de la part de l'entourage (en particulier des membres qui ont émigré vers un extérieur plus ou moins lointain, mais toujours moderne).

3. La fonction de sage-femme traditionnelle

Sans rouvrir ici le débat sur la pertinence du terme de *traditionnel* lorsqu'il est appliqué à la thérapeutique (objet d'un nombre considérable de publications), il est intéressant d'essayer d'appréhender ce qu'il signifie lorsqu'il est utilisé par les P'urhépecha de la Sierra.

3.1. Portrait

De l'hétérogénéité des discours (due à la multiplicité des degrés d'acculturation des interlocuteurs ou à la variabilité des systèmes de référence de leur groupe socio-économique), se détachent certains repères qui semblent communs à tous. La sage-femme traditionnelle est une personne détentrice d'un savoir, héritage culturel transmis au cours des générations. Elle a reçu, le plus souvent d'un membre de sa famille et de façon informelle, un enseignement oral mais elle peut aussi être une simple mère de famille nombreuse. Entrant en fonction seulement après sa ménopause, elle profite alors des compétences acquises tout au long de sa vie et de ses multiples accouchements. Elle use du même langage (verbal et non-verbal) que ses clientes et partage les mêmes référents. Elle exerce rarement son rôle à plein temps et peut ainsi cumuler plusieurs fonctions comme celles de guérisseuse, rebouteuse, sorcière (voire toutes à la fois) ou encore s'occuper d'un négoce. Enfin elle est âgée, obligatoirement de sexe féminin, ayant eu elle-même de nombreux enfants.

A ces critères reconnus par les membres de leur communauté, les sages-femmes ajoutent un signe de reconnaissance qui relève du domaine de l'éthique. Selon elles, leur fonction n'est jamais exercée en vue d'un profit personnel, qu'il s'agisse d'une quête de pouvoir, d'argent ou de réussite. C'est pourquoi sont considérées comme «vraies» celles qui «ne font pas payer cher». Il est important de souligner que ce point de vue est partagé par les consœurs (et confrères) d'autres régions du Mexique et notifié officiellement au sein de leurs associations nationales. Depuis quelques années, en effet, d'importants mouvements regroupent un grand nombre de thérapeutes traditionnels, attestant de leur volonté farouche de sauvegarder leur patrimoine et de la conscience qu'ils ont de sa valeur. Cherchant à ne pas se laisser écraser par une médecine institutionnalisée qui renverse et étouffe comme un raz-de-marée, ils refusent d'accepter les différents statuts dans lesquels les gouvernements successifs ont voulu ou veulent encore les enfermer. Désireux d'être reconnus comme thérapeutes traditionnels à part entière, ils ont, au cours d'une récente entrevue avec le Président de la République (octobre 1992), demandé à ce que soit légitimée cette fonction[10]. Une telle requête exigeait que soit défini avec clarté ce rôle, non seulement par rapport à la médecine moderne, mais aussi par rapport à leur propre médecine traditionnelle (afin d'éviter charlatans et profiteurs en tous genres) et à tous ces intermédiaires qui fleurissent et dans lesquels ni l'une ni l'autre ne sauraient réellement se reconnaître. Les caractéristiques majeures retenues par ceux qui se sont penchés sur ce problème, sont celles-là mêmes que décrit la population de la Sierra.

Il est important de signaler que nombre de sages-femmes p'urhépecha sont entrées dans ces associations où elles militent avec ardeur. On ne peut s'empêcher de penser que de tels regroupements nationaux provoqueront, à plus ou moins longue échéance, d'inévitables métamorphoses; peut-être une fusion, toutes cultures confondues, en un savoir *mexicain*, peut-être même mésoaméricain.

3.2. Les tâches

Quel que soit l'avenir réservé à ces connaissances, les sages-femmes p'urhépecha continuent, au cours des nombreuses tâches qui leur incombent dans l'exercice de leur fonction, à respecter nombre d'usages du passé propres à leur culture. Comme aux temps préhispaniques, elles continuent à assurer l'initiation à la maternité des primipares, ainsi que tous les soins liés à la grossesse (en particulier les massages, au rythme mensuel), l'entière responsabilité des accouchements et diverses charges annexes concernant les cas de stérilité, d'avortement ou les problèmes liés au *post-partum* et à la petite enfance. Au moment de l'accouchement, il est habituel qu'elles prennent en main la conduite de la maisonnée; certaines viennent vivre à demeure, s'occupant, avec l'aide de parentes ou de voisines, des autres membres de la famille. Autrefois, cette charge se prolongeait jusqu'aux relevailles, quarante jours plus tard. Ce dévouement total à la famille de l'accouchée, pendant un temps aussi long s'est peu à peu réduit à quelques jours et est actuellement en voie de disparition. Les sages-femmes ont tendance à s'occuper de moins en moins des problèmes qui ne sont pas directement liés à l'accouchement. C'est pourquoi certaines personnes âgées considèrent aujourd'hui qu'elles ne font plus grand-

[10] Communication orale de la présidente de l'Association des Thérapeutes Traditionnels au cours d'une table ronde (3e Congrès International d'Ethnobiologie, México).

chose, «se contentant de couper le cordon ombilical et de nettoyer le bébé». Il en résulte peut-être des relations moins étroites avec les familles des accouchées, rapports qui nécessitaient une profonde confiance et expliquaient le soin avec lequel la sage-femme était choisie[11].

3.3. Le statut

Le portrait qui vient d'être brossé correspond à celui de la sage-femme traditionnelle de la Sierra Tarasca. Cependant il est nécessaire de signaler certaines des modifications qui ont commencé à apparaître depuis quelques années. En premier lieu, le gouvernement ayant demandé à ce que les sages-femmes traditionnelles passent un examen pour être reconnues comme telles, une différence de statut[12] est apparue. La Sierra compte donc actuellement des sages-femmes «ordinaires» et d'autres «agréées» (*parteras adiestradas*). Si au niveau national une telle législation n'a eu finalement que peu de répercussions et ne semble guère pouvoir leur porter préjudice, ces lois ont par contre souvent été récupérées par les pouvoirs locaux et les déboires avec les autorités des villages ne sont pas rares. A tel point que les thérapeutes soit se voient parfois dans l'impossibilité d'exercer (au moins durant un certain temps), soit encore sont dans l'obligation de verser une amende (que la plupart ne sont pas en mesure de payer), soit enfin redoutent une incarcération. Les sages-femmes les plus âgées se refusent généralement à passer cet examen[13] et disent (mais le font-elles vraiment ?) vouloir limiter ou même arrêter leur activité. Si elle n'a pas d'incidence directe sur les préférences marquées par les clientes, cette différence de statut peut, indirectement, porter préjudice à une activité à travers les prohibitions imposées par les autorités locales.

En deuxième lieu est apparue une différence qu'aucun pouvoir n'a imposée; elle est née des possibilités offertes et du seul engouement pour de nouvelles techniques. Il existe ainsi, dans certains villages, une démarcation entre les sages-femmes qui se font accompagner d'une «injecteuse» et les autres. Ces nouvelles aides entrent dans la catégorie des *intermédiaires* dont il a été fait mention plus haut. Ce sont généralement des autodidactes, dépourvues de diplôme ou de formation en école spécialisée, qui exercent la biomédecine pour l'avoir côtoyée d'une façon plus ou moins lointaine et la pratiquent sur un mode

---

[11] Les secrets de famille que la sage femme est parfois amenée à connaître requièrent également une grande confiance en elle et incitent à une grande prudence dans le choix de la personne sollicitée.

[12] Il s'agit là de l'un des statuts contre lesquels se battent les associations de thérapeutes traditionnels.

[13] Elles sont en cela déterminées par de nombreuses raisons, en particulier leur méconnaissance de l'espagnol et un sentiment de peur, d'infériorité, de honte face à ces «blouses blanches».

empirique, ce qui ne va pas sans poser de problèmes (MOTTE-FLORAC, à paraître). Leur seul rôle dans les accouchements est de faire une injection d'hormone (*cf. infra*).

4. Les pratiques de la sage-femme traditionnelle

Nombre de procédés utilisés lors des accouchements sont identiques à ceux qui ont été décrits peu de temps après la Conquête. Parmi ceux-ci, on retrouve la position accroupie sur les talons, usage qui a eu le mérite de résister à une lutte acharnée des médecins (ORTIZ, s.d.), de même que les massages réalisés par la sage-femme tout au long du travail.

Cependant, diverses pratiques révèlent une altération soit de la technique elle-même, soit de la valeur attribuée à l'acte réalisé. Nous verrons quelques-uns de ces changements, d'importance inégale tant dans leurs conséquences que dans les processus de transformation.

4.1. Vers l'hygiène

Pour être agréées, les sages-femmes sont dans l'obligation de suivre une petite formation qui a pour but de les sensibiliser aux problèmes d'hygiène et de les familiariser aux méthodes dites modernes. Les passages dans de telles sessions ne semblent guère suivis de transformations profondes. Chacune des participantes récupère, selon sa personnalité, des procédés nouveaux qu'elle intégrera à sa pratique, avec ou sans érosion ultérieure. Cependant ces sages-femmes gardent souvent quelques habitudes, en particulier au niveau de l'hygiène, sur laquelle l'accent a été mis pendant ces heures d'instruction. Elles se distinguent des autres par le fait par exemple de faire bouillir de l'eau, de se laver les mains ou encore de faire tremper dans un verre d'alcool la lame de rasoir (souvent rouillée) qui sert à couper le cordon ombilical. A ce propos, il est important de souligner que même lorsque les sages-femmes ne respectent pas ces règles d'hygiène, les conditions de la Sierra sont telles que les cas de tétanos y sont extrêmement rares. C'est peut-être pourquoi le discours autour de la saleté est souvent peu écouté; d'autant que les problèmes infectieux du *post-partum* ne sont pas mis en relation avec un manque d'hygiène, mais considérés comme dus à des «airs froids» (*aires*), pathologie majeure de l'accouchée.

4.2. Du *totum* à la molécule

Pour accélérer l'accouchement, la plupart des sages-femmes de cette région continuent d'utiliser les feuilles de *cihuapastle*[14] (*Montanoa tomentosa* Cerv., Asteraceae). L'infusion, soigneusement dosée, est donnée à boire aux parturientes pour induire les contractions utérines mais elle est considérée comme inutile pour les multipares (dont l'accouchement est particulièrement rapide) et durant les jours de pleine lune. Cette espèce, cultivée dans certains jardins pour un commerce localisé (MOTTE-FLORAC, 1986) était déjà très utilisée à l'époque précolombienne, comme l'attestent de nombreux chroniqueurs. Mais il a fallu attendre ces dernières années pour que ses propriétés utéroévacuantes et utéroconstrictrices soient scientifiquement reconnues (ORTIZ, 1990). Entre-temps (autour des années cinquante) cette plante avait été mise à l'index à la suite du résultat négatif des expériences menées à cette époque (LOZOLA & LOZOLA, 1982). Cette mise à l'écart, ainsi que divers autres facteurs comme l'engouement actuel pour les injections et les perfusions, ont joué en faveur de l'adoption, par quelques sages-femmes, d'une nouvelle façon de procéder. Elles ont délaissé l'infusion et préfèrent administrer en injection une hormone (l'ocytocine à effet stimulant sur les muscles utérins), qu'elles achètent. L'administration de cette molécule exigerait (plus encore que le *totum* extrait de la plante) une stricte surveillance et une parfaite maîtrise de son emploi. Il n'en est rien et, selon les médecins en service civil, cette incompétence est à l'origine de nombreux accidents. Ce manque de prudence et de discernement dans la manipulation des ocytociques, de même d'ailleurs qu'une certaine violence dans la réalisation de plusieurs pratiques, en particulier des «massages», est un des reproches que font le plus fréquemment les doyennes des sages-femmes à l'encontre des plus jeunes.

4.3. Du macrocosme au microcosme

Dès que le cordon ombilical est coupé, le bébé est nettoyé avec un peu d'huile puis certaines sages-femmes «mettent en forme» son palais en appuyant avec l'index sur sa voûte palatine (LEÓN, 1910). La plupart du temps, cette dernière pratique est tombée en désuétude, mais continue à être effectuée en cas de «chute de la fontanelle» du bébé, c'est-à-dire en cas de dépression de celle-ci. Cela consiste donc actuellement à essayer de repousser vers le haut le palais du bébé afin de remonter par contrecoup la fontanelle affaissée.

La façon dont est pratiquée cette technique illustre l'un de ces changements profonds consécutifs à l'arrivée des Espagnols. La langue nous renvoie à la conception préhispanique de l'être humain et de la vie : **juṛïata**, le terme qui désigne en p'urhépecha la «grande fontanelle» signifie également «soleil»,

[14] Nom nahuatl utilisé sur l'ensemble du territoire mexicain.

«Dieu créateur». La chute de la fontanelle-soleil est l'indice d'une perte de la force vitale de l'enfant. Chez les Aztèques déjà, la tête était un centre animique par lequel pouvait s'échapper le tonalli [15] (sorte de force irradiée par les Dieux, en particulier le Soleil, et qui, entre autres choses, communiquait à l'individu vigueur, chaleur, courage et permettait la croissance de l'enfant); sa perte provoquait la mort (LÓPEZ AUSTIN, 1989). Comme le font remarquer TROTTER *et al.* (1979), cette pathologie, caractéristique dans sa conception et sa formulation d'un héritage amérindien, s'est vu refoulée par la notion espagnole de «déplacement d'organes». En conséquence, la pratique de «hausser la fontanelle», très proche de certaines pratiques orientales de massage des centres énergétiques (MOTTE-FLORAC, à paraître), est aujourd'hui en décadence. Il ne s'agit plus de réamorcer un lien «énergétique» et/ou surnaturel, mais de pousser le plus fort possible le palais du bébé pour «remettre la fontanelle à sa place». Une telle conception engendre un non respect du corps, une violence dans les mouvements qui se solde certaines fois par une cécité définitive (MOTTE-FLORAC, 1992).

5. Au-delà de l'accouchement, l'évolution de la thérapeutique traditionnelle p'urhépecha

L'une des caractéristiques de la thérapeutique traditionnelle les plus fréquemment mises en avant est son immobilisme, qu'attestent d'ailleurs nombre de pratiques très anciennes. En fait, cette stabilité n'est qu'apparente ou plus exactement partielle. Une observation plus attentive des usages fait apparaître de nombreuses variantes, traces des fluctuations successives imprimées par les différentes époques, autour d'une trame qui semble stable à la fois dans le temps (par comparaison avec des sources anciennes) et dans l'espace (par comparaison avec d'autres populations du Mexique central).

Ces variations, cachet indéniable d'un thérapeute et de sa personnalité, sont aussi le reflet des désirs, des besoins, des contraintes de la population à une époque donnée. Pressions et modes les ont provoquées, ont présidé à leur choix et, pour certaines d'entre elles, ont rendu leur intégration possible et durable. Cependant, l'émergence de changements, phénomène universel et constant, ne se fait pas selon un rythme régulier. Une nette accélération suit les grands mouvements de l'histoire, particulièrement les confrontations entre des mondes étrangers qui interpellent de façon d'autant plus violente qu'ils sont

---

[15] Terme nahuatl signifiant «irradiations, chaleur solaire, jour, destinée, âme, esprit, etc.»; le soleil était par excellence le «porteur de *tonalli*» (LÓPEZ AUSTIN, 1989).

fondamentalement opposés. Pour les P'urhépecha de la Sierra, la culture occidentale et sa médecine sont un de ces mondes étrangers[16].

Dans ce face-à-face permanent, difficultés économiques (coût des transports, des soins, de l'hospitalisation) et sociales (analphabétisme, ségrégation), problèmes écologiques (disparition de certaines espèces, épidémies), pressions politiques (lois et règlements divers, programmes gouvernementaux) et religieuses (proscription par l'Église)... entraînent dans leur ronde transformations passagères ou durables et stagnations, sur fond d'opportunisme. Et pourtant, l'on ne peut qu'être d'accord avec RODRIGUEZ-LOUBET & TALADOIRE (1990), lorsqu'ils écrivent :

> *«Au-delà des raisons écologiques et économiques que l'on a souvent tendance, dans nos sociétés actuelles, à placer en tête des phénomènes humains, il peut aussi exister de puissantes pulsions culturelles et philosophiques particulièrement déterminantes. Il est plus que jamais nécessaire de comprendre le rôle de ces forces sous-jacentes, mémoire vive du groupe qui, malgré l'universalité d'une partie de son comportement, lui confèrent son caractère unique, son identité. Enfin, et ceci n'est pas l'aspect le moins contradictoire* [...], *la sécurité offerte par les convictions enracinées au plus profond de la tradition peut créer aussi des limites insurmontables aux possibilités de choix et d'adaptation des sociétés humaines.»*

Innombrables sont donc les facteurs qui peuvent induire ces changements, de façon directe, indirecte ou croisée, très vite compliquée parce que «les phénomènes sociaux sont complexes et qu'en marge du système dominant, apparaissent des individus ou des groupes qui le remettent en cause, le transforment du dedans et annoncent une époque nouvelle.» (DOMENACH, 1986).

Toutefois, dans le domaine de la thérapeutique, on ne saurait oublier que le moteur premier du changement est une recherche d'efficacité, une lutte pour faire reculer les spectres de la souffrance et de la mort, au-delà de tout contexte culturel, au-delà de toute attraction ou répulsion premières. Et il s'agit bien là d'un des attraits majeurs de la médecine moderne à travers la rapidité d'action et la puissance de ses antalgiques, de ses antibiotiques et autres spécialités. Mais cette efficacité convoitée (esquissée ici à grands traits) ne peut faire oublier ses limitations et ses pratiques «inhumaines», surtout à des thérapeutes habitués à percevoir et à prendre en compte dans leurs traitements la dimension holistique de l'être humain. C'est pourquoi après un temps d'attente, de questionnement, d'hésitation, peut-être même de stupeur admirative, les mouvements pour préserver la thérapeutique traditionnelle se multiplient et prennent de plus en plus d'ampleur et d'assurance. Soulignons que cette revendication acharnée en faveur d'un droit à la différence n'exclue nullement et ne fera probablement jamais disparaître les nouvelles acquisitions (qu'il s'agisse de l'incorporation

[16] Il est intéressant de se rappeler que certains historiens font commencer l'ère moderne en 1492, date de la découverte de l'Amérique (DOMENACH, 1986).

d'une spécialité pharmaceutique dans un mélange de plantes, de l'usage d'injections, etc.) ni ne parviendra à éviter les pertes.

La fermeté et la décision dont sont animés actuellement de nombreux thérapeutes traditionnels semble garantir la sauvegarde d'un savoir séculaire... à moins que de nouvelles lois ne viennent donner un coup fatal à ce regain de confiance et de certitude. Mais comment pourrait-on envisager une telle perspective quand, dans les pays industrialisés qui ont créé cette même médecine et cru en sa toute puissance, jaillit une insatisfaction que révèle l'explosion des médecines alternatives ?

Conclusion

Émergences de formes nouvelles dans la thérapeutique, disparitions ou adaptations de formes anciennes, autant de signes d'insatisfaction, de malaise dont il est difficile d'imaginer l'apaisement tant que l'homme naîtra pour mourir. À l'image des hommes, les médecines traditionnelle et moderne ont souvent du mal à reconnaître leurs manques et à se donner mutuellement cette part d'elles-mêmes dont l'autre est frustrée. Pour voir naître une nouvelle thérapeutique, partage idyllique des qualités de chacune, c'est sans nul doute à une authentique fertilisation de l'une par l'autre qu'il faudrait s'attacher et non à de rapides placages ou à des imitations sans racines. Mais la vie est mouvement, oscillation permanente autour d'un point (que d'aucuns pourraient appeler équilibre) et quelle que puisse être *la* thérapeutique dans sa forme la plus parfaite, elle ne saurait faire exception et rester statique.

Je ne saurais terminer sans évoquer les pirouettes inattendues du mot *traditionnel* dans le monde occidental. Face à l'éclosion débordante des médecines alternatives que pratiquent de nombreux médecins diplômés, certains de leurs confrères emploient ce terme pour qualifier la médecine scientifique «pure et dure» (ANONYME, 1983). Singulièrement, ces mêmes médecines alternatives, en des temps et lieux identiques (ANDRÈS, 1988), usent du même terme *traditionnel* pour rappeler que leur thérapeutique se réapproprie les dimensions du mystique et du mystérieux oubliées jusque-là, réintègre le domaine de l'indicible, de l'UN dont parlent mythes et religions. Un retour qui se fait à travers les médecines traditionnelles d'autres cultures et surtout grâce à elles.

Bibliographie

ANDRÈS, G., 1988, *Principes de la médecine selon la Tradition*, Paris, Dervy-Livres.

ANONYME, 1983, *Les médecines différentes*, Paris, Éditions du Dauphin.

ARNAULD M.-C. *et al.*, 1990, Les Tarasques du Michoacán, *Les Dossiers de l'Archéologie*, 145 : 16-21.

ARNAULD, M. C. & MICHELET, D., 1991, Les migrations postclassiques au Michoacán et au Guatemala : problèmes et perspectives, *in* A. Breton *et al.* (eds.), *Vingt études sur le Mexique et le Guatemala*, Toulouse, Presses Universitaires du Mirail, pp. 67-92.

Aztec survivals in modern folk medicine, s.d., s.l.

COE, M. D., 1985, *Les premiers mexicains*, Paris, Collin.

DOMENACH, J.-M., 1986, *Les approches de la modernité*, Paris, Ellipses, École Polytechnique.

FRIEDRICH, P., 1984, Trascan : From Meaning to Sound, *in* M.S. Edmonson (ed.), *Supplement to the Handbook of Middle American Indians*, Linguistics, vol. 2 : 56-82, Austin, University of Texas Press.

LEÓN, N., 1910, *La obstetricia en México*, México, Tip. de la Vdz de F. Díaz de León.

LÓPEZ USTIN, A., 1989, *Cuerpo humano y ideología*, México, UNAM.

LOZOLA, X. & LOZOLA, M., 1982, *Flora medicinal de México, 1° parte : plantas indígenas*, México, IMSS.

MELLADO, V. *et al.*, 1989, *La atención al embarazo y al parto en el medio rural*, México, CIESS.

MOTTE-FLORAC, É., 1986, *Acerca de algunas plantas medicinales de la «Sierra Tarasca» (Michoacán, México)*, Montpellier, Faculté de Pharmacie.

— 1988, Le maïs chez les P'urhépecha de la *Sierra Tarasca*, Michoacán, Mexique, 1 : La culture, *Revue d'Ethnolinguistique*, 3 : 33-80.

— 1992, Pérdida de significado / pérdida de poder; evolución de las creencias en la terapéutica de los P'urhépecha (México), *in* J. Bottasso (ed.), *El mito en los pueblos indios de América, actualidad y pervivencia*, Colección 500 AÑOS, 135-154, Quito, Ed. Abya-Yala.

— à paraître, *Hommes, plantes et santé chez les P'urhépecha de la Sierra tarasca, Michoacán, Mexique*, thèse EHESS.

ORTIZ DE MONTELLANO, B., 1990, *Aztec Medecine, Health and Nutrition*, London, Rutgers University Press.

PAVAGEAU, J., 1992, *L'autre Mexique, culture indienne et expérience de la démocratie*, Paris, L'Harmattan.

RODRIGUEZ-LOUBET F. & TALADOIRE É., 1990, Chichimèques et mésoaméricains : Éloge posthume de la barbarie, *Les dossiers de l'archéologie*, 145 : 26-29.

SCHEFFLER, L., 1986, *Grupos indígenas de México*, México, Panorama Editorial.

TROTTER, R. T. *et al.*, 1979, Fallen Fontanelle in the American Southwest : its Origin, Epidemiology and possible Organic Causes, *Medical Anthropology*, 10 : 211-221.

Une mémoire de l'espace

Changements dans l'écosystème et leur interprétation chez un groupe maya du lac Atitlán au Guatemala

Perla PETRICH
Université de Paris VIII

Nous nous proposons ici d'analyser la façon dont une communauté maya, celle de Santa Catarina Palopó, interprète les changements intervenus ces dernières années dans son écosystème, et par suite, dans son système socio-économique. Nous nous livrerons à une analyse s'appuyant sur deux types de matériaux : des discours, mythes ou histoires de vie d'une part, des dessins d'enfants d'autre part.

La question à laquelle nous tenterons de répondre est double : d'abord chercher à savoir comment une société en transition se représente ce qui la définit au présent et préciser la fonction des valeurs héritées du passé; ensuite essayer de comprendre la façon dont est garantie la continuité dans le processus de changement. En effet, nous voudrions déterminer quels sont les mécanismes ou les stratégies que la société met en place pour assimiler les innovations tout en conservant, dans la mesure du possible, une certaine vision du monde qui la caractérise, et par conséquent, la différencie.

1. Les limites du changement : les agencements symboliques

Il semble évident que tous les secteurs de la société n'ont pas la même capacité de transformation. Comme le remarque BALANDIER (1985 : 168), certaines de ces transformations peuvent être considérées comme lentes ou relativement lentes : dans le domaine du sacré, de la religion, dans celui des agencements symboliques et rituels, dans celui de la politique enfin. D'autres

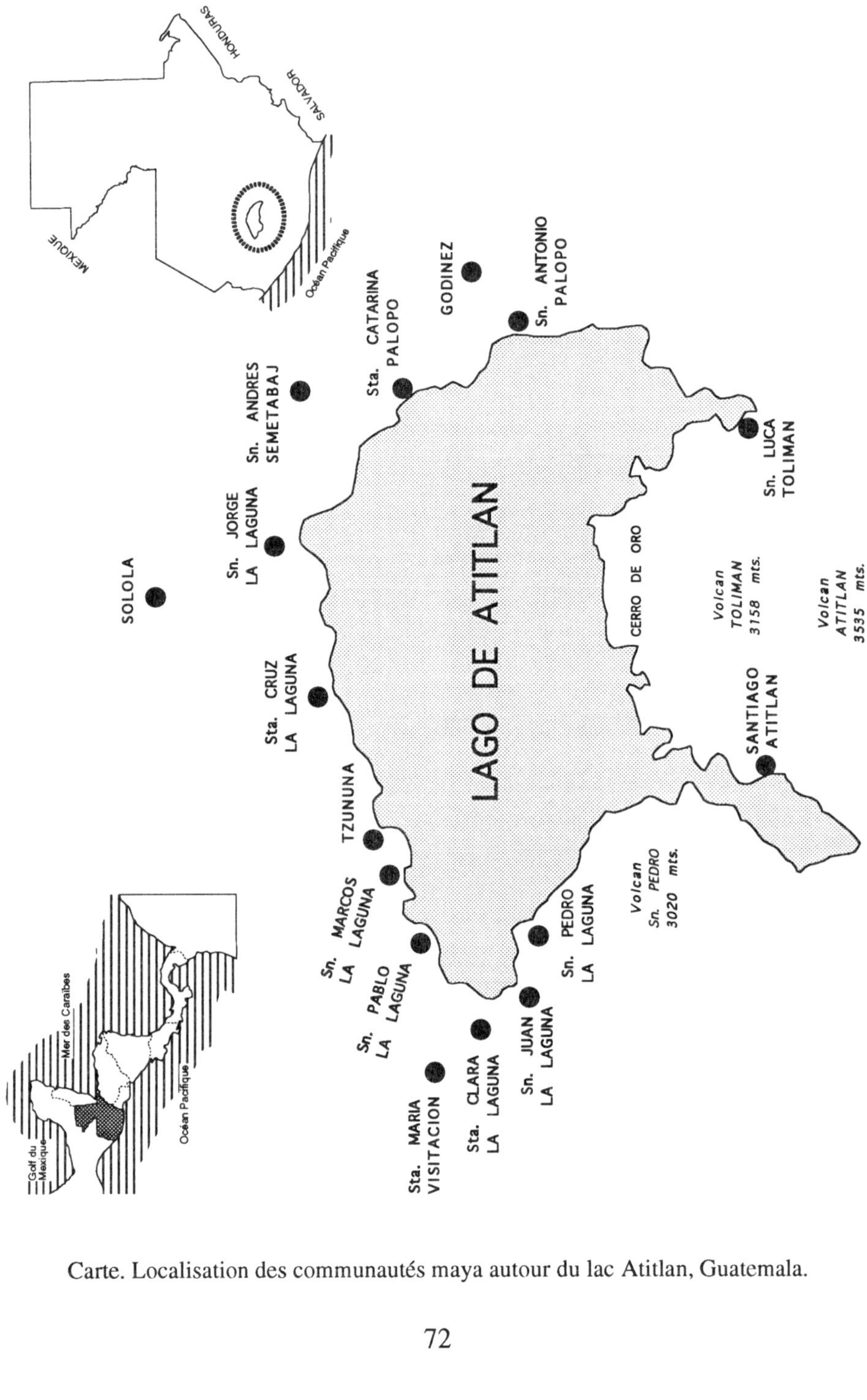

Carte. Localisation des communautés maya autour du lac Atitlan, Guatemala.

secteurs – selon le même auteur – sont plus aptes aux changements et peuvent être générateurs de progrès; tels sont les cas de la technologie, la plus part du temps innovatrice; de l'économie, qui fluctue selon les systèmes de production; de la consommation et enfin, des transports et des communications, qui facilitent la circulation rapide des personnes et des informations. Cette situation entraîne un phénomène d'oscillation permanente, dans la mesure où certains secteurs sont très perméables aux changements tandis que d'autres ralentissent, sans pour autant empêcher, un mouvement qui pourrait aller bien plus vite et menacer de désintégration l'identité du groupe. La fonction de ces «ralentisseurs» consiste donc à réactualiser et à activer en permanence la mémoire de la société : intégrer à celles d'autrefois de nouvelles façons de penser permet d'éviter l'anéantissement des premières, et prépare, en les rendant accessibles, la maîtrise des secondes. Ces secteurs garantissent un syncrétisme entre des valeurs dites sécurisantes – elles caractérisent le groupe –, et des valeurs dites émergentes, elles sont la marque de son changement. Peu à peu, elles tendent à se fondre et se confondre.

2. Santa Catarina Palopó

La commune de Santa Catarina Palopó s'étend sur 8 km^2, dans le département de Sololá et fait partie de la douzaine de villages situés en bordure du lac Atitlán. Sa population est de 2300 habitants. Ce chiffre, comparé à celui du recensement de 1946 – 350 personnes –, montre bien l'importance de sa croissance démographique naturelle.

Le relief est très accidenté, car il s'agit d'une région à la fois montagneuse et lacustre : le lac Atitlán entouré de ses volcans, Tolimán, Atitlán et San Pedro, dote la région «d'une beauté sans pareil» (MC BRYDE, 1969). L'architecture du village est également déterminée par ce binôme roche-eau : la plupart des maisons s'accrochent aux flancs de la montagne; l'église et son clocher gravé de quatre chiffres, 1762, s'élèvent sur une terrasse, de même que l'école; légèrement en contrebas, le bord du lac auquel on n'accède plus désormais que par trois étroites ruelles; les autres accès dépendent de maisons de campagne privées de construction récente et sont fermés au public.

La langue parlée est le cakchiquel. Cependant, à de très rares exceptions près – vieillards ou femmes adultes –, tous connaissent et parlent l'espagnol qu'ils utilisent en dehors de la communauté. En ce qui concerne l'éducation, il n'y au village qu'une seule école primaire (avec l'enseignement en espagnol) que les enfants ne fréquentent qu'irrégulièrement. L'aspect religieux est plus diversifié puisque l'église catholique, un centre de catéchiste, une confrérie et cinq églises d'origine protestante s'occupent de l'organisation et de la direction de toutes les cérémonies.

La vie des autres villages entourant le lac a été marquée par une évolution qui, bien qu'impliquant certaines transformations, a permis une adaptation lente et progressive de la population. Tel ne fut pas le cas pour les habitants de Santa Catarina qui subirent un brusque et inattendu changement de mode de vie. Jusqu'aux années trente, l'économie dépendait essentiellement des produits lacustres : les Catarinèques fournissaient les marchés de la région en crabes ainsi qu'en poissons et tressaient des *petates*[1] en jonc qu'ils vendaient ensuite. Ces activités les différenciaient des autres villages de la côte qui se consacraient davantage à la culture du maïs, des légumes et des agrumes. A Santa Catarina, l'agriculture n'était qu'accessoire : ils ne possédaient que peu de terres, et les eaux de cette région volcanique, peu profondes et tièdes leur donnaient en abondance du poisson facile à pêcher (Seminario de Integración Social Guatemalteca, 1968).

La situation changea à compter de 1933. A l'initiative du gouvernement, une nouvelle espèce de poisson fut introduite dans le lac : le black bass (*Micropterus salmoides*) appelé dans la région *boquerón*, «grande bouche», à cause de sa voracité. En très peu de temps, il dévora les crabes et tous les autres poissons jusqu'alors très abondants. Or, sa taille et le fait qu'il nage en eau profonde rendait sa pêche difficile. Il aurait fallu un harpon et savoir plonger, ce qui n'était pas le cas des Catarinèques.

De même, le jonc (*Typha latifolia*) disparut peu à peu des rives, privant ainsi les villageois d'une activité artisanale fondamentale pour l'économie locale. On associe généralement cette disparition à la baisse permanente du niveau de l'eau depuis 1935. Auparavant, selon MC BRYDE (1969 : 349), les eaux du rivage, peu profondes sur une distance de quatre milles, favorisaient la croissance de la plante et la reproduction des crabes dans une zone facile d'accès. De plus, les conditions étaient idéales pour la reproduction des oiseaux appelés localement *patos pok* (*Podilymbus gigas*) dont la chair était une composante importante de l'alimentation des Catarinèques. Cet oiseau disparut également, victime du *boquerón* dévorant ses œufs qu'il avait la habitude de pondre entre des joncs de plus en plus rares (CAZALI, 1984).

Face à l'épuisement rapide de leurs sources traditionnelles de revenus, les villageois se virent dans l'obligation de vendre à des étrangers ou à des habitants de la capitale, les terres qu'ils possédaient au bord du lac et de se rabattre sur l'agriculture. Ce ne fut pas sans difficulté car, ayant perdu leurs terres humides, ils furent contraints dans de nombreux cas de semer sur les terrasses de la

---

[1] *Petate* est un aztèquisme désignant une natte tissée de feuilles de palmier, de jonc ou autre. Elle est utilisée comme matelas par les Indiens et sert également à l'élaboration de paniers, de corbeilles, de chapeaux, etc.

montagne. Ils se mirent donc à cultiver des légumes, des oignons, du blé en moindre mesure, des fruits et, surtout, du maïs et des haricots rouges.

Le tissage de coton fournit une production de substitution dont la vente permit de remplacer les revenus de la pêche et de la fabrication des nattes. Beaucoup de femmes se consacrent aujourd'hui à cette activité. Les hommes y participent également, ainsi que les enfants, qui ne s'occupent néanmoins que de petites pièces, tels les bracelets. Très jeunes, les enfants apprennent à les confectionner et se chargent de les vendre aux touristes arrivant au débarcadère en face du village pour s'y promener ou se rendre à l'hôtel voisin. Parfois, les enfants rejoignent Panajachel, un village distant d'une dizaine de kilomètres où se trouvent toujours un grand nombre d'étrangers. Les hommes travaillent également souvent à la construction ou au gardiennage des chalets bordant le lac. Certains émigrent sur la côte, très rarement aux États-Unis, et l'hôtellerie locale emploie parfois les jeunes en tant que jardiniers ou garçons à tout faire. Cependant, il leur est souvent difficile de se faire embaucher faute de qualification. C'est la raison pour laquelle certains d'entre eux s'obstinent à pêcher, malgré la baisse de production.

L'ensemble de ces données tend à montrer que, directement ou indirectement, les modifications les plus importantes de ces dernières années concernent surtout l'espace. C'est principalement la conception de la distance qui a été bouleversée : les gens étaient habitués à un champ visuel qui permettait d'englober dans un continuum l'habitat et le lieu de travail. Depuis le village, *ici* – premier repère spatial –, on discernait le lac et les pêcheurs, *là-bas* – deuxième repère spatial –, et inversement, le tout sur un axe d'horizontalité rassurante. Les relations entre les deux repères étaient d'ordre économique, mais surtout culturel. Toute la vie s'organisait en fonction du lac : vers le lac, depuis le lac, autour du lac. Le territoire était conçu comme une catégorie homogène et englobante. L'espace vécu était aménagé.

A partir du moment où le lieu de travail fut transféré aux *milpas* (champs de maïs situés à flanc de montagne, éloignés ou difficiles d'accès), aux centres urbains, voire même encore plus loin, surgirent les notions de «verticalité» et d'«éloignement» qui inévitablement furent associées à un sentiment de désordre et d'aliénation. Sans pouvoir assumer les nouvelles notions d'espace ni même d'existence, désorientés et nostalgiques de ce regard qui pouvait jadis englober l'espace comme un tout, les Catarinèques commencèrent à vivre dans un environnement hétérogène et éclatée où personne n'arrivait à trouver sa place. La notion de distance, avec ses *trop loin* ou ses *très haut*, les accabla.

L'importance sociale des référents spatiaux a été largement traitée, tant par les sociologues et les ethnologues (entre autres par BRESSON, 1974; CHAMPAGNE, 1975; BOURDIEU, 1980; CONDOMINAS, 1980) que par les linguistes (EVANS & MC DOWELL, 1982; HILL, 1991) et plus particulièrement dans le domaine maya par HANKS (1990) qui démontre que les modes de conception et d'occupation de l'espace se fondent sur des notions culturelles et sociales pré-existantes que tout individu partage avec sa société. Cette toile de fond – une sorte de sens commun – sert de référence afin de limiter et de différencier l'*ici* et le *là-bas* et d'établir des habitudes d'emplacement et de déplacement. En d'autres termes, et toujours selon le même auteur, les sociétés mayas établissent leur emplacement dans le monde à partir de certains cadres référentiels : le corps, l'orientation cardinale, l'espace domestique, l'espace agricole et l'espace rituel. Chez les Catarinèques, la pêche doit être ajoutée comme cadre référentiel de l'organisation déictique. Que surviennent des modifications dans cette organisation et l'on peut alors mesurer le degré de déstructuration culturelle et sociale. Se maintiennent pourtant certains référents spatiaux qui, au moins au niveau imaginaire, leur permettent de se situer et de s'orienter dans leur univers.

D'ailleurs, autrefois, l'absence de moyens de locomotion limitant les possibilités de déplacement, les individus étaient cantonnés à une aire spatiale restreinte. De nos jours, la construction de routes, l'emploi de transports en commun et de bicyclettes ont généré une diversification des espaces pratiqués et, inévitablement, des interactions entre différents types de populations. A la communauté se rend un nombre croissant d'individus étrangers, surtout des touristes. Il résulte de tout cela que les contacts avec l'extérieur sont désormais habituels. Cette situation ne va pas sans provoquer des déséquilibres internes dans la communauté : tandis que les personnes âgées ne sortent que rarement du village, certains jeunes qui travaillent au loin n'y reviennent qu'exceptionnellement, tandis que ceux qui travaillent en ville reviennent tous les jours; il faudrait aussi parler de ceux qui, partis définitivement grossir les bidonvilles des banlieues de la capitale, ont laissé des vides dans la communauté. Les déplacements des Catarinèques aussi bien que les passages de gens étrangers à la communauté sont corrélatifs d'une disparition de l'homogénéité des habitudes; les modèles urbains ont fait irruption, créant des différences assez marquées à l'intérieur même du village : actuellement, ceux qui ont réussi à se placer sur le marché du travail disposent de moyens financiers que les autres n'ont pas; dans certains cas ils abandonnent le costume traditionnel et adoptent un ensemble de signes vestimentaires avec une attention nouvelle pour «l'esthétique corporelle» (CHAMPAGNE, 1975) (tee-shirt, baskets, etc.) ou de comportements citadins (radio, télévision, maison à deux étages, etc.) qui visent à les démarquer.

La situation est confuse et pourtant, à différents degrés, la population de Santa Catarina semble avoir comme trait commun l'attachement à son terroir : les vieillards et les enfants sont profondément enracinés; quant aux grands adolescents (18 ans), si pour l'heure ils veulent partir, ils n'en projettent pas moins leur retour à l'âge adulte, ce qui se passe effectivement (25-35 ans). Les discours que tiennent trois personnes d'âge différent nous ont semblé propres à montrer cette situation complexe.

3. L'univers des enfants

La façon dont les enfants perçoivent, assimilent, puis interprètent et reproduisent les modèles culturels traditionnels ou les nouveautés présente un intérêt tout particulier dans ce contexte de contradictions. Leurs mots, leurs dessins, sont également chargés de sens. L'histoire de vie de Maria, 8 ans, est édifiante :

> *«Je suis d'ici, de Santa Catarina. J'ai toujours été d'ici parce que je suis née ici, dans la maison de mon papa, là-haut. J'ai eu huit ans il y a un mois et ça fait déjà pas mal de temps que je vais à l'école, celle-là, là, qui est au coin de la rue. J'y vais le matin et l'après-midi je vais vendre mes bracelets. Ils sont beaux, de toutes les couleurs, c'est moi qui les fais; mon père aussi, un petit peu. Ma maman, elle ne fait pas les bracelets, elle fait seulement les* huipiles *(chemisiers pour femme); c'est aussi pour les vendre. Moi aussi, je sais me servir du métier à tisser, même qu'à six ans j'aurais pu me faire moi-même mon* liston *(jupe) et maintenant je peux même me faire mon* huipil. *J'ai appris en regardant ma maman; je m'assieds à côté d'elle et je regarde ses mains et ça me suffit. Elle ne dit jamais rien, elle me demande seulement de regarder pour que le savoir entre en moi et c'est vrai que ça marche, parce que maintenant je sais à force d'avoir regardé. Moi, je l'aide, ma maman, pour laver le linge. Je vais laver le linge au bord du lac un jour sur deux. Je l'aide parce qu'elle a beaucoup de travail. Ma pauvre petite maman, il faut qu'elle nous fasse à manger, qu'elle apporte du bois et qu'elle tisse pour vendre et pour pouvoir nous acheter des chaussures et des fournitures pour l'école. Parce que le maître, il nous demande un crayon et un cahier et un livre et plein de choses dont on a besoin. Alors si elle n'a pas l'argent, elle ne peut pas les acheter et alors on ne va pas à l'école et puis on continue à ne pas comprendre beaucoup de choses. Et je me rappelle qu'elle a dû encore plus travailler quand mon papa il est parti aux États-Unis. J'étais triste et mes frères encore plus. Mon papa, il est parti et il travaillait là-bas, il s'occupait des jardins mais il a dû revenir vite parce que ma mère, elle n'arrêtait pas de pleurer et aussi mes frères. Moi non; j'étais la plus grande, alors je ne pleurais pas mais eux, oui. Moi, au lieu de pleurer, j'allais vendre mes bracelets et au lieu de pleurer, je faisais une bonne tête pour qu'on me prenne en photo. Mais quand il est revenu, j'ai arrêté de les laisser prendre des photos parce que mon papa il dit qu'il y a des* gringos *méchants qui les emportent et les mettent dans des fours. Ils les brûlent pour que nous allions en enfer. Mais ils ne sont pas tous méchants, les* gringos... *c'est pour ça que si ils me donnent un quetzal, à la fin, je les laisse toujours me prendre en photo.*
>
> *Mon papa, il va pêcher la nuit, il part avec son* cayuco *(canot) quand il n'y a plus de soleil et il reste là-bas, au lac, jusqu'à l'aube. Ensuite, il va proposer sa pêche à Panajachel, dans les grands hôtels où il y a des gens qui en demandent. Mon papa dit que d'aller au lac, c'est bien difficile parce qu'il a les bras qui fatiguent à force de ramer pour aller loin du bord. Et puis, mon papa il dit que, des fois, le vent n'arrête pas de lui fouetter le visage. Parfois, il rapporte un peu de poisson pour nous mais pas toujours parce que c'est pas bon pour le cœur. On en mange un peu de temps en temps mais pas souvent. Mais tous les jours, ça oui, on mange des tortillas et des haricots rouges. Ça, ça ne fait jamais de mal; on peut en manger tous les jours, ça ne fait pas de mal.*

Mon papa, il ne va pas pêcher tous les jours parce qu'il dit qu'il a mal aux bras à force de ramer et aussi parce qu'il travaille dans les champs, à sa milpa. *La sienne, elle est tout là-haut, dans la montagne. Ça doit être vraiment loin parce que ce qui est ici en bas, de là-bas, ça devient tellement petit que je ne sais même plus où est ma maison ! Si j'étais ici et que je regarde depuis en haut, je ne me trouverais pas, je ne saurais même pas que c'est moi ! Tout ça parce que là-bas, c'est loin, c'est dur d'y arriver.*

Mais mon papa passe souvent des journées entières à la maison. Des fois, il tisse des bracelets que je vais vendre ou des fois, il s'occupe du jardin de la maison, parce que la maison, elle a un jardin et il y a même de l'herbe et beaucoup de fleurs; comme ça, ça cache la terre avec plein de verdure, et alors il n'y a plus de poussière qui rentre dans la maison. Si mon papa ne s'occupait pas du jardin, il y aurait plein de poussière dans la maison. C'est ça qu'il faisait aux États-Unis : il s'occupait du jardin des maisons et il mettait beaucoup de fleurs et il dit que lui s'en occupait bien de toute cette verdure; mais il a dû revenir tout de suite, c'est tout; parce que ma maman et mes frères, ils se mettaient à pleurer tous les jours.

Mon papa et ma maman ils veulent que j'aille à l'école pour bien apprendre mais, parfois, je n'y vais pas parce qu'il faut que je vende mes bracelets. Quand mon papa ne va pas pêcher, nous n'avons pas de quoi acheter à manger, alors moi, au lieu d'aller à l'école, je vais au bord du lac, j'attends que les bateaux des gringos *arrivent pour qu'ils m'achètent mes bracelets. Mes bracelets, ils sont jolis, de toutes les couleurs. Mon papa me tape si je les salis, c'est pour ça que je m'en occupe bien et que je fais attention, parce que je ne veux pas qu'il me tape.»*

Ces mots nous apportent une vision générale de la situation de la communauté, dont les éléments centraux sont les problèmes d'argent, la dislocation de la famille générée par la nécessité d'émigrer pour trouver du travail; le départ du père aux États-Unis est une expérience douloureuse et le fait de revenir ne résoud que les problèmes affectifs car avec ce qu'il gagne, il n'arrive pas à nourrir sa famille, ce qui oblige la femme et les enfants à se procurer de l'argent. Il ne s'agit pas d'une participation occasionnelle du noyau familial, comme c'était le cas traditionnellement, aux travaux des champs ou à la pêche, mais d'une intégration permanente au marché du travail. La monétarisation en est une des causes dans la mesure où elle a entraîné une diversification des activités : le maïs garantit l'autosubsistance mais c'est le travail salarié – jardinier aux États-Unis – ou la vente de poissons ou de tissus qui rapporte l'argent nécessaire à la satisfaction de nouveaux besoins, tels que chaussures, fournitures scolaires, nourriture. Ce dernier point revêt un intérêt particulier puisqu'autrefois, lorsqu'il abondait, on mangeait beaucoup de poisson alors qu'actuellement la maigre production est entièrement destinée à la vente. La fillette justifie cette restriction alimentaire en disant que le poisson «n'est pas bon pour le cœur».

Ce discours nous peint également le contexte général dans lequel s'insère la femme. Tout d'abord, l'éducation familiale continue à jouer un rôle fondamental. La fillette apprend à tisser en observant sa mère, sans rien dire, simplement par mimétisme. Par ailleurs, l'école acquiert une grande importance et il faut maintenant que les filles comme les garçons aillent à l'école pour «comprendre beaucoup de choses», c'est-à-dire, pour faire face à la réalité présente; la mère en particulier, fait des efforts pour pouvoir acheter le nécessaire. Dans la situation actuelle de la communauté, et d'après ce qu'en dit la fillette, c'est essentiellement le travail féminin qui s'est intensifié : la mère est appelée «la pauvre» parce qu'elle lave, fait à manger, porte le bois et tisse pour vendre.

Le père ne semble pas occuper un rôle de première importance : «il dit qu'il a mal aux bras», «il passe souvent des journées à la maison», «il tisse des bracelets», et dans le jardin «il sème de l'herbe et beaucoup de fleurs». La figure masculine, éclatée en activités multiples dont beaucoup sont féminines (tisser, s'occuper du jardin de la maison), ne trouve pas une définition très précise dans le discours de l'enfant, comme elle n'en trouve pas non plus dans la réalité. Il est fréquent, lorsque l'on demande à un homme sa profession, qu'il réponde avec des gestes vagues ou qu'il en évoque un grand nombre sans pouvoir préciser laquelle est la principale.

Le passage concernant les photographies que la fillette accepte présente deux visions qui s'affrontent : celle du père qui, mu par la logique traditionnelle, envisage la possibilité d'une action néfaste à travers la boîte noire et celle de la fillette pour qui la photo ne représente que la possibilité de rapporter quelques sous à la maison. C'est pourquoi elle relativise la position de son père. Le refus de ce dernier comme l'acceptation de l'enfant passent par le même niveau argumentaire : aucun ne fait allusion à la situation d'indigence mais aux valeurs culturelles qui justifient leurs prises de position.

Il est un autre point qu'il nous semble important de souligner ici : il concerne le champ de vision. La fillette partage le sentiment d'insécurité de ses parents et grands-parents lorsqu'elle ne peut reconnaître et couvrir d'un seul regard l'ensemble de l'environnement. Lorsqu'elle se trouve en hauteur, dans la *milpa* de son père, elle est envahie par un sentiment d'impuissance et de désolation face à la distance qui la sépare de ce qui est connu et donc, rassurant; sa propre identité se dilue dans cette immensité : «Si j'étais ici et que je regarde depuis en haut, je ne me trouverais pas, je ne saurais même pas que c'est moi».

Cette conception de l'espace se retrouve dans les dessins d'enfants (Fig. 1 et 2, *infra*). Nous pouvons constater que, lorsqu'il s'agit d'un dessin du lac, il est toujours reproduit selon les schémas de la mémoire collective : abondance de poissons et de joncs sur les berges. Le trait donne forme à une signification subjective : le paysage représenté exprime la relation que les membres de la société continuent d'établir avec l'espace et la nature. Leur perception de l'environnement est sensible : ce qu'ils voient, ce sont les valeurs et les concepts que l'histoire de leur communauté a associés à cette nature. Ils dessinent la nature telle que les adultes la rêvent encore et non pas la nature telle qu'elle est aujourd'hui.

Figure 1. Au premier plan, le village de Santa Catarina Palopó, avec de gauche à droite, les volcans Toliman, Atitlán, Cerro de Oro, San Pedro.
Dessin de Maria Luciana Tax Lopez, 8 ans.

Figure 2. Le ponton du village de Santa Catarina Palopó, avec dans l'eau, des crabes et des poissons, et sur l'eau, un oiseau aquatique.
Dessin de Clara Sajvin Perez, 9 ans.

4. L'univers des jeunes

Les grands adolescents représentent la génération la plus vulnérable aux changements : ils sont intéressés par la réussite que peut offrir l'argent et donc perméables à toute possibilité nouvelle de s'en procurer. Un jeune homme de 18 ans nous a fait part de ses aspirations :

> *«Je suis allé à l'école mais quand j'ai eu 12 ans, mon père m'a dit : "Tu ne vas plus aller à l'école parce que tu dois travailler." Je voulais continuer l'école mais il a fallu que j'aille travailler parce que j'avais beaucoup de petits frères et que mon papa n'arrivait pas à les nourrir tout seul. Alors je suis allé chercher du travail là où on payait bien, dans le bâtiment. Là, un maçon m'a pris comme apprenti et il m'a appris comme un vrai maître et quand il est parti pour un travail qui lui convenait mieux, j'ai pris sa place et depuis, je suis ici. Maintenant, ça va mieux pour moi parce qu'en plus d'aider ma famille, il me reste de l'argent pour moi; je me suis déjà acheté une bicyclette et maintenant j'économise pour m'acheter une radio portative avec laquelle je pourrai aussi écouter des cassettes.*
>
> *Moi, je ne voudrais pas être pêcheur à cause du froid et parce que c'est un travail de nuit. Je veux continuer à être maçon mais il faut que je sois mieux payé. S'ils me donnaient une jolie somme, j'irai n'importe où; même à la capitale j'irais vivre. Je serais très content d'y aller et peut-être qu'après je reviendrais pour me trouver une femme par ici. Je reviendrais pour me marier.*
>
> *Je ne voudrais pas non plus être agriculteur parce que je n'ai pas de terrain pour ensemencer ma* milpa *mais je pense que quand j'aurai davantage d'argent, en tant que maçon, je vais payer quelqu'un pour qu'il plante le maïs sur un terrain que je m'achèterai, ici. En plus du terrain à cultiver j'achèterai un terrain pour faire ma maison. Je vais la faire là-haut, là où on voit bien le lac. Je me ferai une maison en briques, à deux étages, comme celle du patron de la boutique. Ma maison, elle aura une grande fenêtre et chaque matin je vais l'ouvrir pour rester tranquillement à regarder le lac.»*

Ce discours pourrait sembler détaché des valeurs traditionnelles, puisqu'il envisage positivement dès le début les nouveautés, telles que bicyclette, radio, travail de maçon – ce dernier s'opposant aux activités traditionnelles de la pêche et de l'agriculture – et maison à deux étages. Cependant, de façon complémentaire et nullement contradictoire, le jeune homme exprime ses aspirations à moyen terme qui ne sont autres que revenir à la communauté pour s'y installer. Sa femme sera une Catarinèque, sa maison sera dans le village, même s'il rêve de la construire comme celle des *ladinos* citadins, et il s'assumera en tant qu'agriculteur, même s'il envisage la possibilité de faire faire le labeur par un métayer.

5. L'univers des adultes

Les jeunes adultes ont une attitude différente de celle des adolescents. Ils ont pris conscience, parfois par l'expérience, que l'extérieur est très souvent synonyme de difficultés insurmontables. Écoutons l'un d'entre eux :

«J'ai trente ans et Maria doit avoir à peu près ça aussi. Ça fait quelques années que nous sommes ensemble, bien mariés. Nous sommes bien contents d'être ici avec nos petits. Avec le terrain que m'a laissé mon papa, nous avons de quoi manger : du maïs pour les tortillas, des haricots et des légumes. C'est pour ça qu'on se dit toujours que ça ne vaut pas le coup d'aller à la ville, parce que de toute façon, pour nous, ça serait pire. Là-bas, il faut tout acheter et nous, on n'en a pas les moyens. Ceux de la ville parlent bien l'espagnol et ils peuvent aller chez Madame la Banque et discuter avec elle et lui demander un crédit et s'installer un joli petit commerce, avec tout un tas de choses à vendre ou à manger s'ils en ont envie; mais nous, qu'est-ce que vous voulez, c'est déjà une chance qu'on arrive à comprendre notre espagnol et que j'arrive, tant bien que mal, à gribouiller quelques lettres parce que, ma femme, même ça, elle sait pas le faire. Non, il vaut mieux rester ici et que tous les matins la Maria me réveille et me dise "Lève-toi, tu dois aller travailler; dépêche-toi, je t'ai préparé le café".»

A ce moment du cycle de vie (homme marié, père de deux jeunes enfants), il se produit une prise de conscience du fossé, très souvent infranchissable, qui sépare la communauté de l'extérieur. Les vrais problèmes se manifestent : connaissance insuffisante de l'espagnol et analphabétisme, entraînant l'incapacité à obtenir l'argent nécessaire pour vivre en ville. Face à cette situation, rester au village devient une solution positive. En effet, la communauté représente la sécurité créée par les liens familiaux et sociaux, ainsi que la possibilité de subvenir aux besoins quotidiens grâce à une économie autosubsistante, puisque la base de l'alimentation (maïs, haricot rouge et café) continue d'être assurée par l'agriculture locale.

Pour l'homme marié encore jeune, c'est le moment du choix décisif : partir rejoindre la multitude des bidonvilles, ou bien rester au village en sachant qu'il n'y aura pas de solution de rechange.

6. L'univers du village

En dehors de la position des différentes tranches d'âges, le phénomène le plus frappant demeure l'attitude du village, en tant que sujet collectif, face à l'extérieur : il s'est produit, comme nous l'avons déjà signalé, une profonde modification de l'occupation de l'espace ayant entraîné des changements dans les modes d'appropriation de la terre ainsi que dans ceux de l'exploitation des richesses naturelles. Cependant, l'unité résidentielle a été maintenue, ce qui a permis au groupe de rester intégré, quoiqu'encerclé par les chalets et les hôtels. Le village est devenu un lieu de conservation, une vitrine de la vie traditionnelle. Acculés par le besoin d'argent, les Catarinèques n'ont pas d'autre solution que de jouer le jeu, et donc de s'offrir comme objet touristique. Le village tout entier se donne en spectacle : dans les patios, les femmes qui tissent acceptent un cliché photographique en échange d'un achat, parfois même simplement d'une promesse; les enfants offrent leurs visages souriants à l'appareil contre quelques pièces et répètent inlassablement derrière les touristes la même litanie : «Achète-moi un bracelet, achète-le-moi, allez». Et même lorsque ce n'est pas de leur plein gré, tous sont, de fait, une attraction folklorique.

7. La mémoire : source de sens

Face à cette acceptation résignée de tant d'innovations obligatoires, face à ce qui pourrait paraître comme une ouverture, et pour éviter l'anéantissement, le groupe a choisi de se tourner vers son passé et de se «ressourcer dans son imaginaire» (BACHELARD, 1972) : c'est ainsi qu'il continue à se définir en fonction d'une géographie particulière; dans ce monde de représentations, le lac reste le point de référence culturelle essentiel, même s'il n'offre plus de revenus. La représentation instaure entre le sujet et le réel une distance, un écart. Elle saisit le réel, certes, mais à rebrousse-poil, en évacuant par le biais de l'imaginaire tous les facteurs que le groupe ne peut assumer. Ce qui perdure, c'est un mode de pensée, la conception d'un espace, en tant que projection de la société elle-même. Les personnes âgées sont les plus vivement affectées par les transformations et sont celles qui en souffrent sans doute le plus profondément. Elles évoquent avec nostalgie la vie d'autrefois, perçue rétrospectivement comme parfaite. Et telle est la force de cette nostalgie que les enfants en sont imprégnés; les enfants, mais également, à un degré moindre, les jeunes et les adultes. Les anciens transmettent aux nouvelles générations la connaissance et les valeurs associées aux différentes composantes de l'écosystème d'autrefois : la flore, la faune, l'eau, etc. C'est ainsi que l'espace recréé par l'évocation devient le ciment qui consolide la résistance culturelle de ce groupe.

8. Matérialité de la mémoire collective : le lac et les volcans

Cela fait déjà bien longtemps que presque plus personne ne se dirige vers les canots. Sur les berges, on ne croise plus que des vieillards qui déambulent et des enfants qui jouent. Peu de jeunes savent encore pêcher ou tresser le jonc; aujourd'hui, ils travaillent la terre, servent dans les hôtels ou font de l'artisanat. Cependant, et même si chaque matin ils s'en éloignent, ils continuent de penser et de chercher une réponse dans l'eau. La mémoire d'un espace autrefois possédé constitue leur connaissance actuelle du passé. Il ne s'agit pas de ce qui a été, mais de la sélection et de l'interprétation, voire de la réappropriation, que le groupe effectue par rapport à des temps révolus. Dans l'imaginaire, le lac continue à lui appartenir, donc à lui fournir des réponses. Aucun Catarinèque, quel que soit son âge, ne racontera spontanément une histoire sur l'origine du maïs — récit pourtant classique dans le monde agricole maya — alors qu'en revanche, tous connaissent et transmettent des histoires sur le lac et l'univers révolu des pêcheurs. Pourquoi cet acharnement à réactualiser un univers qui n'est plus? Très probablement pour récréer une stabilité au sein de l'instabilité, une espérance face au désarroi, un garde-fou face aux conflits provoqués par la déstabilisation. Le groupe a besoin de s'agripper à un môle proche encore et connu de tous pour ne pas sombrer dans le discontinu, dans ce monde insaisissable qui semble le guetter. L'univers des représentations se rapporte essentiellement à l'environnement lacustre d'autrefois, bien sûr, mais intègre aussi des images d'un ailleurs plus éloigné, comme si l'éloignement dans le temps pouvait être assimilé à un éloignement dans l'espace : la sublimation du territoire perdu passe par son dédoublement en d'autres lieux, que des topographies extrêmes rendent inaccessibles et inaliénables (au sommet, à l'intérieur des volcans, dans les profondeurs du lac). C'est ce caractère d'inaccessibilité d'horizons réels qui, en transcendant le lac défiguré et désormais inaccessible autrement que par la mémoire, permet au moins sa récupération imaginaire. C'est ainsi que «la géographie mythique» (DARDEL, 1990) s'instaure : sur les hauteurs du volcan San Pedro, par exemple, on imagine une lagune paradisiaque où survivent, hors du temps et de toute contingence, les animaux et les plantes qui ont disparu du lac Atitlán. Une lagune, comme le rapporte le récit, lointaine, parfaite et toujours protégée par des serpents-gardiens[2] (Fig. 3) :

> *«Il paraît qu'il y a, sur les hauteurs du volcan appelé San Pedro, une lagune et que dans cette lagune existent des canards* pok *et toutes sortes de poissons. C'est une lagune très belle, vraiment très belle. Mais sur les berges il y a de grands serpents qui surveillent et qui empêchent les gens de venir pêcher. Personne ne peut s'approcher de cette lagune, pas même pour regarder.*
>
> *Il n'y a qu'un seul homme qui y soit allé, qui ait regardé et qui ait raconté ce qu'il avait vu. Il a raconté qu'il existait sur les hauteurs une lagune et qu'il y avait un grand nombre d'animaux. Voilà l'histoire qu'il raconte. Là-bas, on trouve tous les animaux qui ont disparu ici, au lac, quand les inondations ont commencé, quand s'est produit le tremblement de terre, quand ils ont mis les poissons* boquerones... *C'est à ce moment là qu'ils sont tous partis à la lagune du volcan.»*

Dans cette même logique, qu'on pourrait appeler une logique de résistance, ils imaginent dans les profondeurs du lac un autre espace protégé : une ville maya où sont accumulés des trésors innombrables mais à laquelle personne ne peut accéder parce qu'un grand serpent veille, là-bas aussi, à l'entrée :

---

[2] Ces récits ont été recueillis au cours d'un travail de terrain effectué en 1991 à Santa Catarina Palopó grâce à une mission accordée par le LACITO.

Figure 3. Le volcan San Pedro avec, en son sommet, la lagune paradisiaque où sont sensés survivre, hors du temps et de toute contingence, les animaux et les plantes qui ont disparu du lac Atitlán. Une lagune lointaine, parfaite et protégée par des serpents-gardiens. Dessin de Maria Luciana Tax Lopez, 8 ans.

«Il y a environ soixante-dix ans, deux scientifiques sont venus de Suisse, ou d'ailleurs, mais en tout cas, ils sont venus de l'étranger pour explorer les grandes profondeurs du lac Atitlán. Ils ont apporté des appareils et des bouteilles de plongée pour en sonder le fond mais ils n'ont pas pu le trouver, bien que le lac soit plus petit que la mer. Non, ils n'ont pas pu le trouver et pourtant, ils se sont vraiment obstinés. La partie la plus profonde est celle qui se trouve en face de San Pablo mais ils ne l'ont pas trouvée.

Ils ont ensuite essayé en face du volcan Toliman. Ils ont plongé, presque au milieu du lac, et en descendant, en descendant vraiment, ils ont trouvé un temple. Ils voulurent y entrer mais ils ne purent le faire parce qu'il y avait un énorme serpent; c'est lui qui gardait l'entrée. Il était là pour que personne ne puisse s'approcher. C'est pour cela que les hommes ont pris peur et qu'ils ne purent entrer pour emporter ce qu'il y avait à l'intérieur du temple. Ils ne purent rapporter que de vieux pots comme ceux que faisaient les Mayas. Ils ne rapportèrent que quelques pots et ne purent pénétrer dans le temple à cause du serpent-gardien. Voilà l'histoire que l'on raconte à propos du mystère que le lac préserve si bien.»

Il est intéressant de rapporter les propos que nous avons obtenus quand nous avons demandé si le lac appartenait à quelqu'un. Il nous fut en premier lieu répondu que «les propriétaires du lac sont les propriétaires des maisons construites sur les berges». Après un temps de latence et quelques commentaires échangés entre les personnes présentes, l'homme âgé d'une soixantaine d'années auquel nous nous adressions, ajouta :

«En réalité, ce n'est pas comme ça, parce qu'en vérité, la propriétaire du lac, c'est notre ancêtre Ixpiyakok[3]*. C'est elle qui vit au fond des eaux et qui a construit, avec l'aide de tous ceux qui sont morts, un village. L'Ancêtre a même des chiens et toutes sortes d'animaux : des cochons, des chevaux, des dindons, des daims et je ne sais trop quelles bêtes encore.»*

Les volcans et les montagnes qui se trouvent autour du lac cachent également des endroits secrets; ils communiquent avec des souterrains aux innombrables richesses :

«Il paraît que cette montagne que l'on appelle "Montagne d'Or" était autrefois un petit volcan, qui grandit avec le temps jusqu'à atteindre sa taille actuelle. Ils paraît que tout en haut il y a un souterrain qui communique avec la terre. C'est par là qu'arrivent les prêtres mayas[4] *et si quelqu'un veut devenir riche, si vraiment il le veut, il faut qu'il cherche un prêtre maya. Ce sont eux qui sont chargés de demander aux divinités de la montagne pour que la personne devienne riche. Seul le prêtre maya peut établir le contact avec la montagne.»*

Ces configurations ont une fonction sécurisante; elles représentent les contenants sauvegardés d'un contenu traditionnel : une faune et une flore disparues; un temple maya englouti et la possibilité d'accéder à la richesse grâce

---

[3] Ixpiyakok: une des divinités créatrices du Popol Vuh.

[4] Prêtres mayas (*ahq'ij* en cakchiquel) : il s'agit de prêtres-guérisseurs-devins, parfois aussi considérés, sous l'influence de l'Église, comme des sorciers, à cause de leurs fonctions toujours destinées à défendre leurs protégés en attaquant leurs ennemis. Dans le cas du récit se rapportant au lac, ils sont positivement connotés. En revanche dans le cas du récit de la Vierge qui va suivre, les Catarinèques leur attribuent des pouvoirs de sorciers. Ce sont eux qui guident les recherches des richesses dans les montagnes.

aux passages souterrains que seuls connaissent les prêtres mayas. Ce recours à des images utopiques, à des rémanences de paradis, ainsi qu'à des actions symboliques rassurantes est un phénomène que BALANDIER (1971 : 109) définit comme le «recours à la contre-modernité». Ces figures spatiales imbriquées dans un processus de régression topographique (le lac devient lagune, les volcans deviennent tunnels, fonds...) reflètent un repli, en dernier ressort, sur les origines premières du groupe : il ne s'agit pas de se remémorer un passé immédiat, dont le lac et les activités afférentes constituent l'élément central, mais de réactualiser la splendeur de la civilisation maya disparue (allusion au temple, aux richesses entassées dans les souterrains et auxquelles personne ne peut accéder sans connaître les traditions ancestrales).

Dans tous les cas, il s'agit d'une mémoire de l'espace ancien maintenue et alimentée parce que nécessaire pour vivre au présent; c'est grâce à elle que le groupe peut accepter le changement, car c'est elle qui fournit les moyens d'imaginer un retour à tout ce qui s'instaure comme référent. L'imagination collective crée de cette façon des options qui, en réalité, n'existent plus. La faune et la flore du lac ont été bouleversées définitivement, mais la lagune sur le volcan est investie des valeurs de sauvegarde, de potentialité, de recommencement, qui assurent leur pérennité. Les habitants ne possèdent aucune richesse, mais il leur est possible d'en trouver dans le sous-monde des grottes et des souterrains cachés dans les montagnes. Ainsi, les histoires surdimensionnent l'espace et, face aux limites, établissent des plans superposés qui débordent inévitablement sur l'original appauvri et patiné qu'ils ont quotidiennement sous les yeux. Cela ne les empêche certes pas de changer, mais ils ont le soutien d'une certaine compréhension des faits. Comme s'il existait la possibilité de faire marche arrière. Les histoires ne présentent pas ce recours comme nécessaire ou souhaité, mais simplement comme vraisemblable et cette virtualité est suffisante pour protéger culturellement le groupe.

9. La vision de la Vierge

Il est un acteur qui a aussi sa vision des événements. Nous voulons parler de la Sainte Vierge de Santa Catarina. Les histoires concernant la patronne du village reflètent également les sentiments ressentis par le groupe. Il ne s'agit plus dans ce cas de créer une topographie idéale, mais d'instaurer un sujet délégué qui puisse dénoncer le sac dont il a été l'objet.

D'après la tradition, une statue de cette vierge aurait été trouvée dans le lac d'où les villageois l'aurait sortie pour l'adorer. Ils lui construisirent une église et la mirent au centre de l'autel. De jour, elle voulut bien accepter cette nouvelle demeure, mais la nuit elle abandonnait l'église et se rendait au lac où elle s'asseyait au milieu des joncs. Les sacristains trouvaient toujours des grains de sable sur ses pieds quand ils nettoyaient l'autel au matin. Il arriva plusieurs fois que la Sainte oubliât ou refusât de revenir au village et les Catarinèques durent aller la chercher avec de la musique et de l'encens. Cependant, quand les joncs disparurent, il devint impossible pour la Vierge d'aller s'asseoir là où «cela lui plaisait tant» et les gens du village affirment que c'est depuis lors qu'elle a l'air triste, parce que, la nuit, elle ne peut plus sortir. De plus, il y a quelques années, on lui a volé l'épée en argent qu'elle tenait en main, épée qui était censée lui permettre de défendre les gens du village contre les brigands qui viendraient à passer par là. Désormais, elle est comme le village, sans défense.

La figure de la Vierge n'a pas seulement pour fonction de subir les changements en tant que reflet du groupe, elle constitue aussi une réponse de recours; elle sert à apaiser le présent, permet de résoudre momentanément la crise. La mémoire collective oppose une époque idéale d'abondance à l'actuelle pauvreté, et pendant que les autres villages du lac ont progressé, ou sont supposés l'avoir fait, le leur s'est appauvri. Voici l'explication et, de fait, la justification qu'en donnent les Catarinèques :

> *«Ceux de Chichicastenango et de Sololá viennent sans cesse avec leur prêtres mayas demander les richesses qui se trouvent ici, dans les grottes, dans les montagnes de Santa Catarina. C'est pour cela qu'ils sont si fiers; mais notre Sainte, Santa Catarina, elle n'a pas voulu que nous allions demander des richesses à la terre parce qu'elle dit qu'après, il faut les payer cher; alors comme elle nous protège, elle nous a interdit d'aller aux cavernes pour demander.*
>
> *Il paraît que dans ces cavernes, ceux de Sololá ont trouvé des marmites pleines de pièces d'or. Mais la Vierge, pour notre bien, n'a pas voulu que nous allions demander des richesses, c'est pour cela que nous sommes pauvres.»*

Grâce à ce discours, les villageois surmontent une situation à laquelle ils ne peuvent ni donner d'explication ni trouver de solution pratique, économique ou politique. Le conflit doit cependant être résolu, et c'est au niveau mythique qu'une ébauche prend forme : s'ils sont pauvres, c'est parce qu'ils sont fidèles à la tradition catholique et à leur Vierge Patronne. En revanche, les habitants des autres villages s'adonnent à des pratiques condamnées par l'Église et s'ils s'enrichissent sur cette terre, ce n'est qu'éphémère.

*
* *

Face à un monde en pleine mutation, nous avons tenté de saisir la part de rupture au niveau de la structure économique et sociale et la part de continuité que garantit l'imaginaire et la mémoire. La vie de cette communauté a été bouleversée par des changements naturels – baisse du niveau de l'eau, disparition des joncs – et des politiques d'aménagement du milieu – introduction d'une nouvelle espèce de poisson dans le lac, construction de maisons de campagne et d'hôtels –. Tout cela est venu modifier l'écosystème de la région.

L'agencement topographique a évolué, les paysages ont été bouleversés, les repères modifiés et avec eux, l'organisation du travail : l'activité de pêche disparaît ou se transforme, de même que les instruments dont le groupe disposait pour l'exploitation de l'environnement. Le même sort est réservé à la production : aux produits lacustres se substituent les produits agricoles et artisanaux, avec pour conséquences immédiates, d'une part, le fait que les marchandises vendues ou achetées ne sont plus les mêmes; d'autre part, le fait qu'inévitablement les habitudes alimentaires se modifient. Les besoins de consommation ont augmenté et la proximité d'un centre urbain tel que Panajachel met l'accent sur le décalage entre une société bien souvent composée de touristes étrangers, pour lesquels a été créé, artificiellement, un décor de modernité (hôtels, boutiques, discothèques, restaurants) et les dures conditions de vie de la communauté.

Pour survivre culturellement, le groupe a choisi de se protéger derrière l'écran d'une mémoire récurrente qui vient organiser et rationaliser l'expérience vécue. Une mémoire du lac où le passé a laissé son empreinte pour donner du sens, voire une identité, au groupe. Ils y sont attachés par des liens symboliques et ils le restent pour pouvoir trouver un sens à leur existence. Équilibre fragile, parce que toujours confronté aux contradictions et aux interrogations des habitants de Santa Catarina Palopó dans leur vie quotidienne. Équilibre précaire parce que toujours menacé de nouvelles catastrophes naturelles ou d'autres décisions d'aménagement du territoire pour lesquelles ils ne seront vraisemblablement pas consultés.

Bibliographie

BALANDIER, G., 1971, *Sens et puissance*, Paris, P.U.F.

— 1985, *Le détour. Pouvoir et Modernité*, Paris, Fayard.

BACHELARD, G., 1972, *La Dialectique de la Durée*, Paris, P.U.F.

BRESSON, F., 1974, *De l'espace corporel à l'espace écologique*, Paris, P.U.F.

BOURDIEU, P., 1980, *Le sens pratique*, Paris, Éditions de Minuit.

CAZALI, G., 1984, *Evaluación de los programas de protección del poc y control del tul. Lago Atitlán, Guatemala*, INAFOR, Guatemala.

CHAMPAGNE, P., 1975, La restructuration de l'espace villageois, *Actes de la Recherche*, 3, Paris.

CONDOMINAS, G., 1980, *L'Espace Social à propos de l'Asie du Sud-Est*, Paris, Flammarion.

DARDEL, E., 1990, *L'homme et la terre*, Paris, Éd. du CTHS.

EVANS G. & MC DOWELL J., 1982, *The Varieties of Reference,* New York, Oxford University Press.

HANKS, F. W., 1990, *Referential Practice. Language and lived space among the Maya*, Chicago, Univ. of Chicago.

HILL, C., 1991, Recherches interlinguistiques en orientation spatiale, *Communication*, 53, Paris, Seuil.

MC BRYDE, F. W., 1969, *Geografía Cultural e Histórica del Suroeste de Guatemala,* T. II, Seminario de Integración Social Guatemalteca, Ed. José de Pineda Ibarra, Guatemala.

Seminario de Integración Social Guatemalteca, 1968, *Los pueblos del Lago de Atitlán*, Guatemala.

Qu'est-ce qui fait bouger le mythe ?

Création et recréation du mythe chez les Émerillon de Guyane Française

Éric NAVET
Université de Strasbourg

1. Les mythes nous parlent-ils ?

Une fois déterminé le thème d'un livre ou comme ici, d'un article, le chercheur a pour réflexe de conforter ses connaissances par la lecture. Lorsqu'il s'agit du mythe, il se trouve devant une telle masse d'informations que l'émulation de départ peut se muer en découragement. Entre Platon le philosophe, et Lévi-Strauss jouant l'ethnologie contre la philosophie[1], le mythe, tout en gardant de façon largement inconsciente une fonction culturelle, devient objet d'un discours qui, plus que tout autre, tourne bien souvent à l'affrontement idéologique. Entre les historiens des religions, les ethno-psychanalystes, les structuralistes, les philosophes donc, et combien d'autres courants de pensée, l'embarras du choix se ramène davantage à un embarras qu'à un choix.

Mais l'ethnologue dispose aussi, c'est ce qui le sauve de la noyade dans l'océan des connaissances d'une autre source précieuse : ses carnets de terrain. C'est souvent au niveau des premiers énoncés, des petites phrases lâchées au hasard d'entretiens plus dirigés, des apartés, bref dans les marges du discours

[1] On trouve dans le dernier chapitre de *L'homme nu* (1971 : 571-572), par lequel LÉVI-STRAUSS clôt aussi la série des *Mythologiques*, un véritable réquisitoire contre la philosophie : *«Mon analyse des mythes d'une poignée de tribus amérindiennes en a extrait davantage de sens qu'il n'y en a dans les platitudes et les lieux communs à quoi se réduisent, depuis quelque deux mille cinq cents ans, les réflexions des philosophes sur la mythologie.»*

construit, qu'on trouve une vérité plus dense, une logique perceptible dans une approche systématique. Sans doute au départ, notre système ne cadre-t-il pas avec celui de l'Autre; peut-être nos interrogations, dans leur contenu comme dans leur forme, manquent-elles de pertinence, d'intérêt tout simplement, dans un contexte culturel autre. En quoi précisément ?

LÉVI-STRAUSS, dans la conclusion de ses monumentales *Mythologiques* (1971 : 571), écrit :

> *«Il faut en prendre son parti : les mythes ne disent rien qui nous instruise sur l'ordre du monde, l'origine de l'homme ou sa destinée. On ne peut espérer d'eux nulle complaisance métaphysique.»*

La constatation, qui est somme toute celle des limites de la science, admise par l'auteur[2], n'est pertinente que si l'on admet – mais alors sur quelles bases ? – qu'il existe un ordre du monde indépendant, extérieur à la pensée mythique. Je crains qu'il ne s'agisse déjà là d'un *a priori* positiviste et réaliste, surtout quand le même auteur (1964 : 20) précise encore :

> *«L'analyse mythique n'a pas et ne peut avoir pour objet de montrer comment pensent les hommes.»*

Il est en effet douteux, ainsi que le précise encore Lévi-Strauss (*ibid.*), «que les indigènes du Brésil central conçoivent réellement, en plus des récits mythiques qui les charment, les systèmes de rapports auxquels nous-mêmes nous les réduisons». Les hommes, ceux dont il parle et d'autres, ne peuvent-ils pas penser différemment ? Est-il exclu que le mythe soit, pour ceux qui l'expriment et le vivent, le lieu, privilégié peut-être, non d'une explication du monde, mais d'une théorie qui, précisément, n'exclurait pas ces «aspects charmeurs et musicaux»[3], en bref ceux qui ne tombent pas sous le couperet de la stricte rationalité ?

A partir de l'exemple des Indiens Émerillon, j'ai déjà apporté (NAVET, 1990 et 1992) des éléments étayant cette proposition de JACOPIN (1977 : 220) :

> *«Nous croyons que la mythologie est le référent le plus explicite de la "pensée indienne", du moins celui qui nous est concrètement accessible et qui évite au mieux les distorsions (égo- et ethnocentriques).»*

Et la culture à laquelle je fais plus précisément référence, une ethnie tupi de 300 membres intégralement comprise dans le département de la Guyane

---

[2] Voir notamment *op. cit.* : 567-568.

[3] Dans l'*Ouverture* de *Le cru et le cuit* (1964 : 40), Lévi-Strauss montre qu'il n'ignore rien des aspects affectifs du mythe : *«Qu'il me soit au moins permis [...] de caresser l'espoir que le lecteur, franchies les limites de l'agacement et de l'ennui, puisse être par le mouvement qui l'éloignera du livre, transporté vers la musique qui est dans les mythes, telle que leur texte entier l'a préservée avec, en plus de son harmonie et de son rythme, cette secrète signification que j'ai laborieusement tenté de conquérir...»*. Voir aussi, sur le caractère esthétique du système cognitif chamanique, particulièrement chez les Piaroa du Venezuela, GOODMAN (1978) et OVERING (1990).

Française, accrédite même la proposition, un peu excessive toutefois, de SERVIER (1964 : 333) :

> *«Le mythe primordial est, dans les civilisations traditionnelles, la seule histoire digne d'intérêt; il se confond avec l'histoire de la condition humaine et rappelle à tout moment l'intégrité originelle de l'homme.»*

La problématique, classique s'il en est, du présent écrit concerne, le lecteur l'a déjà compris, les fonctions du mythe, et elle s'inscrit dans le cadre général d'une anthropologie dont l'interrogation se résume, dans chaque contexte culturel particulier comme dans une approche transculturelle, à trois questions : pourquoi ? pour qui ? comment ? Mais elle prend plus spécifiquement assise sur une constatation faite par quelques autres chercheurs[4] : une propension, consciente ou inconsciente, à traiter du mythe comme d'une matière figée ou peu malléable. Si cette tendance est fondée sur un réel immobilisme du mythe, caractéristique par exemple, de ce que Lévi-Strauss appela les sociétés à «histoire froide», de ces sociétés «de la tradition» que d'autres auteurs opposent aux sociétés modernes[5], il reste à se demander *pourquoi* le mythe revêt ce caractère, ainsi qu'à se poser la question, puisqu'à l'évidence il existe quand même des variantes et des variations : qu'est-ce qui peut faire bouger les mythes ?

2. La Création selon les Émerillon

Il existe, chez les Émerillon, un mythe de base dont tous les membres de l'ethnie, jeunes et vieux, connaissent au moins les grandes lignes, comme s'il s'agissait là de l'essentiel, de la dernière chose qui se perd – au moins dans le domaine mythique – lorsque tout le reste est occulté. Ce mythe de création, comme nous l'appellerons – mais tout mythe n'est-il pas «création» ? – comprend des séquences, des mythèmes si l'on veut – nous en avons compté environ vingt-cinq – dont certains peuvent être soustraits selon les narrateurs et les circonstances sans nuire à la cohérence de l'ensemble, à une harmonie générale de forme et de contenu. Il est courant, lorsqu'on enquête sur le sujet, que des histoires généralement rattachées à des ensembles plus larges, soient isolées et racontées indépendamment, comme des récits autonomes.

Le corpus mythique émerillon apparaît en fait comme un ensemble ouvert, où chaque élément entretient cependant avec tous les autres un rapport

[4] Dans un article consacré aux représentations du contact chez les Yanomami du Brésil, ALBERT (1988 : 88) formule une pertinente remarque : *«L'image statique et décontextualisée des représentations du contact qui émane souvent des travaux d'inspiration structuraliste est imputable aux propriétés cognitives des formes culturelles à travers lesquelles il les aborde.»*

[5] Voir notamment BALANDIER (1988).

d'interdépendance. Pour autant, et c'est l'un des problèmes que j'aimerais ici soulever sans prétention de le solutionner, chaque séquence, chaque histoire se suffit à elle-même, dans le sens où elle est signifiante, porteuse d'un message et d'un sens.

Une première constatation est que dans beaucoup de mythes, il est question de séparations, de divorces aux conséquences souvent affligeantes. La rupture la plus déterminante est celle de l'homme avec la divinité; c'est vrai pour les Émerillon comme pour leurs voisins Wayãpi dont parle F. GRENAND (1982 : 17) : *«La cohabitation avec ses créatures (...) apparaît bien vite à la Divinité impossible à poursuivre.»* Mais elle n'est que l'ultime aboutissement d'un processus de singularisation, de spéciation qui fait la matière même du mythe et du mythe de création émerillon en particulier.

> *«C'est le "Bon Dieu",* **Wɨlakala**, *qui est apparu le premier,* raconte un Émerillon[6]. *Il n'a ni père ni mère, il est né de la terre. Là, il se passe la main sur le visage, créant ainsi* Tembetsi. Tembetsi, *c'est le "Diable"; il est petit, trapu, poilu, noir comme un Saramaka*[7], *mais il n'a pas d'anus et défèque par la bouche qui, chez lui, est située sur la poitrine, car en plus, il n'a pas de tête. Ses yeux sont sur les épaules.»*

Longtemps ***Tembetsi*** devait disputer le pouvoir à Dieu : «J'étais là avant toi !», prétend-il. Mais tandis que Dieu donne vie à toutes sortes de créatures : ***Mbodju'u***, l'anaconda, ***Mbatsikili***, l'un des esprits qui vivent dans le fromager, le ciel, les étoiles, ***Kwalaɨ***, le soleil, ***Wãndet***, qui deviendra le «maître de la pluie», et enfin l'homme, le «Diable» pour sa part ne crée que des êtres imparfaits, copies éphémères et bien peu conformes à celles de Dieu.

Ainsi la Création est inaugurée par une dyade, efficient/inefficient, représentée respectivement par les figures de «Dieu» et du «Diable», que le narrateur juge être les traductions les plus adéquates pour un interlocuteur français. La suite de cette mise en scène de la Création confirme l'enseignement des sciences biologiques, à savoir que la Vie se caractérise par des discontinuités, des ruptures et des oppositions. Mais entre le corps vivant et l'environnement, se situe l'espace psychologique d'un sujet qui, pour se constituer comme tel, doit penser et réfléchir un monde vecteur de *stimuli*, de sensations dont MALAURIE (1984) par exemple a parfaitement vu, chez les Inuit, qu'elles étaient une voie privilégiée de leur appréhension du monde.

Si ce ***Wɨkakala*** «sans père ni mère», ***Tembtesi***, ***Wãndet***... tous ces «esprits», ces «dieux» dont les Amérindiens nous parlent comme allant de soi, ne sont rien en dehors de nous – au niveau minimum de rationalisation au-delà duquel aucun discours n'est possible –, c'est qu'ils sont nos créatures, les

---

[6] La version de ce mythe présentée ici a été racontée en français par Adjela, un jeune Émerillon né sur le Tampok et résidant actuellement dans la commune de Camopi.

[7] Les Saramaka, avec les Ndjuka et surtout les Aluku (Boni) constituent ce qu'en Guyane Française on appelle les *Noirs Marrons*, ou *Noirs Réfugiés*; ce sont d'anciens esclaves qui, après avoir fui leur condition servile au XVIIIe siècle, se sont reconstitués en communautés tribales.

produits d'une projection[8] de nous-mêmes, des analogons, des images kaléidoscopiques de notre nature éclatée, de la fêlure nécessaire, vitale pour tout dire, et conjointement l'expression de notre angoisse spécifique d'être au monde.

Parmi ses multiples niveaux de signification[9], si le mythe est avant tout un rêve partagé, l'expression des désirs propres à notre espèce et de l'angoisse qu'engendre leur inaccessibilité en ce monde, c'est parce que, que nous soyons normand, émerillon ou bamileke, nous sommes tous humains que, *«d'un bout à l'autre de la terre, les mythes se ressemblent tellement»* (LÉVI-STRAUSS, 1958 : 229). C'est pour cela aussi que les rêves et les mythes des autres nous fascinent, qu'ils nous sont accessibles de l'intérieur. Ne sommes-nous pas tous sortis du ventre de notre mère ?

Je n'ai pas perdu de vue notre propos; mon souci a été de ne pas faire fausse route dans un domaine où les égarements et les impasses sont fréquents. Avant même de s'interroger sur ses caractères statique et/ou mouvant, il s'agit de savoir quelle est la nature profonde du mythe, où il prend racine et enfin, à quoi il sert. Cette nature, ces racines, quels que soient les aspects proprement utilitaires sur lesquels nous reviendrons, sont largement inconscients, la plupart des chercheurs travaillant sur le sujet s'accordent au moins sur ce point.

Resserrons donc le débat. Créer, c'est entrer dans le relatif, et c'est surtout entrer en relation avec. Le mythe de la Création émerillon exprime cette nécessité pour l'homme, liée à son existence même, d'inventer Dieu; un dieu qui non seulement le définisse comme sujet, mais aussi qui détermine son caractère polymorphe, sous la forme des «esprits», et ses limites, sous l'aspect du «diable». C'est l'homme qui crée Dieu qui crée l'homme; nous sommes d'emblée dans une pensée circulaire. Au niveau de la pensée, de semblable façon que l'homme implique Dieu, *Wɨlakala* implique *Tembetsi*, comme sur le plan sensoriel et biologique le chaud implique le froid, le beau implique le laid, la vie implique la mort, et le jour, la nuit... La Création est un fourvoiement, inscrivant au cœur de l'homme la contradiction qui la fonde.

Lorsque Dieu-*Wɨlakala* propose aux hommes qu'il vient de créer de venir de son côté, ceux-ci refusent, à l'exception de *Kwalaɨ* qui, acceptant l'exil céleste, devient Soleil. Mais revenant au point de départ, une idée de Dieu, *Kwalaɨ*, inverse le processus de création et le pouvoir sans mesure de l'astre détruit la première humanité. Il faudra l'intervention – que raconte un mythe séparé – d'une femme-soleil, *Mbaidatsa*, première figure typiquement chamanique de l'entre-deux, pour tempérer l'ardeur de l'astre et permettre une nouvelle création.

[8] Pour une définition précise du concept de projection, voir SAMI-ALI, 1970.
[9] Allusion est faite ici à la réflexion de GUIART (1968) sur le mythe.

C'est peut-être la leçon majeure du mythe qui est d'abord constat et évidence : la vie est incompatible avec tout état paroxystique, dont ***Wɨlakala*** est une image, car cet état précédant la Création ou plutôt situé *au-delà* d'elle, est celui du Non-être, du Chaos, mieux, de l'absence d'ordre, là où se dissout la nécessité d'ordre. Mais n'anticipons pas et ne faisons pas dire au mythe plus qu'il ne dit à ce moment de l'exposé.

La mémoire collective[10] est peu loquace – du moins n'avons-nous rien recueilli de précis sur ce point – à propos d'une deuxième catastrophe (tempête ou tremblement de terre) qui détruisit une autre création. Par contre, un troisième cataclysme, le Déluge, marque profondément l'imaginaire des Émerillon comme d'une grande partie de l'humanité. La version émerillon, qui fait suite aux épisodes déjà considérés, est ainsi présentée par le même narrateur :

> «*Le peuple de* **Wãndet** *vivait avec les Émerillon ; avec eux, ils chassaient et ils pêchaient. Un jour, un Indien trouve un gros crabe,* **tipoko**, *dans un cours d'eau; il l'attrape et le rapporte au village dans une hotte de portage.* **Wãndet** *vient le voir et lui demande : "Qu'est-ce que tu as pris là, un pécari, un daguet ?" Il met la main dans la hotte : Aïe, aïe, aïe ! Il s'est fait pincer, et il très fâché : "Ah, les Émerillon sont méchants, qu'est-ce qu'on va faire ?"*
>
> *Ce* wãndet[11] *est un peu* **padze** [chamane]; *il s'éloigne à quelque distance du village et dégage un petit cercle, bien proprement, dans la forêt. Là, il agite sa* **malaka** [hochet rituel] *et invoque* **Wɨlakala** *: "Que pouvons-nous faire ? Les Émerillon sont trop mauvais..." Alors le Bon Dieu, dans cette petite clairière, fait don au* **wãndet** *du* **kaiñu**, *un liquide clair comme de l'eau, en disant : "Il faudra toujours le garder". "Qu'est-ce que c'est ?" interroge le* **wãndet**. *Il en met un peu sur sa main et pfuit, la main disparaît. Il en met sur son bras, et c'est pareil, le bras devient invisible; son bras est toujours là, il peut le sentir, mais on ne le voit pas.*» [**Wãndet** appelle alors ses compagnons pour leur faire la démonstration des vertus du ***kaiñu*** qu'ils expérimentent à leur tour, devenant invisibles les uns pour les autres]; «**Wãndet** *s'interroge : "Comment puis-je faire pour qu'on me voit à nouveau ?" Il se met alors à courir et la sueur annule l'effet de la substance magique; il réapparaît. "Nous allons faire ça* [se passer du ***kaiñu*** sur le corps] *pour tout le monde, ainsi nous pourrons partir, parce que les Émerillon sont vraiment trop méchants."*»

Ainsi dans la communauté des êtres créés s'introduit d'emblée, par la faute des hommes, la zizanie, et l'union, l'accord des parties, apparaît comme le problème majeur de la Création. Wãndet et les siens choisissent de s'exiler grâce au don de ***Wɨlakala***, le ***kaiñu***, qui permet d'être invisible à ce monde. Un liquide biologique, la sueur, permet de le réintégrer. Entre le monde des vivants et le lieu intemporel et aspatial du divin, ***Wɨlakala*** aménage pour le peuple

---

[10] Par cette spécification du terme, l'intention n'est nullement d'opposer une mémoire collective à une mémoire individuelle. Pas plus qu'entre le rêve et le mythe, le passage de l'individuel au collectif n'institue un écart de nature.

[11] Il n'est pas rare dans les mythologies qu'un nom de divinité, comme ici *Wãndet/wãndet*, soit à la fois propre et commun. C'est notamment le cas pour le *Kuyuli* des Wayana (SCHOEPF, 1987) et pour le *Chac* des Mayas (DURAND-FOREST, 1992).

des *wãndet* un pays intermédiaire – le niveau des nuages – où ils seront responsables du débit des eaux de pluie. Ainsi *Wãndet* et ses compagnons prennent le chemin qui monte au ciel.

> *«Parvenus sur les nuages, ils voient comme une maison dans laquelle ils pénètrent; Le "Bon Dieu" arrive alors et s'adresse à* Wãndet *: "Je vous ai fait un village dans le ciel pour que vous y demeuriez vous ne retournerez pas sur la terre, vous habiterez ici".* Wãndet *demande alors : "Qu'est-ce que je vais faire ici ?" "Tu vas commander la pluie maintenant, répond* Wɨlakala, *seulement il ne faut pas abuser de ton pouvoir. Pour faire tomber la pluie, il faut attendre que les Émerillon te "téléphonent"*[12] *; ensuite, tu lâches de l'eau, un peu seulement. Si tu en laisses trop couler, ce sera la fin du monde". "D'accord," dit* Wãndet.»
>
> [L'eau du ciel est contenue dans un très gros mortier muni à la base d'une bonde et d'un robinet qui permettent de réguler le débit. *Wɨlakala* réitère ses mises en garde, et la narration se poursuit] :
>
> *«Dans son pays de nuages,* Wãndet *a un garçon qui commence à peine à marcher. Un jour il titube, trébuche et chute sur la terre. En bas, une femme est en train d'extraire des tiques à son mari; soudain, elle sent quelque chose qui la pénètre. C'est le fils de* Wãndet *qui, en tombant, s'est transformé en souris; il est passé sous le banc de la femme et pfuit, il est entré dans son vagin. Au bout de deux jours, le ventre de la femme commence à grossir, et une semaine plus tard, elle accouche.*
>
> *A l'instant où elle donne naissance au fils de* Wãndet, *la pluie commence à tomber, doucement, doucement. Le garçon grandit vite; au bout de deux semaines, il est déjà grand. La pluie tombe de plus en plus fort; plus il grandit, plus il pleut : "Ah, pourquoi cette pluie n'arrête-t-elle pas ? Je vais voir." Comme ce n'est pas un Émerillon, mais le fils de* Wãndet, *maître des eaux, le garçon a des pouvoirs de chamane; il souffle et se retrouve dans le ciel, auprès de son père qui lui dit : "Ah, mon garçon, te voilà revenu !" "Non, ce n'est pas toi mon père, répond l'enfant, mes parents sont en bas". "Je suis ton père", rétorque* Wãndet. *L'épouse de* Wãndet *intervient alors : "C'est moi ta maman, ce n'est pas celle qui est en bas."»*

Le fils de *Wãndet* ne reconnaît pas sa parenté surnaturelle, mais durant son séjour au pays des nuages, la pluie cesse. Lorsqu'il redescend voir ceux qu'il considère comme ses vrais parents, la pluie recommence de plus belle. Les eaux ne cessent de monter, menaçant de tout engloutir. La mère terrestre de l'enfant-*wãndet* l'implore :

> *«"Retourne chez toi; si tu ne pars pas, la pluie va continuer". Celui-ci consent, et effectivement, lorsqu'il remonte au ciel, la pluie cesse de tomber. Pendant quatre jours le soleil réchauffe la terre. Mais quand l'enfant redescend au bout d'une semaine,* Wãndet, *fâché, renverse le mortier, et cette fois c'est le Déluge, c'est la fin du monde.»*

Malgré les suppliques de sa mère adoptive, le garçon refuse de repartir car il craint pour la vie de celle-ci. A nouveau, nous avons ici l'idée de l'incompatibilité des mondes créé et incréé, des niveaux du vivant et du divin; entre les deux, c'est à nouveau le non-sens, une béance sur laquelle il faut – comme dans l'épisode du soleil *Kwalaɨ* et de *Mbaidatsa* – jeter un pont. C'est le rôle dévolu à cet autre prototype du chamane, le fils de *Wãndet*, qui fait magiquement pousser un grand palmier-bâche *(Mauricia flexuosa)* où sa

[12] L'image employée par le récitant est ici particulièrement bienvenue pour traduire l'idée d'«entrer en communication avec les esprits».

mère terrestre et d'autres gens se réfugient tandis que les eaux continuent de monter. Certains narrateurs intercalent parfois ici un épisode où l'on voit le héros confectionner un canot avec une coque d'arachide, afin que sa mère puisse s'échapper. Mais l'embarcation est coupée en deux par un monstre aquatique ***Dzawandalu*** (généralement traduit par notre image mythique du requin) et la mère est dévorée. D'autres créatures, les anacondas surtout, ***mbodju'u*** , menacent ceux qui tentent de fuir par les eaux.

A côté du palmier-bâche, celui qui prend nettement figure de démiurge, de héros au sens classique, a fait aussi pousser un pied de génipa *(Genipa americana)*; c'est en lançant des fruits de cet arbre que les hommes évaluent le retrait des eaux. Les rescapés du Déluge entreprennent alors de descendre de l'arbre un par un, mais les liens dont ils se servent à chaque fois se rompent et ils se transforment en les différentes espèces animales connues des Émerillon : ***akɨkɨ*** le singe hurleur, ***a'ɨ*** le paresseux, ***kalidjaku*** le daguet gris, ***toti*** la tortue terrestre etc. Un seul parvient jusqu'en bas sous sa forme humaine; il n'a pour compagnon qu'un sapajou femelle, ***ka'i***, et, ajoutent certains narrateurs, une (ou plusieurs) poule(s), ***mbatsakala***, introduisant ainsi un premier élément étranger à la culture émerillon précoloniale.

La suite du récit fait intervenir une véritable mise en ordre du monde et des relations qu'entretiennent les éléments humains et non-humains de la Création. L'homme part sans succès à la recherche de ses semblables; pourtant le soir lorsqu'il revient, il trouve de la galette de manioc fraîche. Reprenons ici le cours du récit :

> *«Comme il n'y a personne d'autre, l'homme interroge le sapajou : "Qui a fait cette cassave pour moi ?" "Kuh, kuh, kuh..." fait l'animal. "Peut-être est-ce une femme qui est venue; peut-être y a-t-il un village près d'ici", se dit l'homme. Le lendemain, il repart en quête d'autres êtres humains sans plus de succès, mais, à son retour, c'est du cachiri, de la bière de manioc, qui l'attend. Cette fois il veut en avoir le coeur net et après avoir prétendu qu'il partait, il se cache non loin. Il voit alors la femelle de sapajou enlever sa peau comme une chemise et se transformer en une belle jeune fille impubère. C'est elle qui part à l'abattis, hotte sur le dos, pour rapporter les racines de manioc qu'elle râpe, presse et tamise pour en faire la farine qui sert à la confection de la cassave et du cachiri. L'homme se précipite sans lui laisser le temps de remettre sa peau de sapajou : "Ah, c'est toi* **eleimba**[13] *! Ah, je suis content que tu aies fait tout cela pour moi. Viens, allons nous coucher dans le hamac". Mais la fille-sapajou le prévient qu'ils ne peuvent pas faire l'amour avant ses premières règles. Cela ne tarde pas, et, tout de suite, l'homme la met enceinte. Quelques jours plus tard, elle donne naissance à un garçon. Là, elle dit à son mari : "Quand tu vas à la chasse, il ne faut pas tuer le singe hurleur,* **akɨkɨ**, *c'est mon grand-père; il ne faut pas tuer le singe atèle,* **kwata**, *c'est mon oncle; il ne faut pas tuer le sapajou, c'est mon frère..."»*

A plusieurs reprises, l'homme ne respecte pas l'interdit *(**odzekwaku**)*, et finalement la femme-sapajou, fâchée, emmène son enfant; après avoir revêtu

[13] *E-l-eimba* désigne, chez les Émerillon, les animaux domestiques et les animaux sauvages apprivoisés.

leurs peaux de singes, ils s'enfuient dans les arbres. Ainsi est consommée une rupture qui s'ajoute aux autres, cette fois entre l'homme et l'animal. Les mondes humain et animal ne sont plus perméables l'un à l'autre – de l'un vers l'autre, et de l'autre vers l'un – sous la forme de métamorphoses multiples, et pour marquer davantage le divorce, la distance géographique s'ajoute à la différence de nature ainsi instituée par la faute de l'homme.

Wɨlakala, qui essaye tant qu'il peut de recoller les morceaux, intervient à nouveau pour aider l'homme désespéré de se trouver à nouveau seul :

> *« "Pourquoi pleures-tu ?" "Toute ma famille est morte, c'est pour ça." "Ah, tu n'as plus de parents." "Non, ce sont les anacondas qui les ont dévorés pendant le Déluge."* **Wɨlakala** *ordonne alors à l'homme de tuer tous les anacondas qui se sont réfugiés dans un village lorsque les eaux ont baissé, de les découper en morceaux et de les disposer dans les hamacs. Bientôt, les serpents pourrissent et grouillent d'asticots,* **tapulu**.
>
> *Le "Bon Dieu" dit alors à l'Indien : "Va te coucher dans le hamac où il y a le plus de vers." Mais l'homme est dégoûté, il a peur, et il se met dans un hamac où il n'y a pas beaucoup de vers. A peine s'est-il allongé que toung ! les vers se transforment en Indiens. Au même instant, dans les autres hamacs, les vers se métamorphosent pour donner naissance à toutes les nations du monde : Français, Noirs, Créoles, Africains, Chinois, Américains...»*

A ce moment du récit, le mythe apparaît comme particulièrement ouvert; chaque narrateur inclut dans les nations ainsi créées celles qui font partie de son champ de connaissance. La liste minimale établie par ceux dont l'univers ne dépasse pas le contexte géographique coutumier[14], met en scène les différentes ethnies amérindiennes (Wayãpi, Palikur, Galibi, Apalai, Tiriyo...) et noires marrons (Aluku, Saramaka, Mataway...) avec lesquelles les Émerillon entretiennent ou ont entretenu des relations historiques, les Français, les Créoles, les Brésiliens... Ceux qui sont sortis de ce contexte, élargissant leur univers fantasmatique et/ou géographique, y ajoutent les Hollandais, les Américains, les Anglais, les Espagnols, les Italiens, les Noirs d'Afrique, etc.

Tel narrateur figure graphiquement cet épisode sous la forme d'un seul long serpent découpé en sections, les parties centrales, plus volumineuses, représentant les nations les plus nombreuses. Les Chinois, qui assurent l'essentiel des activités commerçantes en Guyane, se voient attribuer la meilleure part. L'image-stéréotype occidentale – appuyée sur une réalité démographique – de la multitude humaine appliquée à la Chine s'est à l'évidence imprimée dans l'imaginaire de certains Amérindiens. Les Français eux, sont issus d'un tronçon proche du milieu; leur grand nombre et leur présence surtout – matérielle ou non –, s'imposent au quotidien dans la vie des Amérindiens

---

[14] J'entends par «contexte coutumier» celui où s'épanouit une culture «traditionnelle», c'est-à-dire suivant les principes d'ordre et d'harmonie qui doivent régir les rapports entre toutes les créatures.

guyanais. Le mythe justifie ainsi, par une nouvelle erreur de l'homme, timoré plus que rebelle, le fait que les Émerillon soient si peu nombreux :

> *«Si l'homme avait accepté de se coucher dans le hamac désigné par* **Wɨlakala**, *celui où les vers pullulaient, les Émerillon seraient très nombreux aujourd'hui.»*

Reprenons le fil de notre histoire :

> *«Le Bon Dieu fait ensuite bouillir une grande marmite d'eau et ordonne aux hommes de sauter dedans : "Saute !" "Ah non, je vais mourir !" "Non, tu ne mourras pas, je te dis." Alors, pour prouver ce qu'il avance,* **Wɨlakala** *prend une blatte,* **alave**, *et la jette dans la marmite. Il la ressort; l'insecte à une peau toute neuve et marche plein de vie. Dieu réitère son ordre : "Jette-toi dans l'eau !" "Non, c'est trop chaud, je vais mourir !" Dieu prend alors un petit lézard,* **tedju**, *qu'il plonge dans la marmite. Celui-ci sort indemne de son bain, lui aussi avec une peau neuve.*
>
> *Le premier homme à se décider, c'est le Français qui plonge et ressort avec la peau toute blanche. Car avant, tous les hommes étaient noirs. L'Émerillon se décide alors et à son tour se jette à l'eau ; mais comme celle-ci n'est plus aussi propre, il en sort avec une peau simplement plus claire. Les derniers à faire le plongeon sont les Aluku, les Ndjuka et les Saramaka qui attrapent toute la crasse des autres et deviennent encore plus noirs.»*

Dans ce monde qui se met en place de façon bien problématique, ne cessant de se désunir quand ***Wɨlakala*** le voudrait uni et harmonique, chaque élément étranger qui pénètre, de manière physique ou fantasmatique, dans l'univers des Émerillon est intégré au mythe. Et le mythe, parmi ses nombreuses fonctions, dresse un état des lieux sans cesse remis à jour, réévalué au gré des circonstances plus ou moins fluctuantes. L'arrivée des Noirs Marrons au XVIIIe siècle, dans des territoires fréquentés ou habités par les Émerillon, et celle des Français, sans doute antérieure, obligent à l'intégration dans la tradition mythique de ces nouveaux protagonistes de l'Histoire.

Mais il y a bien plus ici que la perception d'un Blanc tout-puissant; leur pusillanimité ne coûte rien moins aux Émerillon que l'immortalité :

> *«Si l'Émerillon n'avait pas eu peur, s'il avait plongé dans l'eau de la marmite, comme le lui avait commandé* **Wɨlakala**, *nous serions tous immortels, nous serions comme le Bon Dieu. Mais c'est le Français qui s'est décidé le premier : "Ce n'est pas ce que j'avais demandé, dit le Bon Dieu à l'Émerillon; je voulais que ce soit toi le premier. Si tu avais compris, vous ne mourriez pas. Regarde, moi, le Bon Dieu, je ne meurs pas". Aujourd'hui, si l'Émerillon avait obéi, nous aurions des cheveux blancs, mais nous pourrions, le moment venu, enlever notre vieille peau comme une chemise et être jeunes à nouveau.»*

Dieu, figure de notre idéal, a l'ambition de créer un monde parfait, un monde sans contingence, un monde totalement harmonique[15]; mais, nous l'avons déjà vu, la création est dédoublement et la vie est le domaine du relatif; l'absolu n'y a pas sa place. Ce monde est celui de la différence, de la contrainte, de la limite. La démesure doit être contrôlée, circonscrite à l'expérience onirique ou

---

[15] Dans le récit qu'il fait de la Création selon son peuple, un ethnologue ojibwé canadien, (JOHNSTON, 1976), exprime clairement l'idée que le Créateur, *Kitche Manitu*, fit le monde «beau, ordonné et harmonique».

visionnaire, à l'espace rituel et à la pratique chamanique. L'homme ne pouvait être immortel; l'Émerillon et les autres feront donc l'expérience de la mort du corps, changement d'état qui fait suite à d'autres changements d'état (vie intra-utérine, naissance, puberté...) toujours consacrés cérémoniellement.

Mais ce Français qui eut le premier l'audace de se jeter dans le bouillon, faisant ainsi peau neuve, pourquoi ne jouirait-il pas, lui, de l'immortalité ? N'a-t-il pas d'ailleurs gardé un peu plus de sa nature divine ? Il est intéressant de voir comment s'actualise au quotidien un pensé mythique, et je remémorerai ici une saynète qui s'est déroulée l'été 1989 dans un petit village émerillon d'une dizaine de personnes, Tsaleni, sur l'Itany : Mbaka'et, chef et chamane, feuillette une revue et son regard s'arrête sur la représentation des différents types d'avions en service dans une grande compagnie aérienne française. Il voit écrit «400» et comprend qu'il s'agit là de la capacité d'accueil en passagers de l'un de ces appareils : «400, 400 ...», répète-t-il comme pour s'en convaincre; et de conclure, l'air songeur : «les Blancs sont comme ***Wɨlakala***...»

«Les Blancs sont comme ***Wɨlakala***». Qu'est-ce à dire ? La divinité, c'est aussi le pouvoir absolu, mais le pouvoir est, nous l'avons vu, la meilleure et la pire des choses, puisque si nous pouvons atteindre les sommets – l'extase[16] –, c'est en oubliant nos devoirs envers la Création. Par un étrange paradoxe, parfaitement éclairé par le mythe dont nous parlons, la divinité est une menace pour sa propre création; ce pouvoir destructeur, nous l'avons vu opérer avec les catastrophes successives qui bouleversèrent le monde. Le Blanc pourrait bien être immortel, cela ne serait qu'un aspect d'un pouvoir qu'il exprime par une divine destruction. Et sa divinité pourrait bien expliquer l'attitude foncièrement ambivalente des Émerillon à l'égard des Blancs et des Français en particulier : cette attitude, exactement comme la nôtre envers le sauvage – et pour les mêmes raisons – est toute en séduction et en répulsion. Nous désirons être comme l'Autre, mais il nous fait peur et nous le tenons à distance. Le principe scientifique d'objectivité nous fournit d'ailleurs un alibi à l'éloignement[17] de notre regard.

Par la logique de la narration, il nous est permis d'aller un peu plus loin en voyant dans la figure du Blanc qui intervient ici, un avatar de la fonction chamanique. Comme ***Kwalaɨ***, ***Mbaidatsa***, le fils de ***Wãndet*** et les héros émerillon d'une façon générale, le Blanc acquiert du pouvoir en obéissant, et donc en se conformant, au projet divin. D'un célèbre chamane wayãpi, les Émerillon disent que, à l'instar de ***Wɨlakala***, il n'avait ni père ni mère (*«il est né de la terre»*, dit-on) et qu'il était immortel (*«il se nourrit de la vie des*

---

[16] Le sens profond du mot «extase» (issu du grec *ekstasis)*, «action d'être hors de soi», s'applique au mieux à la démonstration proposée ici.

[17] L'idée de distanciation et la démarche qu'elle sous-tend sont illustrées dans le titre de l'ouvrage de LÉVI-STRAUSS : *Le regard éloigné* (1983).

personnes qu'il tue magiquement»); lui-même disait (il est décédé en 1992) qu'il lui appartenait de choisir le moment où il changerait d'état (comprendre : «où il mourrait»). La suite du mythe va nous permettre de préciser ces idées et de justifier ce point de vue.

> *«***Wɨlakala** *prend une paire de chaussures et s'adresse aux différentes nations : "Qui est-ce qui veut ça ?" L'Émerillon met les chaussures, mais il trébuche et tombe "Moi, je les prendrai", dit le Français. Il les chausse et part avec, très à l'aise. "Bien, prends-les", dit* **Wɨlakala**. *Il propose alors un fusil. L'Indien tire un coup de feu, mais, cherchant les plombs et ne les retrouvant bien sûr pas, il abandonne l'arme au Blanc, conservant l'arc et les flèches qu'il sait retrouver lorsqu'il les a lancées.*
>
> *Le Bon Dieu s'adresse alors au Créole : "Va dans la forêt chercher l'un de ces sacs, choisis celui qui te convient". Le Créole rapporte un sac plein d'outils, de haches, de sabres... C'est pourquoi les Créoles et les Noirs travaillent beaucoup. L'Indien, dans son sac, rapporte de la farine de manioc torréfiée, de la cassave, du gibier boucané, etc.; c'est pourquoi il vit comme ça, dans la forêt. Le Français emporte le dernier sac; il est plein d'argent. C'est pour cela qu'aujourd'hui, ce sont les Français qui ont l'argent et qui font travailler les autres pour eux.*
>
> **Wɨlakala** *emmène ensuite les différentes nations au bord de la mer,* **palana**; *là, il s'adresse à l'Émerillon : "Si tu veux trouver ton pays, prends ces œufs de poule, un fusil, et va de l'autre côté. Quand tu auras trouvé ton pays, ton village, tu tireras deux coups de feu en l'air pour que j'entende". L'Émerillon part en bateau et prend le large, mais bientôt, il s'arrête et revient.* **Wɨlakala** *l'interroge : "Qu'est-ce que tu as vu ?" "Je suis arrivé à un endroit où l'eau s'arrêtait, alors je n'ai pas pu aller plus loin." Le Bon Dieu propose à nouveau : "Qui est-ce qui veut aller chercher son pays ?" "Moi, dit le Français." Il prend les œufs de poule, le fusil et embarque. Peut-être une heure après son départ, on entend deux coups de feu : pan ! pan ! Il est arrivé en France, son pays; c'est là qu'il habitera désormais.»*

D'autres versions précisent qu'en cassant les œufs, le Français donna naissance à tous les éléments les plus typiques de la culture occidentale : dispensaire, stade, voiture, route, réfrigérateur, télévision, etc., ainsi qu'aux animaux domestiques : bœuf, porc, cheval... Dans ce mythe, la France est présentée comme un pays de Cocagne où règnent l'abondance et le bien-être. Cette image est beaucoup plus ambiguë dans certains rêves et dessins d'enfants (MOHIA, à paraître), et il semble que le mythe n'ait pas, cette fois, intégré les aspects angoissants de cette nouvelle *Terre sans Mal* à laquelle tout Émerillon, et tout être humain sans doute, ne cesse d'aspirer.

Après cet épisode de la dispersion géographique des différentes nations créées précédemment, ***Wɨlakala*** reste du côté des Émerillon (les Français n'ont-ils pas besoin de Dieu ?) pour parachever son œuvre créatrice :

> *«Avant les hommes et les femmes ne savaient pas faire l'amour; pour faire des enfants, les hommes éjaculaient dans des calebasses. La femme n'avait pas de vagin, juste un petit trou très poilu pour pisser.*
>
> *Un jour, un jeune garçon a une érection : "Papa, mon pénis a faim." "S'il a faim, dit le père, coupe-lui un morceau de banane." Le garçon donne un morceau de banane à son pénis, mais sans le contenter : "Maman, il n'en veut pas, il a très faim." "Casse un morceau de cassave, ça le calmera". Mais le pénis ne mange pas davantage... Le Bon Dieu arrive sur ces entrefaites et dit : "Le pénis a faim, tu veux qu'il mange ?" Avant, il faut le dire, nous étions tout nus, le sexe à l'air, nous ne portions pas de pagne.*

Wɨlakala va alors chercher un cassique à huppe noire, **djapu**, *celui qu'on appelle respectueusement* Tamutsi Kapu[18], *puis il fait venir une jeune fille et lui demande de s'allonger sur le sol. Alors* Tamutsi Kapu *donne un coup de bec*[19] *là, tchoc ! juste au bon endroit et il façonne un vagin.* Wɨlakala *s'adresse alors au garçon : "C'est ça que ton pénis veut consommer, alors vas-y."*

Ils sont tous les deux comme ça, nus, et ils s'unissent. Ils font l'amour, ils font l'amour... Soudain, le garçon se retire en s'écriant : "Ah, je pisse, je pisse !" Ils font encore l'amour et le garçon éjacule de nouveau à l'extérieur. Le Bon Dieu intervient alors en disant : "Non, ça ne va pas comme ça !" Cette fois, quand le garçon va jouir pour la troisième fois, Wɨlakala *appuie ses mains sur ses reins pour qu'il ne se retire pas encore, et il l'encourage : "Vas-y, fais ça encore... Voilà, c'est comme ça !" "Ah, fait le garçon, je ne savais pas, c'est très bon ça !" "C'est comme cela que vous ferez dorénavant, dit* Wɨlakala*; il faut éjaculer dans le vagin de la femme. Mais, si une femme a ses règles, il ne faut pas faire l'amour, il faut attendre; ensuite, vous pouvez faire des enfants, c'est bien comme ça".»*

Toutes les femmes sont désormais des partenaires sexuelles possibles, non seulement pour la procréation mais aussi pour le plaisir, car il a suffi que le cassique à huppe noire pratique une fois l'opération commandée par *Wɨlakala* pour que toutes les femmes aient un vagin et qu'un gamin éjacule correctement pour que tous les hommes fassent de même. C'est Dieu aussi qui a fait que les femmes ont des règles[20] :

«*Avant* [poursuit le récitant], *les femmes accouchaient facilement; le bébé naissait*[21], *se levait et criait "Papa !" en courant vers lui. Comme tout le monde couchait avec tout le monde, c'est l'enfant qui reconnaissait son père. Après que le Bon Dieu eût donné un sexe à la femme et créé le cycle menstruel, on cessa de faire n'importe quoi*[22]».

Dans les termes du mythe, les complications, c'est clair, ce sont les êtres humains qui les créent : «*Dieu* [ajoute le narrateur] *n'a pas voulu ça*». Il n'a pas voulu que les femmes connaissent les douleurs de la parturition; c'est l'une d'elles qui a trouvé que «*ce n'était pas bien comme ça*» : «*Ah,* a dit Wɨlakala, *puisque c'est ce que vous voulez, vous aurez mal !* ». Ce n'est pas lui non plus qui a souhaité que les petits humains se développent si lentement, comparé aux autres créatures. Il avait prévenu l'homme :

«*"Vois, ta femme est enceinte. Quand elle accouchera, le bébé criera "Papa !"; alors tu devras le prendre dans tes bras." Mais, lorsque sa femme donna naissance à son enfant, le père, dégoûté par l'aspect du nouveau-né, refusa de le toucher. Le bébé pleura. Si l'homme avait écouté* Wɨlakala *en étant plus attentionné, les enfants pourraient marcher tout de suite, comme les veaux et tous les animaux, au lieu qu'il faille attendre des mois .*»

---

18 *Tamutsi Kapu* est une expression wayana : *Tamutsi* signifie dans cette langue «grand père» et *kapu* désigne le «ciel». Cet épisode pourrait être un emprunt récent aux Wayana.

19 Les Émerillon disent que c'est pour cela que le cassique à huppe noire a le bec rouge.

20 Dans un autre mythe émerillon (NAVET, 1992), il est dit que c'est à la suite de son acte incestueux avec sa sœur que Lune, personnage ici masculin, créa les règles de la femme.

21 En émerillon, *o'at* signifie indifféremment «il naît» ou «il tombe». L'enfant à sa naissance «tombe» en effet sur le sol où l'on a disposé des feuilles de bananier.

22 Ici précisément s'intercale le mythe classique de l'inceste de Lune qui correspond à la mise en ordre du monde humain, avec interdit de l'inceste et apparition des règles de parenté, faites de prescriptions et de proscriptions.

Dans le temps originel du mythe, les hommes et les autres espèces animales vivaient en intimité, partageant les mêmes espaces, vivant dans les mêmes communautés, ayant des relations sexuelles...

> «**Wɨlakala** *avait placé le gibier comme des poules; le pécari se promenait dans le village, les animaux n'étaient pas sauvages et tu les tuais comme ça, tout simplement, quand tu en avais besoin. Tu allais à la rivière et les poissons* aïmaras *étaient là, ils nageaient à côté de toi, ils s'amusaient avec toi; quand tu voulais en flécher un, c'était facile, tchac, il n'y avait qu'à se servir...*»

Mais une fois encore un homme, traduisant son angoisse, s'avisa que «*ça n'allait pas comme ça*» et *Wɨlakala* éloigna les animaux. Désormais, il fallut, à l'homme effectivement devenu chasseur[23], parcourir de longues distances en forêt pour tuer de quoi alimenter sa famille.

L'homme se montrant décidément trop bête, le voisinage devenant impossible et les déconvenues – correspondant à d'autres séquences du mythe – s'accumulant, *Wɨlakala* se brouille avec les Émerillon et les abandonne au pouvoir de *Tembetsi*. Toutefois il leur offre une dernière possibilité de l'accompagner, ce qui signifie renoncer à sa création, et peut-être aussi accéder à un état transcendant les angoisses, solutionnant sans coup férir les innombrables problèmes que pose la réalisation d'un monde vivant.

Mais une fois de plus, les hommes ne saisissent pas leur chance (leur chance ?), et seul l'un d'entre eux trouve le courage d'affronter l'inconnu, en d'autres termes, celui d'affronter les causes de son angoisse : comment dépasser les limites et les contingences de ce monde ? comment accéder au sens premier des choses ? Cet homme, dont on nous dit parfois d'entrée de jeu qu'il est chamane, arrive au pays du Bon Dieu :

> «*Là, ce n'est pas comme en bas, il n'y a pas de terre, pas de ciel, seulement le vide. Le Bon Dieu peut voir très loin comme avec des jumelles, mais il peut voir aussi ce qui est très petit, comme au microscope.*
>
> *La maison de Dieu est transparente comme une vitre; on voit les os, le squelette, tous les organes des gens, comme lorsqu'on passe une radio. Accueillant l'homme,* **Wɨlakala** *lui demande : "Ah, tu es venu me voir,* **padze** [ici, j'écrirais plutôt chamane, car je suis sûr que le lecteur a oublié le mot émerillon pour chamane], *est-ce que tu as peur ?" "Non; je n'ai pas peur." "Qu'est-ce que tu veux ?" "J'ai faim, je voudrais manger." Il y a comme un tintement de cloche, et la nourriture est là. Quand tu manges, on voit descendre les aliments dans ton corps.*»

Avant que le chamane reparte, *Wɨlakala* lui enseigne tous les secrets de la *malaka*[24], comment, en l'agitant et en chantant, on peut entrer en contact («téléphoner») avec les puissances d'en haut :

---

23 La chasse n'est rien sans la traque et le pistage du gibier, activités qui l'apparentent à la guerre, ainsi que l'a montré GRENAND (1980) à propos des Wayãpi.

24 La *malaka* est l'attribut symbolique par lequel s'identifie le chamane; il s'agit d'un hochet muni d'un manche et constitué d'une partie creuse sphérique contenant des graines dont le son, lorsque l'instrument est rituellement agité, représente la voix des esprits auxiliaires du chamane. Cette pratique est très répandue chez les Amérindiens du Nord comme du Sud.

«"Mais surtout, insiste **Wɨlakala**, *il ne faut pas avoir peur, si tu as peur, tu ne peux pas voir, tu n'as aucun pouvoir". Le Bon Dieu quitte l'homme en lui confiant : "Maintenant, j'habite ici, je ne viendrai plus chez vous". Le lendemain, le* **padze** *arrive dans son village et explique tout aux autres : "C'est ça que le Bon Dieu m'a dit" : "Je vous donne la* **malaka** *pour me remplacer. S'il tombe trop de pluie, vous "faites* **malaka**" *en vous adressant à* **Wãndet**, *vous parlez un peu avec lui, et bientôt il fait soleil. Si le soleil chauffe trop, s'il fait trop sec, vous "faites* **malaka** ", *la pluie tombe." Telles sont les paroles de* **Wɨlakala**.»

Ainsi les versions les plus classiques de ce mythe de création émerillon aboutissent à l'intronisation par ***Wɨlakala*** du premier chamane. J'ai montré ailleurs (NAVET, 1992) la logique de cette conclusion qui ne clôt d'ailleurs pas le mythe, nous allons le voir. La dernière séquence présentée ici consomme, après beaucoup d'autres, la rupture essentielle entre l'homme et l'état divin. Le mythe met en relief la nature essentiellement contradictoire, ambiguë et conflictuelle de l'être humain. Sous la forme divine unifiée de ***Wɨlakala***, nous voyons s'exprimer une aspiration humaine qui définit un caractère religieux universel : celle de créer et de vivre un monde *«beau, harmonique et ordonné»*, un monde sans contrainte et sans limite.

3. Être ou ne pas être, version émerillon

L'image de ce monde divin et parfait donnée dans la finale de ce récit auquel nous nous sommes intéressés laisse clairement voir l'abîme qu'il peut y avoir entre cette œuvre d'imagination et tout effort à le réaliser, à lui donner corps. N'est-il pas précisément le lieu sans forme, sans consistance, le lieu sans lieu ? Ces idées sont rendues par les notions de transparence, de vide, d'infini que l'on trouve dans l'énoncé du mythe. Nous ne pouvons être des dieux dans un monde créé, voilà bien une autre leçon majeure du mythe. Il nous faut donc choisir entre la divinité et l'être au monde. Puisque les dieux sont nos créatures, se reconnaître en Dieu revient à annuler l'œuvre de création. Il nous faut du temps, en la personne de ***Wɨlakala*** ou de n'importe quel autre «bon dieu» pour comprendre que si nous vivons, c'est pour mourir, que la création implique nécessairement sa négation; celle-ci implique bien sûr à son tour un autre changement d'état, ce qu'est la mort et rien d'autre. Pour les Émerillon, c'est évident, la mort n'est pas une fin...

Lorsque ***Wɨlakala*** est amené à constater que, contre tous ses désirs, il ne peut créer les hommes immortels, un monde unifié où tout serait facile, où tout irait de soi, en bref, que le paradis sur terre est une contradiction dans les termes, il choisit de s'exiler, seul moyen de conserver sa divinité, c'est-à-dire un lieu de sens, un amer qui donne sa réalité au monde. Ainsi l'homme est condamné à errer entre le monde de ses désirs et de ses appétits sans bornes, et celui de la règle, de la limite, de la contrainte : le monde des vivants. Et nous comprenons ici l'indispensable rôle du chamane, du *padze* émerillon, gardien des rêves des individus constituant la communauté de ceux qui le reconnaissent. Il a et donne accès au lieu d'où naît le sens et d'où jaillit en permanence le projet de création.

On ne peut priver un être humain de son rêve de paradis sans attenter profondément à son équilibre; sans repère, sans horizon, son errance ne peut dès lors le ramener qu'au vide. L'illusion d'un paradis accessible ici-bas se traduit d'autant plus en actes que les moyens imaginaires d'y accéder sont détruits. CLASTRES (1975) a montré dans quelles circonstances, pendant la période coloniale (du XVIe au XXe siècles) et peut-être avant, des prophètes tupi-guarani ont conduit ceux des leurs qui aspiraient à un monde meilleur dans la quête de la *Terre sans Mal.*

Dans son texte de couverture, l'auteur nous définit ainsi cet Éden amérindien *:*

> *«La Terre sans Mal, c'est d'abord un lieu d'abondance : le maïs y croît de lui-même; les flèches s'en vont seules à la chasse. Plus de travail donc. Pas davantage de règles de mariage; ni prescriptions, ni proscriptions : "Vos filles, donnez-les à qui bon vous semble !", disaient les Karai, les Prophètes. C'est-à-dire que le Mal (travail, loi) n'a pas d'autre origine que la société elle-même. La Terre sans Mal c'est le contrordre, la plénitude dans la subversion. C'est aussi et enfin le lieu d'immortalité, cependant qu'ici-bas les humains naissent et meurent.»*

La *Terre sans Mal,* c'est le rêve autorisé de l'accès à un monde meilleur, par l'évasion onirique et visionnaire ainsi que par le voyage chamanique menant au pays des esprits, ceux que les Émerillon nomment ***kaluat,*** esprits qui hantent les hauteurs et les inselbergs et se régalent, sans le souci de les cultiver, des fruits offerts par une nature prodigue. C'est aussi, bien sûr, le séjour de l'âme lorsque le corps se décompose...

Si le mythe de création émerillon constate l'existence d'un écart différentiel et vital entre le monde divin, situé vers le haut, et le monde créé terre à terre, placé vers le bas, en aucun cas il n'y a rupture : la rivière qui nous mène vers l'au-delà n'est pas sans retour. Le récit mythique consacre la nécessité d'une communication, d'une relation équilibrée : des êtres humains avec la Création (l'environnement au sens le plus large); des êtres humains entre eux, même séparés géographiquement, diversifiés linguistiquement et répartis en unités sociales distinctes (ethnie, village, clan, famille, etc.); de l'individu avec lui-même.

Le mythe rend compte de ce processus de différenciation; il oblige à une mise en ordre de notre création, à l'institutionnalisation de règles de bonne conduite (règles de parenté, interdits, etc.), à l'institution d'une morale, en un mot, d'une culture. Il n'y a donc pas à choisir entre être de la culture en ce monde et être Dieu, puisque Dieu est aussi notre œuvre; et l'horizon absolu à partir de quoi tout prend forme peut se mettre en place et s'organiser. La quasi rituelle distinction nature/culture[25] perd toute sa pertinence lorsqu'on prend en considération ce que les intéressés ont à nous dire sur la question.

*
* *

La civilisation chrétienne occidentale, on le sait, est fondée sur cette illusion : l'hypothétique rupture nature/culture symbolisée par les flammes qui interdisent le retour au Paradis perdu. Nous savons aussi à quels excès a conduit la mise en pratique de l'injonction biblique de la *Genèse* : «*Soyez féconds, multipliez-vous, emplissez la terre et soumettez-la*». A la philosophie écologique dont les Émerillon, par exemple, sont porteurs, les Occidentaux opposent une idéologie de l'accumulation qui, par une filiation logique, a donné, en vrac, le mode de connaissance scientifique, l'organisation étatique et le modèle de développement industriel; si, chez les sociétés traditionnelles, le seul pouvoir reconnu est le savoir, dans les sociétés à État, le pouvoir se confond avec la création et la possession d'objets, ce que d'aucuns appellent richesse.

Par la colonisation, comme, selon le mythe émerillon, à cause de la bêtise et de la méchanceté humaines, le monde est vraiment livré à ***Tembetsi***, au diable. N'est-ce pas lui d'ailleurs, qui a donné aux hommes les outils en fer et le rhum ? Dans les communes de Camopi et de Maripasoula où vit la quasi-totalité des Émerillon, l'idéologie dite de développement et de progrès, une école obligatoire qui détruit sans rien bâtir à la place, l'introduction du système monétaire (allocations familiales, RMI, salariat, retraites, etc.) ont sapé les fondements du mode d'être et de penser ancien et laissé beaucoup d'Amérindiens sans repères et sans horizon dans un monde que désormais ils n'appréhendent plus. L'alcool nuit à la convivialité traditionnelle des fêtes, révélant plutôt qu'engendrant une violence retenue qui n'est que l'expression d'une angoisse grandissante (MOHIA, 1990); des attitudes égoïstes et le vol se substituent aux valeurs communautaires de solidarité et de partage; la frustration a conduit près d'une dizaine de personnes au suicide ces vingt dernières années.

Ce ne sont là que des expressions classiques d'un colonialisme classique. Si l'on ajoute à ces faits d'ethnocide les menaces grandissantes de l'écocide (par des politiques de développement absurdes, par l'exploitation incontrôlée des ressources naturelles et, *last but not least,* par le tourisme), on peut se demander quels nouveaux mythes permettront aux communautés amérindiennes de se restructurer. La situation est d'autant plus grave que, comme toujours, à l'agression directe et visible, s'ajoute une colonisation mentale, ou égocide, dont

[25] La pensée occidentale, qu'elle soit d'ailleurs scientifique, philosophique ou même religieuse, est largement fondée sur cette distinction comme condition même de tout discours.

le caractère souvent inconscient retarde l'élaboration et la mise en pratique de stratégies de résistance.

Depuis qu'il a débarqué sur tous les rivages du monde, l'homme blanc n'a cessé d'inviter les «primitifs» à embarquer pour Cythère, dans des bateaux qui n'arrivent jamais, et pour cause, à bon port. Les passagers sont échoués en route sur des rivages stériles ou condamnés à une éternelle errance entre des mondes ancien et nouveau à bord d'un vaisseau devenu fantôme.

Pourquoi tant de références à l'univers mental et matériel des *paletsi,* les Blancs, dans le mythe émerillon ? Ou suffit-il de sonner la bonne pour qu'immédiatement, comme par enchantement, les mets soient disposés devant les hôtes ? Qui donc a inventé ces instruments optiques, la radioscopie, le microscope, la lunette astronomique, qui nous permettent de voir infiniment loin ou infiniment près ? Et la France, au-delà de la mer – la mère dirait le psychanalyste –, avec sa nature domestiquée (les vaches, les chevaux...), ses productions matérielles (le stade de foot, les avions, les voitures, les routes...) peut-elle être pour les Émerillon la Terre sans Mal dont ils rêvent ? L'image que s'en font les Amérindiens à travers les manuels scolaires, le catalogue de *La Redoute*, et plus récemment, la télévision et la vidéoscopie, peut-elle s'inscrire dans le système présenté par le mythe ?

La civilisation, par ses agents locaux (le gendarme et sa femme, l'instituteur, le médecin, l'homme politique, l'entrepreneur, le technicien, etc.) tend, suivant l'impulsion qui l'anime et la définit, à imposer ses propres modèles comme référents uniques. Mais les valeurs qui sont ainsi, consciemment ou non, véhiculées, se résument à une démonstration de force, à un pouvoir qui n'a d'autre finalité que lui-même et dont les figures qui inspirent aujourd'hui les jeunes Amérindiens (dans leur imaginaire comme dans leurs jeux) sont les héros modernes : Rambo, Conan le Barbare, Superman, Bruce Lee (MOHIA, à paraître), etc. Le ***makañ,*** guerrier aux pouvoirs surnaturels de la tradition émerillon, est traduit aujourd'hui par la figure du cow-boy. Y a-t-il là seulement équivalence ou déjà substitution ?

Parmi tout ce que les Blancs apportaient dans leurs caravelles et leurs galions, les Amérindiens ont toujours été particulièrement intéressés par le discours religieux des missionnaires de toutes confessions. Les Européens ont souvent eu le tort de penser que cette attirance tenait à la qualité spécifique du message chrétien et qu'il y avait là une adhésion pour ainsi dire spontanée. En Amérique, l'adoption de la religion étrangère s'est souvent faite dans des sociétés déjà fortement déstructurées. L'intérêt tient simplement au fait que les sociétés traditionnelles sont, elles, éminemment religieuses[26], et que tout ce qui

---

[26] Dans le Petit Robert (1977), pour «religion» nous trouvons : lat. *religio,* «attention scrupuleuse», «vénération», de *relegere,* «recueillir», «rassembler», de *legere,* «ramasser» et *fig.* «lire», ou *religare*, «relier».

se présente comme expression du divin est susceptible de renforcer le lien avec la Création comme projet (donnant un sens) et comme réalisation.

Lorsqu'à l'été 1983, un prêtre monta à Camopi avec l'idée d'évangéliser les Émerillon et les Wayãpi de l'Oyapock, l'un des fidèles les plus assidus de ses premières messes fut un vieux chamane wayãpi dont personne ne pouvait supposer qu'il avait l'intention de se convertir. Écouter la parole divine était pour lui, comme le fait de porter au cou une croix à côté d'autres objets symboliques, un moyen de renforcer sa relation avec les esprits, d'approfondir sa connaissance par cette ouverture à une pensée jugée *a priori* compatible et complémentaire.

Le mythe prend naturellement en compte les éléments et les événements venus du dehors au fur et à mesure de leur irruption matérielle et/ou fantasmatique. La toute puissance affichée du Blanc, qui lui confère d'entrée de jeu un statut chamanique, s'exprime parfois, comme dans le mythe de la Création émerillon, au niveau imaginaire, par une survalorisation et, *ipso facto*, une autodépréciation relative de soi-même et de sa société. L'école est pour beaucoup dans cet égocide dont le sociologue Fanon disait qu'il était l'aboutissement suprême de la colonisation[27].

Alors que j'expliquais à un vieil Émerillon du Tampok comment je gagne ma vie en enseignant à l'Université, celui-ci me fit part de sa conviction que si l'on va à «*l'école après l'école*», c'est pour apprendre à piloter les avions, pour tout connaître sur la mécanique, les moteurs, etc., c'est «*pour devenir comme* **Wɨlakala**». Dans sa version du mythe raconté plus haut, il insiste beaucoup sur la chance des Blancs et sur la mauvaise part – pas la plus mauvaise toutefois – échue aux Indiens[28].

Les adaptations et les recompositions du mythe sont d'abord l'affaire de ceux qui les pensent et les racontent. Par la confrontation, la communication avec d'autres pensées et d'autres imaginaires, il subit de nouvelles variations pour aboutir, par un accord inconscient, à intégrer les nouveautés dans un ensemble aussi harmonieux que possible. Si l'on trouve de fréquentes références chrétiennes dans les mythes émerillon, ça n'est pas dans le sens d'une perte de la substance originelle, mais au contraire dans le but d'intégrer, de maîtriser ce qui tend à s'imposer de l'extérieur; autant dire, d'empêcher l'acculturation[29]. Il s'agit aussi de définir les comportements adéquats.

---

[27] FANON a écrit (1961 : 12) : «*Le colon ne s'arrête dans son travail d'éreintement du colonisé que lorsque ce dernier a reconnu à haute et intelligible voix la suprématie des valeurs blanches.*»

[28] On trouve un aspect ethnocentriste, pour ne pas dire raciste, dans ce mythe où les Noirs ont la moins bonne part, mais il y a là aussi les traces d'antagonismes anciens et modernes et une réaction de défense envers des populations (Noirs Marrons, Créoles) qui, d'une façon ou d'une autre, ont souvent exercé sur les Émerillon des droits de suzeraineté.

[29] Nous pourrions aussi parler d'une appropriation spatiale symbolique, s'il s'avérait – ce qui paraît bien difficile à démontrer – que tout ou partie des récits historiques qui nous parlent de

Ainsi dans une version du mythe tupi classique des Jumeaux divins[30], parfois raconté en continuité avec le mythe de la Création, l'un de nos collaborateurs émerillon introduit la figure de Jésus-Christ en en faisant l'un des fils jumeaux de *Wɨlakala*[31]. Dans un autre récit, les deux héros envisagent de *«tuer leur corps*[32] *pour aller avec Jésus»*. Tel autre narrateur commence ainsi son récit de la Création : *«Avant, il n'y avait rien, même pas les Français...»*. Un autre encore inclut dans le récit de la Création les mythèmes chrétiens du *Jardin d'Éden* et du *Péché originel...*

Il semble ainsi qu'une certaine morale issue du christianisme imprime sa marque dans maints esprits émerillon, en conséquence de l'éducation religieuse reçue par quelques-uns d'entre eux à Maripasoula pour ceux du Tampok et à Saint-Georges de l'Oyapock pour ceux de Camopi; en conséquence aussi de l'influence plus ou moins consciente des Blancs et des Créoles, eux-mêmes porteurs d'une telle morale, avec lesquels les Amérindiens sont en contact. Il est possible que l'invention, d'ailleurs mal justifiée dans le mythe, des douleurs de l'enfantement ait directement à voir avec la malédiction chrétienne :

> *«Je multiplierai les peines de tes grossesses, dans la peine tu enfanteras des fils...» (Genèse)*

La partie dure du mythe est ce qui lui donne un caractère universel, qu'il soit effectivement la source d'une pratique, comme chez les Émerillon et autres peuples traditionnels, ou qu'au contraire il soit relégué dans le placard des illusions et, à l'instar du rêve et des autres productions de l'imaginaire, dépouillé de son authenticité, comme dans les sociétés industrielles. Considérant les parties molles et les formes fluctuantes du mythe, toute généralisation à partir des faits que nous venons d'exposer, serait abusive. On a pu observer, ces dernières années, après ou parallèlement à une apparente passivité, des réactions tous azimuts vis-à-vis de la mystification occidentale.

Cayenne, la France, le monde blanc, mieux connus aujourd'hui ne peuvent plus assurer le rôle d'espace mythique de référence; ceux, de plus en plus nombreux, qui y ont fait un voyage, non par l'âme, mais par le corps physique, n'y ont au plus trouvé qu'une abondance inaccessible, faute d'argent ou... faute d'avoir les clés du coffre. Le pouvoir du Blanc, dont le modèle fut longtemps la personne du gendarme, investi dans les postes et les communes de l'intérieur, en pays amérindien notamment, d'une autorité débordant largement ses fonctions officielles, ce pouvoir, relativisé par de multiples autres mini-pouvoirs, a perdu

---

localisations nombreuses et dispersées pour les anciens Émerillon (dont l'Île de Cayenne) n'étaient que des élaborations mentales.

30 Voir par exemple les versions wayãpi données par P. GRENAND (1976) puis par F. GRENAND (1982).

31 Il s'agit aussi, j'en suis conscient, de la volonté de l'informateur de se mettre à la portée de son auditeur en se référant par analogie à des choses connues de ce dernier.

32 L'expression *tuer son corps,* empruntée au créole guyanais, signifie « se suicider» .

l'essentiel de sa valeur chamanique. Le gendarme n'est plus la voie d'accès privilégiée au lieu du tout est possible, et nous avons jugé très significatif qu'un jeune Amérindien en état d'ébriété, voici peu d'années, osât se mesurer verbalement puis physiquement à un gendarme en poste à Camopi, faisant peut-être du même coup, s'écrouler une idole.

Dans le contexte d'une remise en question du mythe blanc, le mythe vernaculaire saura-t-il opérer ce nécessaire rééquilibrage des relations qui est sa fonction première ? Avec la disparition, en août 1991, de Mbope'a, chamane et chef traditionnel de sa communauté depuis quarante ans, nous avons peut-être assisté à l'émergence d'un mythe. A sa mort, dit-on, son corps allait se transformer en anaconda[33], et son âme se libérer sous la forme des éléments déchaînés... Ce fut un chamane qui l'avait présagé, mais le médecin en poste à Camopi n'avait-il pas dit que la maladie qui devait emporter le chef (une forme de leucémie) était aussi appelée, à cause de ses symptômes cutanés, «maladie de la peau de serpent» ?

Ainsi on ne peut assigner de lieu et de temps d'émergence au mythe; ainsi il n'y a pas de premier récit du mythe comme il est courant de le considérer en histoire des religions par exemple. Le mythe, lieu de communication, naît d'une rencontre des imaginaires et son élaboration est permanente. Aussi longtemps que cette rencontre a lieu, le mythe peut pleinement assurer sa fonction culturelle et rester ce qu'il est : une leçon de savoir-vivre.

[33] Chez les Wayãpi comme chez les Émerillon, tous les grands chamanes se métamorphosent en anaconda.

Bibliographie

ALBERT, B., 1988, La fumée de métal : Histoire et représentations du contact chez les Yanomami (Brésil), «Le mythe et ses métamorphoses», *L'Homme,* 106-107 : 87-119.

BALANDIER, G., 1988, *Le désordre. Éloge du mouvement,* Paris, Fayard.

CLASTRES, H., 1975, *La Terre sans Mal. Le prophétisme tupi-guarani,* Paris, Seuil.

DURAND-FOREST, J. de, 1992, Manuscrits précolombiens et postcolombiens : (2/Autres codices), *Encyclopédie philosophique universelle,* vol. III-2 : Les œuvres philosophiques : 4259-4268, Paris, P. U. F.

FANON, F., 1961, *Les damnés de la terre,* Paris, Maspéro.

GOODMAN, N., 1978, *Ways of worldmaking,* Brighton.

GRENAND, F., 1982, *Et l'homme devint jaguar. Univers imaginaire et quotidien des Indiens Wayãpi de Guyane,* Coll. «Amérindienne», Paris, L'Harmattan.

GRENAND, P., 1976, Deux nouvelles versions du mythe des jumeaux chez les Wayãpi de Guyane, *Cahiers ORSTOM,* sér. Sc. hum., XVIII-2 : 213-218.

— 1980, *Introduction à l'étude de l'univers wayãpi. Ethnoécologie des Indiens du Haut Oyapock (Guyane française),* Coll. «Tradition orale» n°40, Paris, SELAF.

GUIART, J., 1968, Des multiples niveaux de signification du mythe, *Archives de Sociologie des Religions,* 26 : 55-71.

JACOPIN, P. Y., 1977, Quelques effets du temps mythologique, *Actes du XLII*e *Congrès International des Américanistes,* Vol. II : 217-232, Paris.

JOHNSTON, B., 1976, *Ojibway Heritage,* Toronto, McClelland and Stewart.

LÉVI-STRAUSS, C., 1958. *L'anthropologie structurale,* Paris, Plon.

— 1964, *Le cru et le cuit,* Paris, Plon.

— 1971, *L'homme nu,* Paris, Plon.

— 1983, *Le regard éloigné,* Paris, Plon.

MALAURIE, J., 1984. Les cinq sens : les pouvoirs sensoriels dans la vie tribale, *Pour comprendre* : 269-284, Paris, Centre Culturel Canadien.

MOHIA, N., 1990. Les Amérindiens de Camopi : de l'alcoolisation au musée, ou l'itinéraire d'une acculturation, *Cahiers de sociologie économique et culturelle,* 14 : 31-42, Le Havre, Institut havrais de psychologie des peuples.

— à paraître, L'acculturation en question : approche analytique à travers les dessins d'enfants amérindiens (Guyane française), *Cahiers de sociologie économique et culturelle*, Le Havre, Institut havrais de psychologie des peuples.

MOHIA, N. & NAVET, É., 1990, Considérations sur la situation des Amérindiens de l'intérieur de la Guyane, *Journal de la Société des Américanistes*, LXXVI : 215-227.

NAVET, É., 1989, *Le cercle et la Ligne. L'Occident barbare et la philosophie sauvage. Exemple amérindien : les Ojibway du Canada*. Thèse d'État ès Lettres et Sciences Humaines, École des Hautes Études en Sciences Sociales.

— 1990, Introduction à une ethnologie du rêve chez les Indiens Émerillon de Guyane française, *Cahiers de sociologie économique et culturelle*, 14 : 9-29, Le Havre, Institut havrais de psychologie des peuples.

— 1992, Les sources mythiques de la fonction chamanique chez les Indiens Émerillon de Guyane française, *Actes du Colloque «Magie et imaginaire»* : 49-77, Université de Bordeaux 2, Centre d'Études Ethnologiques.

OVERING, J., 1990, The Shaman as a maker of worlds : Nelson Goodman in the Amazon, *Man*, Vol. 25 (4) : 601-619.

La Sainte Bible, 1955, Paris, Éditions du Cerf.

SAMI-ALI, 1970, *De la projection : une étude psychanalytique*, Paris, Payot.

SCHOEPF, D., 1987, Le récit de la création chez les Wayana-Aparai du Brésil, *Bulletin du Musée d'Ethnographie*, 29 : 113-138.

SERVIER, J., 1964, *L'homme et l'invisible*, Paris, Robert Laffont.

Dynamique des traditions religieuses afro-brésiliennes[1]

Candomblé et Umbanda

MING ANTHONY
CNRS, APSONAT, URA 882, Muséum National d'Histoire Naturelle

La présence de religions d'origine africaine au Brésil est une conséquence imprévue de la traite des esclaves. Pendant plus de trois siècles, du début du XVIe au milieu du XIXe siècle, des millions d'Africains furent amenés au Nouveau Monde pour y travailler dans les plantations et les mines. Mais en même temps que la main d'œuvre servile, étaient importées cultures et traditions d'Afrique[2].

Aujourd'hui, chaque centre religieux se réfère encore ou dit appartenir à une «Nation d'Afrique», culturellement liée aux Yoruba du Nigéria (Nations Nagô, Ketu, Alaketu, Ijexá), aux Fon de l'ex-Dahomey (Nations Jeje, Mina) ou aux Bantu (Nations Angola, Congo), rappelant par là la grande diversité ethnique des esclaves amenés au Brésil.

Dans les régions de Bahia et de São Paulo où j'ai enquêté[3], *Candomblé* et *Umbanda* sont les termes génériques les plus couramment employés pour désigner les cultes de possession d'origine africaine. Selon CACCIATORE (1977 :

---

[1] Pour leur lecture critique et leurs suggestions enrichissantes, je tiens à remercier Anne Fauchois, Claudine Berthe-Friedberg, Marie Roué, Júlio Braga et José-Maria T. de Andrade.

[2] Pour tous les détails concernant le trafic des esclaves entre l'Afrique et le Brésil, voir GOULART (1949) et VERGER (1968).

[3] Enquêtes principales menées à Salvador au centre de *Candomblé* «Ilé Ojaré», dirigé par le Père Badu et dans la région de São Paulo à Santo Amaro, au centre umbandiste «Templo Guaracy do Brasil» dirigé par le Père Carlos Buby. Par ailleurs visites et contacts à Salvador aux centres de *Candomblé* «Axé Opô Afonjá» dirigé par la Mère Stella et «Axé Opô Aganjou» dirigé par le Père Balbino. Visites également à Irará (Bahia) des centres umbandistes «Charcara Paraíso dos Orixás» du Père Zelito et «Templo da Trinidade» de la Mère Maria Bacclar.

78), *Candomblé* aurait pour étymologie *candombe*, une danse que les esclaves pratiquaient au son des tambours. Les cultes ne se seraient organisés sous cette dénomination[4] qu'à partir du XIXe siècle. Quant à l'*Umbanda*[5], terme d'origine récente apparu entre les années 1936 et 1940 (*op. cit.* : 243), il désigne les religions nouvelles syncrétiques, développées à partir du *Candomblé* associé, selon des modalités très variables, à d'autres traditions, telles que le catholicisme, le spiritisme d'Allan Kardec, l'occultisme, des traditions amérindiennes[6]. L'origine du terme reste obscure, bien qu'on puisse en trouver plusieurs explications ésotériques dans les écrits des sacerdotes umbandistes (SILVA PINTO, 1970 : 10; FREITAS, 1985 : 21-25). Selon les régions, les cultes afro-brésiliens portent des dénominations différentes : ce sont les *Xangôs* à Recife, les *Batuques* à Porte Alegre, la *Macumba* à Rio de Janeiro ...

Sous la très grande diversité des cultes afro-brésiliens se font néanmoins jour deux grands courants : celui du *Candomblé*, orienté vers les traditions africaines et dont les centres moteurs les plus anciens sont localisés à Bahia; celui de l'*Umbanda*, religion assimilatrice beaucoup plus syncrétique, surtout développée dans les centres d'origine bantu.

Quelles que soient leurs tendances, toutes les religions afro-brésiliennes ont en commun de pratiquer des cultes dits de possession où l'adepte, au cours des cérémonies, reçoit et interprète la divinité à laquelle il a été consacré lors d'une initiation (apprentissage rituel). Une autre caractéristique de tous ces cultes, réside dans l'utilisation de rythmes, chants et danses et dans l'emploi obligatoire de plantes.

Malgré la dure répression exercée à tous les niveaux jusqu'au milieu du siècle à l'encontre des religions africaines et des communautés qui les pratiquaient, les traditions se sont perpétuées. Aujourd'hui que la liberté de culte est acquise, on assiste à une formidable explosion de la religiosité au Brésil, caractérisée par le foisonnement dans les villes de cultes de toutes obédiences et tout particulièrement de cultes d'origine africaine. L'anthropologue brésilien José-Maria DE ANDRADE (1992 : 15-17) interprète ce phénomène comme une réaction à la répression catholique, une sorte de «revanche et une récupération du temps perdu par la religiosité populaire». Le sociologue Cristovam Buarque,

---

[4] Le terme de *Candomblé* désigne le culte mais aussi le lieu où il est pratiqué. Dans la suite de cet exposé je distinguerai les deux acceptions du terme en mettant une majuscule quand il s'agit du culte.

[5] A côté de l'*Umbanda* pratiqué par des groupes religieux formés, en voie d'institutionnalisation, objet de la présente étude, existe un *Umbanda* populaire pratiqué par des individus isolés. Il s'agit dans ce cas d'un culte privé, domestique, à visée thérapeutique, sans aucune systématisation théologique.

[6] La plus grande ignorance subsiste quant à l'origine ethnique précise de ces traditions. A ma connaissance aucun chercheur ne s'en est préoccupé, hormis VANDEZANDE (1975) dans le cas du *Catimbó*, religion syncrétique du Nordeste brésilien.

de même que l'anthropologue Roberto da Matta, interrogés à ce sujet[7] considèrent d'un commun accord que cette augmentation de la religiosité est une réponse brésilienne typique à la grave crise socio-économique que traverse le pays. Pour Marion AUBRÉE (1987 : 25-26)[8], qui dresse un panorama des principaux courants religieux au Brésil, ce phénomène serait une réaction, visant à protéger une essence communautaire traditionnelle et maintenir des racines, face à la modernité réductionniste.

Il est difficile de chiffrer avec exactitude le nombre des lieux de cultes (*terreiros*) et des adeptes des religions afro-brésiliennes. En effet il n'y a aucune obligation dans ce domaine à se déclarer officiellement. Selon l'estimation faite par le *Babalorixá*[9] José Paiva DE OLIVEIRA (s.d. 2 : 40), haut dignitaire des cultes et Président de la Fédération brésilienne de l'*Umbanda* et du *Candomblé*, en 1977 les cultes afro-brésiliens comptaient 600 000 *terreiros* et environ 30 millions d'adeptes. Pour reprendre les chiffres donnés par PRANDI & GONÇALVES (1989 : 36) dans leur étude relative à la région métropolitaine de São Paulo, s'il n'y existait en 1950 qu'un seul centre de *Candomblé* officiellement déclaré, il y en avait déjà 856 en 1970, 1200 en 1982 et près de 3000 en 1989. Quant aux centres umbandistes de São Paulo, c'est à 45 000 que s'élevait leur nombre à cette date !

L'*Umbanda* est une religion beaucoup plus populaire et répandue que le *Candomblé*. Mais paradoxalement c'est sur le *Candomblé* que portent la majorité des études ethnologiques et anthropologiques. La focalisation africaniste des recherches sur les religions afro-brésiliennes en est la cause, sélectionnant «l'afro» de préférence au «brésilien», le *Candomblé* plutôt que *l'Umbanda* et cela au détriment d'une vision globale, plus représentative de la réalité religieuse afro-brésilienne. HERSKOVITS (1943), VERGER (1957), BASTIDE (1958), malheureusement suivis par une armée d'ethnologues à œillères, ont contribué à figer durablement dans un stéréotype africain, yoruba de surcroît, l'image mouvante des religions populaires brésiliennes. Ce n'est que récemment, encore que de façon bien modeste, que des chercheurs tels que

[7] C. Buarque, 15/01/92, «O colapso da modernidade brasileira e as saidas», Séminaire du Dépt. «Brésil contemporain», École des Hautes Études en Sciences Sociales, Paris.
R. da Matta 28/01/92, «La représentation de la nature au Brésil», Séminaire «Société culture et environnement», Ministère de la Recherche et de la Technologie, Paris.

[8] Je me réfère au texte original intitulé «Entre tradition et modernité, les religions», dont l'auteur m'a remis un exemplaire plutôt qu'au texte modifié sans son accord et publié dans «Brésil», *Les Temps modernes* (1987).

[9] *Babalorixá* : terme d'origine yoruba (littéralement «Père de l'*Orixá*») désignant le sacerdote suprême à la tête d'un centre religieux. L'équivalent portugais de ce terme est *Pai de Santo*, «Père de Saint». Dans le cas d'une prêtresse, on parlera d'une *Ialorixá* («Mère de l'*Orixá*»), *Mãe de Santo*, «Mère de Saint».
Orixá : terme désignant les divinités yoruba.

ORTIZ (1975), AUBRÉE (1987), MOTTA (1988) ou ANDRADE (1992) ont porté leur attention sur les autres cultes.

Il n'est pas dans mon intention de critiquer les orientations de mes prédécesseurs, chacun doit faire un choix. Que la culture yoruba ait insufflé sa marque aux cultes afro-brésiliens est une réalité incontestable, mise en lumière dès 1886 par RODRIGUES[10], et magistralement démontrée depuis. Mais que d'autres influences culturelles s'exercent également dans ces religions, même dans les *candomblés* réputés les plus orthodoxes de la région de Bahia, est une autre réalité qui ne doit pas être oblitérée et que je m'attacherai à éclairer.

Dans un premier temps, j'illustrerai donc le domaine encore fort peu documenté des cultes syncrétiques d'origine bantu. En prenant comme point de départ la description d'un *terreiro* et d'une cérémonie religieuse umbandiste, je mettrai en évidence les principales influences culturelles à l'œuvre dans les cultes afro-brésiliens et montrerai comment sont réinterprétés certains éléments de ces traditions. Quelques autres exemples choisis dans l'*Umbanda* et le *Candomblé* donneront un aperçu de la diversité des cultes.

Par ailleurs, à travers le discours d'adeptes de l'*Umbanda* et du *Candomblé*[11], je montrerai comment la représentation du monde divin se modifie, se redéfinit et s'actualise aujourd'hui. Si elle varie en fonction de la perception et de la sensibilité des diverses communautés religieuses, elle dépend également, dans une large mesure, du niveau socio-économique des adeptes.

Enfin, l'analyse des changements observés au niveau des cultes me permettra de dégager les tendances évolutives actuelles des religions afro-brésiliennes.

---

[10] L'œuvre de Rodrigues, «Os Africanos no Brasil», n'a cependant été publiée qu'en 1933, 27 ans après la mort de l'auteur (CASTRO, 1976 : 16).

[11] Je parle ici aussi bien de mes propres enquêtes auprès des sacerdotes, adeptes ou simples consultants du *Candomblé* et de l'*Umbanda*, dans les centres religieux déjà mentionnés, que de l'analyse d'ouvrages relatifs aux religions afro-brésiliennes, écrits par des sacerdotes. Curieusement, ce matériel extrêmement riche n'a, à ma connaissance, jamais encore été exploité dans les études portant sur ces religions. Pourtant ces écrits dans lesquels s'exprime la quintessence de la pensée des membres de ces cultes mériterait une lecture attentive (AZEVEDO & MARTINS, 1988; CHAGAS VARELLA, s.d.; FREITAS, 1985; MATTA E SILVA, 1985; OLIVEIRA, s.d.1 et s.d.2; PORTUGAL, s.d.; SILVA PINTO, 1970).

Figure 1. Statuette d'un *caboclo*, esprit d'ancêtre amérindien, dans le Temple umbandiste Guaracy, à Santo Amaro, dans la banlieue de São Paulo.

Figure 2. Salle des cérémonies du Temple Guarary.

Figure 3. L'autel d'Oxum dans l'espace sacré du Temple Guaracy à Embu.

Figure 4. Dans ce même temple, salutations aux *atabaques*, tambours cérémoniels.

1. Le Temple Guaracy do Brasil

1.1. Le centre religieux

Le temple Guaracy est ainsi nommé en référence au *caboclo* Guaracy[12], esprit amérindien protecteur du temple (Fig.1) et «entité» (*entidade*) guide du Père Buby qui dirige le centre, lequel est formé de deux parties, un temple situé en ville et un espace sacré à la campagne.

Le temple est situé dans un quartier populaire de la banlieue sud de São Paulo, à Santo Amaro, ancienne bourgade maintenant englobée dans la masse tentaculaire de la grande métropole. Construit sur une petite éminence, c'est une grande bâtisse blanche, impeccablement entretenue et qui contraste étrangement par son aspect prospère avec les habitations délabrées des environs. Près du temple est érigé un haut mât où flotte le drapeau blanc, symbole de l'*Umbanda*. Lorsque j'ai visité ce temple pour la première fois en 1989, seul existait le bâtiment central, comportant au rez-de-chaussée la salle des cérémonies (Fig. 2) avec, à l'étage, la *camarinha*[13] et le bureau du Directeur du temple. Depuis lors, les locaux se sont beaucoup agrandis : ont surgi en moins de deux ans d'autres *camarinhas*, des salles de réunions ainsi qu'une cafétéria cependant qu'un centre de documentation est en projet.

L'autre partie du *terreiro* est un espace sacré situé à l'intérieur des terres, à environ 15 km du temple, près de la petite ville d'Embu. On y accède par un lacis de chemins de terre difficilement carrossables. Ce terrain boisé s'étend sur plus de deux hectares au fond d'une vallée où coule un ruisseau. Il appartient à l'un des médiums qui l'a mis à la disposition de la communauté religieuse. C'est sur cet espace que sont construits les autels (*pejis*) des *Orixás* (Fig. 3), en particulier ceux d'Exu, Ogum et Oxóssi qui, selon la tradition yoruba, doivent obligatoirement résider en plein air[14]. C'est aussi là qu'ont lieu les *camarinhas de mata*, «retraites en forêt» des adeptes.

---

[12] *Guaracy* signifie «soleil» en língua geral, langue amérindienne du Brésil côtier au destin fameux : devenue langue de catéchèse puis langue de colonisation du Brésil entier, elle finit par être interdite au milieu du XVIIIe siècle, ce qui marqua le début de sa régression (*cf.* GRENAND, F., ce volume). Elle n'est plus aujourd'hui parlée que dans le haut Rio Negro, mais elle a laissé un dépôt important dans le portugais du Brésil, comme justement le terme *caboclo*, qui, dans la langue courante, est un terme péjoratif désignant entre autres choses les métis d'Indiens et de Blancs (GRENAND & GRENAND, 1990). Dans le langage des cultes, c'est l'appellation donnée à certaines entités divines, sans aucune connotation péjorative.

[13] *Camarinha*, «petite chambre», est la dénomination de la pièce où sont enfermés les adeptes au cours de leur initiation. Par extension, *camarinha* est employé pour désigner la retraite des futurs initiés.

[14] Selon une légende d'origine yoruba relevée à Bahia par VERGER (1957 : 208-209), la déesse Iemanjá aurait mis à la porte deux de ses fils, Exu et Oxóssi, du fait de leur inconduite ou désobéissance. Leur frère Ogum, ulcéré par la dureté de sa mère, aurait lui aussi quitté la

Le Père de Saint Buby, a créé ce centre de toutes pièces il y a 20 ans, avec sa sœur Maria-Aparecida et leur parents. Cette toute petite cellule religieuse familiale s'est peu à peu fait une réputation et s'est agrandie, attirant un nombre de plus en plus important d'adeptes et de fidèles provenant de toutes les classes sociales. Aujourd'hui il compte environ 350 adeptes et plus de 2000 fidèles le fréquentent chaque semaine.

1.2. Organisation du centre religieux

Le Père Buby est non seulement le chef spirituel mais aussi le responsable administratif du temple. Au niveau séculier, il est entouré d'un conseil administratif, d'une commission d'assistance sociale, d'un conseil juridique, d'un conseil médical et d'un conseil en relations sociales. Un centre de recherche et d'enseignement est en activité. L'entretien des lieux et les tâches administratives sont à la charge d'employés rétribués par le temple. L'assistanat social et les fonctions de conseiller, d'enseignant ou de chercheur, sont remplies bénévolement par les adeptes, selon leurs capacités.

Sur le plan religieux, le père Buby porte le titre de *Babalaô* ou *Babalorixá*[15]. Après lui vient la *Mãe pequena* («Petite Mère»), son auxiliaire directe, puis les sacerdotes, appelés médiums. Ceux-ci sont classés selon une stricte hiérarchie qui dépend des étapes initiatiques franchies.

Enfin, sur un plan plus proprement spirituel, tous les esprits protecteurs du temple sont classés selon le niveau spirituel d'évolution qu'ils ont atteint. Ces esprits sont nommés du terme générique d'*entidade* («entité»). Le *caboclo* Guaracy est considéré comme «l'entité» la plus évoluée du temple.

Le Père Buby apparaît donc comme le chef incontesté du temple. Pourtant, si l'organisation du centre, spirituelle et temporelle, est de son ressort, toutes les décisions, tous les changements nécessitent la consultation rituelle des «entités» protectrices du temple. Dans l'optique des adeptes, ce sont donc les «entités», en particulier le *caboclo* Guaracy, qui dirigent l'activité du temple.

Le temple assure un suivi religieux destiné à développer la spiritualité des fidèles et à ritualiser toutes les grandes étapes de la vie : naissance, mariage ou mort. Son activité sociale est diversifiée : aide aux enfants déshérités,

---

maison. En souvenir de ces événements, ces trois divinités sont honorées à l'extérieur des bâtiments et leurs *pejis* sont construits en plein air.

[15] *Babalaô* (yoruba, «Père du secret») et *Babalorixá* (yoruba, «Père de l'*Orixá*») sont devenus au Brésil deux termes synonymes désignant le chef d'un centre religieux. Dans la pure tradition yoruba, ces termes désignent deux types de prêtres, appartenant à deux sacerdoces distincts : le *Babalorixá* chargé du culte des *Orixás* et le *Babalaô*, prêtre devin consacré à Ifá (Dieu de la sagesse et de la divination). Aujourd'hui on constate au Brésil la quasi disparition du culte d'Ifá. Le Père de Saint brésilien dirige le culte des *Orixás* et pratique également la divination. L'actuelle équivalence de ces deux termes témoigne de cette restructuration des cultes au Brésil.

alphabétisation des adultes, organisation de fêtes, de conférences, de compétitions sportives... Les activités de recherche, menées par des groupes de volontaires, sont centrées autour de thèmes tels que la radiesthésie, la chromologie et les phénomènes médiumniques, la doctrine et la philosophie du temple.

Cependant, l'activité principale du temple consiste à former, par voie initiatique, des médiums qui puissent faire œuvre de pure charité en soignant les fidèles qui les consultent au cours de cérémonies rituelles publiques nommées *giras* qui ont lieu tous les jours, six soirs sur sept. La première semaine de chaque mois est consacrée aux *pretos velhos*, esprits évolués d'anciens esclaves («vieux noirs») et les trois semaines suivantes, aux *caboclos*, esprits d'ancêtres amérindiens. Une fois par semaine a lieu une cérémonie «fermée», c'est-à-dire réservée aux seuls initiés, ayant pour objet d'évoquer les *Elebaras*, *Exus* et *Pombagiras*, esprits «du bas», peu évolués.

1.3. La *gira de caboclos*, cérémonie publique[16]

Les soirs de *gira*, la foule se presse nombreuse aux abords du temple Guaracy. Dès 19h30 les lourdes portes du temple s'ouvrent pour laisser entrer les fidèles. Après s'être déchaussés dans l'antichambre, ils peuvent pénétrer dans le sanctuaire (Fig. 2), une grande salle claire parquetée où une balustrade de bois délimite un espace central, réservé au déroulement de la cérémonie. Tout le monde s'installe dans la zone extérieure, certains assis sur des chaises, la plupart debout. Contre le mur du fond, face à la porte d'entrée se trouve le *peji*, «l'autel», décoré de fleurs, de bougies, de récipients et de statues. Un Christ en gloire et plusieurs Saints catholiques y côtoient un Indien emplumé (*caboclo*) et un vieil esclave noir (*preto velho*). Deux portes percent le mur, de part et d'autre de l'autel. Devant le *peji*, un peu en retrait sur la gauche sont posés trois tambours, les *atabaques*. Une minute à peine avant 20h, la porte du fond à gauche s'ouvre pour laisser entrer les musiciens, les trois *Ogãs*[17] vêtus de blanc

---

[16] Faute de l'autorisation de prendre des photographies dans le temple Guaracy durant les cérémonies, Fig. 4 illustre une *gira* de *caboclos* équivalente, qui se déroula à Irará. Une différence est à noter concernant la disposition des danseurs : s'ils se placent en ligne face à l'autel au temple Guaracy, dans le cas illustré par contre, ils se disposent en cercle autour du centre de la salle. Cette ronde de médiums correspond à l'organisation traditionnelle des cérémonies de *Candomblé* où les adeptes tournent autour d'un centre souvent marqué par la présence d'un pilier au pied duquel sont enterrés les *axés* (objets sacrés porteurs de force) du temple.

[17] Au temple Guaracy comme dans les autres centres umbandistes, *Ogã* (abréviation de *Ogã de atabaque*) désigne les joueurs d'*atabaques*. Dans les *candomblés*, le terme d'*Ogã* est un titre honorifique attribué aux protecteurs du *terreiro*. Ils forment un groupe consultatif chargé de s'occuper des questions administratives, financières et des relations publiques du centre religieux.

qui se prosternent devant les *atabaques.* A 20h exactement, retentissent les premiers roulements des tambours qui joueront sans relâche jusqu'à la fin de la cérémonie. Les deux portes du fond s'ouvrent alors, livrant passage à la *corrente*, la «chaîne» formée par les médiums et leurs assistants (*cambonos*), une trentaine de personnes au total, qui entrent dans l'espace central, se prosternent devant l'autel puis s'alignent à droite et à gauche le long de la balustrade. Toutes portent autour du cou de longs colliers de perles colorées, symbole du lien qui les unit à leurs guides spirituels. Les femmes sont vêtues de longues robes blanches à volants de dentelle, les hommes d'une chemise et d'un pantalon blancs. Le «coordinateur», c'est-à-dire le médium qui dirige la cérémonie, entonne des cantiques[18]. Il lance un premier «chant d'ouverture» (*ponto de abertura*), aussitôt repris par l'ensemble de la *corrente* et par le public. Puis, agitant un encensoir il lance les «chants pour encenser» (*pontos de defumação*). Ensuite, il passe de médium en médium en les aspergeant d'eau de Cologne. Viennent alors les chants d'appel des divinités (*pontos de chamada*). Sont invoqués dans un ordre donné, nommé *xiré,* les *Orixás* du panthéon yoruba ou indifféremment leurs équivalents catholiques, ainsi que les *caboclos.* Ces chants se succèdent sans interruption à un rythme effréné et toute l'assemblée les entonne à tue-tête, dansant et frappant des mains en cadence. Le paroxysme est atteint lorsqu'est lancé le «chant d'incorporation» (*ponto de incorporação*). Dès les premières notes, tous les médiums entrent en transe. Ils sont pris de tremblements, tournent sur eux-mêmes à toute vitesse, tombent à genoux, se frappent la poitrine et émettent des sons variés. Le regard soudain plongé dans un lointain ailleurs, leurs visages changent d'expression au point de devenir méconnaissables.

Les «entités» (*entidades*) sont arrivées! Tous ces esprits qu'on appelait avec ferveur se sont enfin «incorporés» (*incorporar*) aux médiums dont ils sont les «guides» (*guias*). Les *caboclos* ont accepté de descendre sur terre pour «travailler» (*trabalhar*) pour le bien des hommes! Aidés de leurs assistants, les médiums revêtent alors les attributs des *caboclos* qui les habitent, coiffes de plumes ou casques étincelants et capes rouges. Ils dansent maintenant au centre de la salle, chacun ayant une gestuelle et un cri spécifiques. Puis ils retournent à leur place primitive près de la balustrade, allument des cigares, des bougies et avec la plus grande attention, dessinent à la craie (*pemba*), des signes (*pontos marcados*, des «points marqués») sur le sol.

Les chaînes qui barraient l'entrée du centre sont alors retirées et les fidèles peuvent y pénétrer pour consulter les médiums. Des files d'attente se forment devant chacun d'eux, la plus longue s'alignant devant le *caboclo* du chef de la

---

[18] Le nom générique des cantiques est *ponto cantado*, «point chanté». Ces *pontos* sont chantés en portugais. Seules subsistent parfois quelques expressions africaines. Ce fait démarque les cérémonies umbandistes des cérémonies du *Candomblé* où la langue rituelle continue d'être une langue africaine.

gira. Chaque *caboclo* commence son travail de guérisseur (*dar passe,* «donner une passe»). Il passe les mains autour de la tête ou le long du corps du consultant, lui applique de la craie sur les mains, la tête ou le corps, souffle sur lui de la fumée de tabac, lui offre parfois un brin de basilic ou une fleur, lui prodigue des conseils et peut également lui faire une prescription[19]. Le *cambono* du médium note ces informations sur un carnet. En effet la langue des *caboclos* est difficilement compréhensible, même pour les Brésiliens. Nommée *tupi guarani* par les adeptes, c'est pour l'heure un mélange de portugais et d'expressions de *lingua geral.* Au fur et à mesure que les consultations se terminent, les médiums «désincorporent» l'entité qui les habite. Se mettant à tourner rapidement sur eux-mêmes, ils sont alors secoués de tremblements, puis comme projetés en arrière. Les *cambonos* qui les assistent les empêchent de basculer en tendant derrière eux une serviette blanche.

Alors même que se terminent les consultations entrent au centre les médiums débutants (*médiuns de desenvolvimento,* «en cours de formation»). Ils se placent en ligne, face à l'autel et pendant quelques temps eux aussi tourneront sur eux-mêmes, s'exerçant à «incorporer» leurs «entités» protectrices. Après qu'ils ont quitté le centre, la cérémonie se poursuit par une nouvelle «incorporation» des médiums qui s'alignent face à l'autel. Selon le besoin du moment, laissé à l'appréciation du chef du temple, seront appelés à «travailler», les «vieux noirs» (*pretos velhos*) au corps cassé par l'âge, les «mariniers» (*marinheiros*) qui titubent comme des hommes ivres, ou bien les gardiens de troupeau (*boiadeiros*) qui font tourner en l'air un lasso imaginaire, les bahianais (*baihanos*) aux allures décontractées, ou encore les enfants (*crianças*) qui se roulent par terre, jouent et courent à quatre pattes... Après le départ de ces «entités», le chef de la *gira*, toujours habité de son *caboclo*, adresse quelques mots à l'assistance puis «désincorpore» à son tour son esprit. Un chant de fermeture est alors lancé et la cérémonie se termine vers 22 heures.

2. L'*Umbanda*, combinaison variable de traditions

2.1. Des traditions changeantes

En l'espace de trois ans, j'ai pu observer au temple Guaracy la modification d'un certain nombre d'éléments rituels :

En 1990, les médiums en formation n'intervenaient pas au cours des *giras,* mais avaient une séance de travail réservée le mercredi. En 1992 la première et

[19] D'après l'enquête que j'ai menée auprès d'une trentaine de consultants, les prescriptions consistent en des offrandes de bougies et/ou en des bains de purification, décoctions de plantes, sel et miel. Les espèces végétales les plus souvent prescrites sont le basilic, la menthe, la lavande et la rue officinale.

la dernière semaine du mois étaient consacrées aux *pretos velhos*, les deux autres aux *caboclos*. De nouveaux cantiques sont sans cesse incorporés au répertoire du temple. Beaucoup de statues de Saints catholiques qui décoraient l'autel en 1989 ont disparu l'année suivante pour laisser la place à deux grandes jarres, ceintes l'une d'une écharpe verte et l'autre d'une écharpe jaune, aux couleurs des divinités yoruba Oxóssi et Oxum. En 1989, l'habit rituel des initiés était constitué d'une longue aube blanche. En 1991, fut adopté le «costume de la Nation», simple pantalon de toile blanche écrue pour les hommes et, pour les femmes, robe de cotonnade colorée, serrée à la poitrine par une écharpe blanche. En 1989, l'uniforme des médiums en activité au temple consistait en un pantalon blanc et un tee-shirt blanc orné de l'insigne du temple. En 1991, le tee-shirt était du même modèle mais de couleur jaune, en l'honneur d'Oxum; les médiums «coordinateurs» arboraient de plus un blazer bleu marine. Enfin, c'est en 1991 que débuta l'enseignement théorique donné aux médiums sous forme de cours du soir suivis d'examens écrits et oraux. Il s'agit là d'une modification très importante du système d'enseignement, le mode traditionnel d'apprentissage s'effectuant toujours par voie orale et par imitation. Selon le Père Buby ce changement a été rendu nécessaire du fait de l'acculturation des adeptes.

2.2. Des traditions multiples

A travers le descriptif de l'organisation du temple et du déroulement de la *gira de caboclo*, peuvent être mis en évidence des éléments provenant de diverses traditions.

La tradition yoruba se reconnaît dans la structure même du culte où les rythmes et les chants préparatoires sont suivis de la descente des divinités sur leurs adeptes. On la reconnaît aussi dans certaines des formules de salutation aux *Orixás*, dites «salutations d'origine». Par exemple Xangô, Dieu du tonnerre, est loué au Temple Guaracy, comme partout ailleurs au Brésil, par le cri : «*Caô Cabiecile!*», dérivé de l'expression yoruba «*Káwóó Kábiyèsi!*», «Venons voir (admirer) le Roi!», même si aucun des adeptes interrogés à ce sujet n'en connaissait le sens. En guise d'explication j'ai toujours reçu comme réponse : «C'est la salutation pour Xangô». Cependant, certains réinterprètent ces formules. Ainsi Tancredo DA SILVA PINTO (1970 : 47), le «Pape noir» de l'*Umbanda*, qui traduit ces deux termes par l'énoncé complexe suivant : «Seigneur nous sommes ici présents pour accepter et respecter vos ordres».

De même la gestuelle des salutations est d'influence yoruba : la salutation aux *atabaques* durant laquelle les médiums se prosternent à plat ventre, tête au sol (Fig. 4) et qui se nomme au Brésil *bater cabeça*, «frapper la tête», correspond au ***ìdọ̀bálẹ̀*** yoruba, salutation des hommes envers une personne respectable. Quant aux divinités invoquées, divinités de la nature et des activités humaines, elles sont clairement reconnaissables : Ogum, dieu de la guerre et des

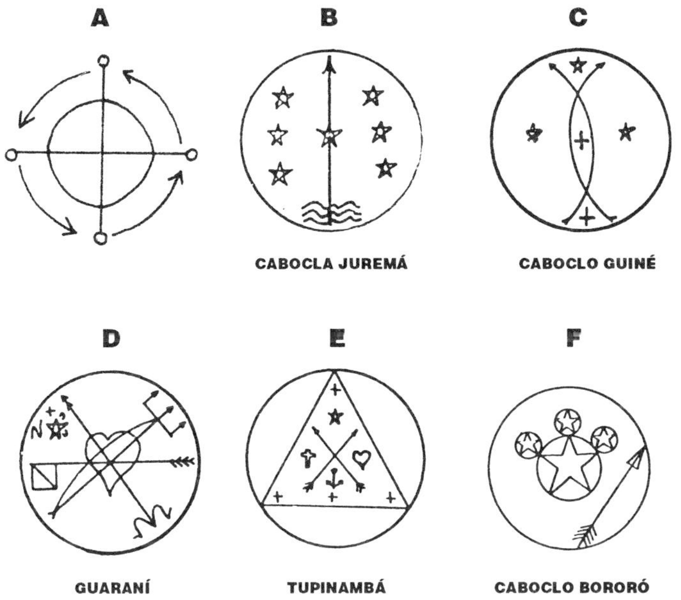

Figure 5. Cosmogrammes des rites afro-brésiliens. A. Croix **yowa**, symbole kongo du cosmos et de la continuité de la vie humaine, d'après Thompson (1985 : 109). B, C, D, E et F. *Pontos riscados* brésiliens, tirés de l'ouvrage «3000 pontos riscados e cantados na Umbanda e no Candomblé», 1974.

forgerons; Omulu, dieu des maladies contagieuses; Xangô, dieu du tonnerre et de la justice; Oxóssi, dieu des forêts et de la chasse; Ossãe ou Ossain, dieu des plantes liturgiques et médicinales; Iansã, déesse des vents; Iemanjá, déesse de la mer et de la maternité; Oxum, déesse des eaux douces et de l'amour; Oxumaré, déesse de l'arc en ciel et de la vapeur d'eau; Nanã Buruku, déesse des eaux primordiales, et enfin Oxalá, dieu créateur.

Un second courant identifiable est l'influence bantu, laquelle se manifeste dans le nom de certaines divinités invoquées, comme par exemple Zâmbi, dieu suprême, dont l'équivalent yoruba est Olorum ou Olodumaré, ou encore Tempo, dont l'équivalent yoruba est Iroco, enfin Pombagira, correspondant féminin d'Exu, le Dieu messager des Yoruba, improprement assimilé au diable dans la correspondance catholique.

Certaines expressions sont bantu, telles que «*Tempo macumba dile*» signifiant, selon la traduction donnée par un adepte du temple, «Que Tempo t'avale»; sont aussi de consonance bantu des vocables comme *calunga, banga, firma*. PESSOA DE CASTRO (1976) a ainsi répertorié un grand nombre de ces mots d'origine bantu, présents non seulement dans la langue des cultes, mais plus généralement dans la langue brésilienne.

Autre influence bantu, l'emploi de la *pemba*. Dans la civilisation Ba-Kongo, la *mpemba* est de l'argile blanche. Considérée comme un matériau incarnant l'esprit, elle est utilisée pour tracer des cosmogrammes par les membres de la société Lemba (THOMPSON, 1985 : 109). Au Brésil la *pemba* est de la craie blanche se présentant sous forme de bâtons coniques. Les médiums s'en servent eux aussi pour tracer des cosmogrammes. Dans les rituels thérapeutiques, elle a un rôle protecteur et un effet purificateur. Un *ponto* chanté au temple Guaracy rappelle son origine africaine : «Allons recueillir la *pemba* mon père, la *pemba* d'Angola m'a fait appeler»... (*Vamos colher pemba meu pai, pemba de Angola mandou me chamar...*). L'utilisation conjointe de cantiques, *pontos cantados* («points chantés») et de dessins, *pontos riscados* («points marqués»), tracés sur le sol à la *pemba* est, selon THOMPSON (*op. cit.* : 108-116), d'origine Ba-Kongo. Chez les Ba-Kongo en effet, tout le contexte de la médiation avec les divinités peut se résumer dans l'expression *yimbila ye sona*, «chanter et dessiner (un point)». Toujours d'après cet auteur, le «point marqué» afro-brésilien est dérivé de la croix yowa kongo (Fig. 5A), symbole du cosmos et de la continuité de la vie humaine. Le schéma d'origine s'est transformé, subissant de nombreuses influences, et les *pontos riscados* (Fig. 5) du Brésil actuel sont devenus des symboles complexes associant des références multiples, kongo, yoruba, catholique, amérindienne, spirite. Le symbole d'origine fait également l'objet d'une réinterprétation. Pour FREITAS (1985 : 128), médium umbandiste, le «point marqué» est «le symbole du lien entre l'énergie de la forme et l'énergie de l'esprit». Son contenu, interprété par le médium en transe, est la signature de l'esprit qui l'habite et peut servir d'oracle.

Troisième source d'influence, les traditions amérindiennes. Elles se marquent en premier lieu dans l'utilisation rituelle de la fumée de tabac. Dans de nombreuses sociétés amérindiennes, le tabac est en effet utilisé par les chamanes à des fins thérapeutiques et spirituelles. Selon WILBERT (1991), l'usage thérapeutique de la fumée de tabac est une pratique extrêmement ancienne, précolombienne, et distribuée sur le continent de façon quasi continue. Cette pratique est en liaison avec l'un des attributs caractéristiques du chamane, son pouvoir pneumatique. Selon une croyance largement répandue, le souffle du chamane est doté de pouvoirs curatifs, purificateurs et revigorants. La fumée de tabac a aussi pour rôle, d'une part de matérialiser le souffle invisible, d'autre part d'indiquer la route aux esprits curateurs assistant le chamane. Dans les croyances umbandistes, la fumée soufflée par le médium en transe conserve ce rôle purificateur et vivifiant. Mais l'effet curatif, en lien avec la double nature de la fumée (air et feu), est attribué à des «élémentaux» (*elementais*), sylphes et salamandres qui sont les entités spirituelles corrélées à ces deux éléments (FREITAS, 1985 : 147).

Le culte rendu à la *Jurema* est la seconde grande influence amérindienne identifiable. Dans la hiérarchie spirituelle de l'Umbanda, la *cabocla* Jurema est un puissant esprit, chef de phalange, appartenant à la lignée (*linha*) d'Oxóssi, le dieu yoruba des forêts. Cette entité est très souvent invoquée au cours des *giras de caboclos* du Temple Guaracy, où les cantiques en son honneur sont nombreux. Dans ces chants, on s'y réfère de diverses manières. C'est ainsi qu'elle peut être considérée d'abord en tant que divinité : «la *Jurema* est très jolie avec son casque de plumes»... *(a Jurema é muito linda com seu capacete de penas...)*; ensuite en tant que lieu : «oh là dans les forêts, là dans la Jurema»... *(ô la nas matas, la na Jurema...)*; ce peut aussi être un breuvage : «tu as bu de la Jurema, tu t'es enivré»... *(você bebeu Jurema, você se embriagou...)*; enfin, ce peut-être la plante éponyme : «allons cueillir la petite feuille de Jurema»... *(vamos apanhar a folinha da Jurema...)*. *Jurema* est en effet le nom populaire de plusieurs espèces d'arbres poussant dans le Nordeste brésilien. L'une d'elles, *Jurema preta*, «Jurema noire» (*Mimosa hostilis* Benth)[20], est un puissant hallucinogène. Selon SCHULTES & HOFMANN (1973 : 154), elle sert à préparer le «vin de Jurema», autrefois utilisé par les Pankararú[21], amérindiens du Pernambuco ainsi que par d'autres ethnies, telles que les Karirí, Tusha, Fulnio, Guegue, Acroa, Pimenteira, et autres Amanaye... Aujourd'hui encore, les chamanes Fulnio et les Pankararú l'utilisent à des fins rituelles.

Pour ce qui est de son extension hors du domaine amérindien, la recherche minutieuse de VANDEZANDE (1975) tend à prouver que l'emploi rituel de la *Jurema* aurait son origine dans la ville d'Alhandra (autrefois nommée Arataguy)

[20] ou *Mimosa tenuiflora* Willd., selon la synonymie mise en évidence par LOUIS (1992 : 8-11).

[21] L'orthographe Pankarurú de l'ouvrage de SCHULTES est une coquille.

et aurait irradié du Paraíba, où des fractions d'ethnies Potiguara et Tabajara avaient été rassemblées dès le XVIIe siècle. Cet auteur décrit en détail le *catimbó*, la religion médiumnique qui se pratique de nos jours dans le Nordeste brésilien, centrée sur le culte des *caboclos* et où la *Jurema* joue un rôle prépondérant. Son écorce et ses graines sont largement employées et les chefs de culte, *mestres de Jurema*, possèdent près de leur habitation une «cité de Jurema», enclos planté de cette essence sacrée. Un ponto, chanté au Temple Guaracy évoque ce lieu :

«A la cité de Jurema, les *caboclos* s'en vont;
A la cité de Jurema, m'appelle Jésus le bon...»
(Prá cidade da Jurema, os caboclos vão embora;
Prá cidade da Jurema, o bom Jesus tá me chamando...)

ARRUDA CAMARGO (1988 : 43-46) a pour sa part réuni des renseignements prouvant l'emploi d'un «vin de *Jurema*» dans les cultes afro-brésiliens. Júlio BRAGA (*com. pers.*, 1992) m'a également signalé l'existence d'une pratique semblable dans l'île d'Itaparica (Bahia). J'ai pu par ailleurs en constater l'usage lors d'une cérémonie umbandiste au temple «Ilé de Mustafá», à João Pessoa (Paraíba). Pour le *Babalorixá* José PAIVA DE OLIVEIRA (s.d. 2 : 41-42), «la *Jurema*, sans doute la plus pure manifestation culturelle du syncrétisme religieux brésilien, constitue tout un monde de légendes, de mythes, qui ont, comme inspiration de base le pouvoir magique de la Jurema, l'arbre qui émet des fluides bénéfiques aussi bien pour soigner les maux du corps que les misères de l'esprit».

Ce faisceau d'informations prouve qu'un «vin de *Jurema*» est encore employé à des fins thérapeutiques et rituelles dans certains centres religieux. Cependant tous mes informateurs, que ce soit à São Paulo ou Bahia, m'ont affirmé ne jamais employer de *Jurema* dans les rituels, même si de très nombreux cantiques lui sont consacrés. Que la *Jurema* soit une plante hallucinogène dont l'emploi est prohibé par la société, induit vraisemblablement la plus grande discrétion sur cette pratique, voire même, sa disparition des cultes.

La religion catholique a laissé sa marque dans le rituel umbandiste : on peut la trouver dans certains détails comme l'iconographie de l'autel; l'importance prise par l'autel, face auquel s'organise la cérémonie; l'utilisation de cantiques d'origine chrétienne; la récitation, au cours de la *gira*, de prières telles que le *Notre Père* et le *Je vous salue Marie*; enfin et surtout, dans la correspondance établie entre les *Orixás* et les Saints catholiques[22] :

[22] La marque du catholicisme est très générale dans les cultes afro-brésiliens. Cette religion a exercé une influence précoce, les esclaves des colonies portugaises étant baptisés d'office et obligés de pratiquer. Le système de correspondance établi entre *Orixás* et Saints catholiques aurait permis aux esclaves de continuer à adorer leurs Dieux, sous le couvert des Saints du ciel. Aujourd'hui l'assimilation est telle que les termes d'*Orixá* et de *Santo* sont synonymes.

Nation Nagô-Kêtu	*Correspondances catholiques*
Olorum ou Olodumaré	Dieu
Orixá	Saint
Oxalá	Jésus, Monseigneur de Bonfim
Ogum	St-Antoine, St-Georges
Oxóssi	St-Georges, St-Sébastien
Omulu	St-Lazare, St-Roch
Xangô	St-Jérôme, St-Pierre
Iansã	Ste Barbara
Oxum	Vierge Marie, Notre-Dame d'Aparecida
Iemanjá	Vierge Marie, Notre-Dame de l'Immaculée Conception
Nanã	Ste Anne
Oxumaré	St-Barthélemy
Ossain	St-Benoît
Iroco	le Saint Esprit, St-François d'Assise

L'influence du spiritisme d'Allan Kardec imprime pour sa part une marque discrète dans le nom de *médium* donné au sacerdote, dans la communication avec les esprits des morts, enfin dans la classification hiérarchisée des esprits selon divers niveaux évolutifs.

Reste à cerner une influence plus floue, plus diluée, celle de la modernité occidentale. Elle se marque dans le mode de construction du temple, son confort moderne visible au niveau du plancher, de la moquette, des salles de bain, qui contrastent avec la grande simplicité de la plupart des autres *terreiros* au sol de terre battue que j'ai visités. L'organisation administrative du temple, avec ses divers départements spécialisés, évoque une institution caritative occidentale. L'enseignement prodigué aux médiums sous forme de cours du soir suivis d'examens est calqué sur le système scolaire occidental. Enfin, la croyance en l'évolution, le développement, «l'ordre et le progrès», appliqués aux hommes comme aux esprits, flotte ici comme ailleurs, dans tout le Brésil qui se réclame de la Civilisation.

L'influence occidentale perceptible au niveau du *terreiro* paraît être en lien directe avec le niveau socio-économique élevé d'une partie des adeptes intégrés à la vie économique moderne du Brésil, qu'ils soient ingénieurs, secrétaires, commerçants ou cols blancs. Les différentes influences culturelles à l'œuvre dans les cultes afro-brésiliens sont le résultat d'aléas historiques dont le souvenir reste gravé dans la mémoire collective. Ainsi en témoigne le mythe de l'origine

Cependant elle peut varier d'une région à l'autre : ainsi St-Georges est assimilé à Ogum à São Paulo et à Oxóssi dans la région de Bahia, où St-Antoine correspond à Ogum.

des religions afro-brésiliennes, d'après ce que m'a conté un médium umbandiste : les religions afro-brésiliennes seraient tout d'abord nées de la rencontre d'esclaves noirs fugitifs et d'Indiens de la forêt. Quant à l'*Umbanda*, il aurait surgi de la manière suivante : «Dans un cercle spirite de la société bourgeoise de Rio de Janeiro se manifestèrent un jour des esprits d'Indiens. Les esprits de sauvages n'avaient pas leur place dans cette bonne société et ils en furent chassés. Les médiums qui les recevaient durent quitter le cercle spirite. Ils allèrent rejoindre les cultes afro-amérindiens. Ainsi naquit l'*Umbanda* et son cortège ritualisé de *caboclos*, esprits d'Indiens descendus dans le corps de Blancs.

2.3 Des traditions diversement combinées

Le descriptif des cérémonies du temple Guaracy n'est qu'un exemple d'association de traditions qu'on peut rencontrer dans les cultes afro-brésiliens. Les influences culturelles pouvant se marier selon des modalités très variables selon les centres, j'en donnerai ici quelques exemples pris dans les cérémonies publiques auxquelles j'ai pu assister.

Au temple de la Trinité, *terreiro* umbandiste situé près d'Irará dans la région de Bahia, les médiums sont assis autour d'une table chargée de bouquets de plantes. Ils se donnent la main pour former une chaîne, comme cela se pratique dans le spiritisme, et chantent des cantiques d'inspiration catholique, accompagnés par toute l'assistance qui attire ainsi les «entités». Quand la Mère de Saint a reçu son *caboclo*, elle parle longuement aux fidèles, se référant constamment dans son discours au Seigneur Jésus et à ses Saints, plus rarement aux *Orixás*. Elle interpelle alors quelques-uns des fidèles et leur prodigue soins et conseils. A la fin de la cérémonie, elle bénit chaque personne en la frappant d'un bouquet de basilic trempé dans l'eau. Dans ce rituel, on notera l'absence presque totale de référence aux traditions africaines, en particulier l'absence des *atabaques*. Par contre les influences catholiques et spirites sont plus évidentes et le culte des *caboclos* est prépondérant.

Dans le temple umbandiste «le Paradis des *Orixás*», situé également à Irará, on assiste à une juxtaposition des pratiques, les cérémonies dédiées aux *Orixás* et aux *caboclos* d'une part, les séances de spiritisme d'autre part, chacune prenant place en des lieux séparés du *terreiro*.

Dans le *candomblé* traditionnel *Axé Opô Afonja* de Salvador, les cérémonies sont exclusivement consacrées aux *Orixás* qui sont les seules divinités à descendre sur les adeptes cependant que le yoruba est la seule langue rituelle du culte. Ceci correspond aux pratiques des *candomblés* les plus orthodoxes de la région de Bahia, décrites par BASTIDE (1958 : 15-24) ou CARNEIRO (1948 : 69-72).

Nombreux sont cependant les *candomblés* qui ont adopté le culte des *caboclos*, même dans la région de Bahia. Ainsi à l'Ilé Ojaré de Salvador sont pratiqués deux types de cérémonies, les unes consacrées aux *Orixás* et les autres dédiées aux *caboclos*. Dans un autre centre, à Belo Horizonte, ce sont successivement les *Orixás* puis les *caboclos* qui se manifestent au cours d'une même cérémonie. Enfin, même à l'Axé Opô Aganjou qui a la réputation d'être l'un des *candomblés* les plus orthodoxes de Salvador, un *caboclo* se manifeste depuis quelques temps en la personne même du Père de Saint Balbino, pourtant exclusivement consacré[23] jusque-là au Dieu yoruba Xangô.

Ainsi, chaque centre est marqué par un particularisme lié à la personnalité et aux orientations spirituelles du Père de Saint qui le dirige. Si, de façon schématique les *Orixás* prévalent dans les *candomblés* et les *caboclos* dans les centres umbandistes, tout un continuum de formes diverses existe entre ces deux extrêmes.

3. Représentation du monde divin, *Orixás* et «Entités»

Quelles que soient la diversité et la mouvance des traditions en présence, *Orixás* et «entités» sont au centre des cultes afro-brésiliens. Comment les adeptes se représentent-ils aujourd'hui ces anciennes divinités africaines, ces esprits des morts ? Quelle relation entretiennent-ils avec le monde divin ? Quel sens donnent-ils à leurs religions ? Puisque nous traitons de changements, il nous faut tout d'abord évoquer ce qu'est un *Orixá* dans la représentation yoruba traditionnelle.

3.1. L'*Orixá* en pays yoruba (Nigéria, Bénin)

En nous basant sur l'analyse de VERGER (1982) pour les Yoruba d'Afrique, les *Orixás* étaient à l'origine des hommes qui auraient de leur vivant acquis beaucoup de pouvoir, su dominer les éléments de la nature. A leur mort ils auraient subi une métamorphose qui les aurait transformés en énergie pure nommée «*à ş ẹ*»[24].

Pour certains *Orixás*, la tradition orale mentionne une existence historique (JOHNSON, 1937 : 149) : ainsi Xangô fut le troisième roi de la ville d'Oyo et Oyá[25] son épouse l'accompagna jusqu'à la fin de son règne sur terre; Oxalá fut

---

23 Dans la tradition yoruba en vigueur dans les *candomblés* orthodoxes, le sacerdote ne reçoit en principe qu'un seul *Orixá*. Au contraire dans l'*Umbanda*, les adeptes reçoivent plusieurs «entités».

24 *Axé* est la transcription brésilienne de ce terme.

25 Oyá est plus souvent nommée Iansã au Brésil.

roi d'Ifé. On sait aussi que d'illustres ancêtres étaient divinisés et devenaient l'objet d'un culte familial, famille étendue, pour les plus puissants d'entre eux, à l'échelle d'une ville ou d'une nation. C'est à travers leurs descendants que les *Orixás*, forces immatérielles, ont pu continuer à s'exprimer et à se manifester.

3.2. *Orixá* et «Entité» au Brésil

Avec le temps, la représentation de l'*Orixá* au Brésil a évolué (VERGER, 1982 : 31-32). Tant que les adeptes furent des Noirs, même très métissés, ils n'eurent aucune difficulté à justifier leur appartenance à l'*Orixá*-ancêtre, même lointain. Mais aujourd'hui que participent aux cultes des adeptes de toutes origines, certains sans aucune ascendance africaine, c'est en fonction de sa nature et de son tempérament qu'un individu est mis en relation avec un *Orixá*-archétype.

Dans la croyance de l'*Umbanda*, les «entités» que reçoivent les médiums sont des esprits plus ou moins évolués d'ancêtres, d'hommes ayant vécu sur terre et qui sont morts. En cela l'*Umbanda* renoue avec la tradition africaine du culte des ancêtres, bien qu'ici cependant il ne s'agisse pas d'ancêtres familiaux, lignagers, mais bien d'ancêtres du Brésil, qu'ils soient esclaves noirs ou Indiens des forêts, mariniers, Bahianais ou garçons vachers. De plus, certaines de ces «entités» pourraient représenter l'esprit d'une ethnie indigène dans son ensemble, comme semble l'attester des dénominations telles que *caboclo* Tupinamba ou Bororó, voire même de façon totalement mythifiée, de *caboclo* Tupi.

Qu'en est-il de la nature de ces divinités ? Comme l'*Orixá* africain, l'*Orixá* brésilien est énergie, laquelle peut être perçue comme «fluide» ou «lumière», l'*Orixá* étant alors considéré comme un «être spirituel de grande lumière» (SILVA PINTO 1970 : 69). FREITAS (1985) et d'autres tenants des cultes umbandistes insistent plutôt sur la nature vibratoire de l'énergie divine. Comme me l'expliquait un médium du temple Guaracy, «l'*Orixá* est énergie pure, c'est l'énergie de la nature. Cette énergie existe en Afrique, au Brésil, partout dans le monde où il y a de la nature. Chaque *Orixá* correspond à une vibration différente. Puisque nous suivons les traditions d'Afrique, nous donnons aux vibrations le nom d'un dieu africain. Mais en fait on pourrait nommer ces vibrations tout autrement, sans en changer la nature». Dans cette représentation d'une énergie primordiale, universelle et naturelle, nous sommes loin de l'*Orixá*, ancêtre divinisé, de la tradition yoruba.

Dans l'*Umbanda*, au contraire du *Candomblé* traditionnel, ce n'est pas l'*Orixá* lui-même qui se manifeste dans le médium en transe, mais une «entité», «un esprit qui s'actualise dans la même ligne vibratoire d'énergie que l'*Orixá*» (FREITAS 1985 : 11), un esprit qui procède donc de l'*Orixá* mais dont l'intensité énergétique est inférieure à celle du chef de ligne, l'*Orixá* supérieur. Selon un médium du temple Guaracy, «L'*Orixá* est une énergie beaucoup trop forte pour que le médium puisse l'incorporer sans dommage; il ne peut que s'en approcher par le travail avec les *caboclos*». Par ailleurs, l'*Umbanda* distingue les «entités du haut» de celles «du bas»; aux *caboclos* et *pretos velhos* chargés d'une énergie positive, s'opposent les *exus* et *pombagiras*, chargés d'une énergie négative. L'énergie spirituelle se caractérise donc par son intensité et son signe. Elle se caractérise également par sa forme, rendue manifeste par la gestuelle de l'adepte en transe.

La relation des hommes et des dieux se marque par des modalités variant d'une secte à l'autre, voire d'un individu à l'autre; en voici un aperçu : la possibilité qu'a un individu de recevoir une «entité» définie, elle-même en lien énergétique avec un *Orixá* spécifique, résulte de la correspondance, de l'adéquation vibratoire du médium avec l'esprit qui descend sur lui. Telle est, dans l'*Umbanda* du Temple Guaracy, la représentation de la mise en correspondance des deux mondes.

Par contre dans le *Candomblé* la croyance subsiste en l'*Orixá* choisissant son adepte. Pour les tenants du culte, ce fait est démontré de façon indubitable lorsqu'au cours d'une cérémonie, un membre de l'assistance tombe en transe sans aucune préparation initiatique; on dit alors que l'Orixá «prend» (*pegar*) cette personne, le choix de l'*Orixá* se portant sur un individu ayant sa nature, son tempérament.

VERGER (1982 : 32) et COSSARD-BINON (1970 : 215) qui sont tous deux à la fois ethnologues et adeptes du *Candomblé*, donnent une interprétation psychologique de la relation qui s'établit entre l'homme et la divinité. Pour le premier, l'initiation révèle les «tendances innées», «l'archétype de personnalité» de l'adepte. Le second observe de plus que «si l'on examine les initiés en les groupant par *orixá*, on peut remarquer qu'ils possèdent souvent des traits communs, tant sur le plan physique que sur le plan psychique. Les corps semblent porter plus ou moins profondément, suivant les individus, l'empreinte des forces mentales et psychiques qui les animent».

Bien que les adeptes interrogés assurent ne se souvenir de rien une fois sortis de transe, quelques-uns ont cependant accepté de parler de leur perception des choses. Certains éprouvent une forte vibration, une grande énergie ou encore de la chaleur; d'autres parlent d'un état comparable à celui du rêve. Si la sensation du contact avec la divinité varie en fonction de la sensibilité de chacun, par contre tous sont unanimes à dire que c'est au niveau de la tête qu'elle se fixe. Dans tous les cultes afro-brésiliens, la préparation rituelle de la tête de l'adepte est un acte central de l'initiation : rasage et scarification, offrande de nourriture, pratiques dont les détails ont été décrits par VERGER (*op. cit.* .

38-39) et filmés par Cousin[26] dans le cas du *Candomblé*. La langue du Brésil est riche en expressions qui traduisent le mode de relation que les hommes entretiennent avec le monde divin. Si l'on dit que l'*Orixá* «prend» (*pegar*) l'adepte lorsque l'entrée en transe est brutale et non dirigée, par contre il «descend» (*descer, baixar*), «s'approche» (*aproximar-se*) et se «manifeste» (*manifestar*), dans le cas habituel des transes maîtrisées que l'on observe dans les cérémonies publiques. De son côté, l'adepte va «chercher la vibration» divine (*buscar a vibração*) en exécutant un rituel ou bien il en «attire la vibration» (*puxar a vibração*), en chantant des *pontos* ou en jouant des *atabaques*. Quand il «reçoit» (*receber*) le Saint, ou «tombe en état de Saint» (*cair no Santo*), il entre alors «en communication» avec la divinité (*entrar em comunicação*). De plus dans l'*Umbanda*, l'adepte est dit «incorporer» (*incorporar*) puis «désincorporer» (*desincorporar*) son entité. Toutes ces expressions de la langue traduisent la double participation, divine et humaine, à l'œuvre dans la vie mystique. Les dieux autant que les hommes sont les acteurs de cette relation et y collaborent.

Si, dans la conception umbandiste, les «entités» viennent sur terre pour travailler au bien de l'humanité et évoluer en conséquence, au contraire, dans le *Candomblé,* les *Orixás* descendent pour recevoir les hommages de leurs fidèles et réclamer leur dû. En aucun cas l'adepte du *Candomblé* ne s'occupera de la santé des fidèles au cours de sa transe. De plus, l'*Orixá* pourra punir l'adepte si celui-ci ne respecte pas les interdits ou oublie de lui faire les offrandes nécessaires. Ainsi en témoignent les anecdotes que le Père Badu m'a contées : un jour qu'il était allé récolter des plantes en forêt, le Père Badu omit de faire les offrandes nécessaires à Ossain, le dieu des plantes. Peu après, il se perdit dans la forêt. Incapable d'en sortir seul, il dut son salut à ses proches qui, après l'avoir retrouvé, firent les offrandes oubliées. Selon lui, le dieu mécontent l'avait égaré et le retenait prisonnier. Une autre fois qu'il avait perdu de l'argent, le père Badu promit à Ossain de lui offrir tout ce qu'il aimait (miel, tabac, alcool), s'il l'aidait à le retrouver. Ayant récupéré l'argent et oublié sa promesse, il fut un soir interpellé par le dieu qui lui apparu dans la cime d'un arbre sous forme d'un personnage étrange aux longs cheveux. Effrayé, le Père déposa aussitôt les offrandes au pied de l'arbre.

Qu'elles soient «entités» ou *Orixás*, les divinités sont en lien énergétique avec les vibrations de la nature. Tous les tenants des cultes afro-brésiliens insistent sur ce fait : la religion qu'ils pratiquent est une religion de la nature. «Le *Candomblé* est la nature vivante; il n'y a pas de culte des *Orixás* sans la terre, les forêts, rivières, ciel, tonnerre, éclairs, vent ou mer...» professait Oba Biyi, fondatrice de l'*Axé Opô Afonja* (AZEVEDO & MARTINS 1988 : 40). Les cultes d'origine africaine «ont pour base les effets de la nature» (SILVA PINTO,

[26] Cousin C. 1983, «Sortilège à Bahia». Long métrage couleur, 16mm, 1h 20mn. Distributeur : Cousin, 23 rue Joliot Curie, 93100 Montreuil.

1970 : 9). Pour FREITAS enfin (1985 : 29), l'*Umbanda* «fait retrouver à l'homme son ancien savoir naturel, dans la pratique du retour à la nature et aux valeurs spirituelles contenues en elles». Ce même auteur poursuit (*op. cit.* : 77), «l'harmonie entre l'homme et la nature permet de relier l'être et Dieu.» Ainsi, dans cette représentation de l'univers, le monde spirituel participe de la nature. Le contact avec la nature apparaît comme une voie privilégiée permettant d'accéder au monde divin.

Au temple Guaracy, ces principes sont mis en application. Les pratiques initiatiques sont particulièrement orientées vers un certain «retour à la nature», adapté à la qualité de citadin des adeptes. Au cours des *camarinhas de mata*, retraites en forêt réalisées dans l'espace sacré d'Embu, les initiés vivent au contact de la nature, dorment à même le sol, cuisinent sur un feu de bois qu'ils alimentent eux-mêmes, se lavent dans l'eau du ruisseau. Ils vivent ainsi avec le strict minimum (couteaux, marmites et vivres leurs sont fournis), cherchant à trouver le lien vibratoire avec leur esprit tutélaire au travers de cette vie «naturelle» et des rituels qu'ils pratiquent. Plus les adeptes avancent dans le cheminement initiatique, plus le temps des retraites s'allonge et plus les conditions en deviennent rigoureuses. Ce sont alors de véritables opérations de survie qui sont réalisées dans les forêts plus lointaines de l'intérieur, les adeptes devant trouver leur subsistance par eux-mêmes. Quant au Père de Saint Buby, il réalise chaque année en solitaire une retraite de cinq semaines en forêt. En se reliant aux «entités» qui le guident, il va «chercher» (*buscar*) dans la nature les vibrations divines qu'au travers d'un travail rituel il liera à des fragments végétaux ou minéraux qui, rassemblés dans une jarre décorée, deviendront les *inchês* porteurs de la force (*axé*) des *Orixás*. Transportés au cœur du centre urbain de Santo Amaro où ils sont considérés comme le bien le plus précieux du temple, ces *inchês* doivent permettre d'y maintenir la vibration de la nature.

Le besoin essentiel de rester en lien avec la nature est réglé de diverses manière selon les centres religieux. Au temple Guaracy, c'est en ayant un *terreiro* en deux parties, l'une en ville l'autre à la campagne, que le problème est résolu. Le Père Zélito de la petite ville d'Irará a réagi de même, avec un temple en ville et un *terreiro* en bordure d'agglomération. Comme l'indiquent PRANDI & GONÇALVES (1989), les nouveaux *candomblés* de la région de São Paulo s'installent à la périphérie de la ville, de façon à avoir du terrain autour du bâtiment où se tiennent les cérémonies. En cela ils conservent la tradition des anciens *candomblés* de Salvador, qui formaient une «couronne mystique» autour de la ville (BASTIDE, 1958 : 14) avant d'être englobés dans l'agglomération proliférante. Enfin, pour le *candomblé* Ilé Ojaré, coincé sur un espace restreint au milieu du béton et des briques d'un quartier très populaire de Salvador, quelques récipients placés dans une courette ou accrochés à la façade du temple tiennent lieu de *pejis* pour les *Orixás* de plein air. Ainsi, bien que les centres religieux aient un développement urbain, des solutions diverses sont trouvées pour conserver l'essence même de la religion, ce lien fondamental avec la nature.

4. Évolution des religions afro-brésiliennes

Les grands courants religieux *Candomblé* et *Umbanda* convergent pour ce qui fait le fondement de la religion, le mysticisme de la Nature. Par contre ils se démarquent l'un de l'autre par les buts qu'ils poursuivent et du fait d'une divergence idéologique fondamentale que l'on pourrait résumer en ces termes : «africanisation», voire même «yorubanisation» du *Candomblé*; syncrétisme de l'*Umbanda.*

4.1. «Africanisation», «yorubanisation» du *Candomblé*

La recherche des racines, le pèlerinage aux sources n'est pas chose nouvelle. Dès l'abolition de l'esclavage au milieu du siècle dernier, des Pères et Mères de Saint firent le voyage vers l'Afrique (VERGER 1982 : 30). Ceux qui en revenaient étaient grandis, chargés de tout le prestige de la terre Mère. Ils furent facteurs d'une certaine réafricanisation des cultes, y réintroduisant langue, rituels, objets et plantes sacrées.

Par exemple, suite à un voyage au Nigéria de Martiano do Bonfim, fut introduite à l'*Opô Afonja* une caractéristique du culte de Xangô calquée sur le modèle original de la ville d'Oyo (AZEVEDO & MARTINS, 1988 : 11). Ainsi fut créé un corps de douze dignitaires *oba*, «ministres du roi», impliqués dans les affaires civiles du *candomblé*. Un autre épisode, relaté par BRAGA (1990 : 12) est le transfert d'Afrique au Brésil de l'*assentamento* d'un ancêtre fameux, l'*assentamento* étant l'ensemble des objets symboliques qui représentent et personnalisent une divinité.

Pour ce qui est des plantes, je mentionnerai par exemple l'Iroko, arbre sacré qui ombrage le *terreiro* Ilé Ojaré du Père Badu à Salvador. Il m'a dit l'avoir rapporté d'Afrique il y a de cela trente ans. Il s'agit bien en effet d'un *Chlorophora excelsa* d'Afrique et non pas de son équivalent brésilien habituel, le *Ficus doliara*. Comme j'ai pu le constater par ailleurs, bien d'autres espèces typiquement africaines telles que le *Newbouldeia laevis* et le *Parquetina nigrescens* croissent dans certains *terreiros* de Bahia.

D'une façon générale, tout ce qui vient d'Afrique est recherché, connoté d'une valeur supérieure à ce qui est local. Prenons l'exemple de la noix de Cola qui intervient dans de nombreux rituels et dans certaines formes de divination : bien que le colatier ait été acclimaté au Brésil, ce sont les noix mûries sur le sol africain qui sont les plus prisées et donc les plus chères. De même, ce sont les cauris d'Afrique qui sont les plus appréciés pour la divination, alors que les plages du Brésil regorgent de coquillages très semblables. Avec le développement des moyens de communication, les échanges entre les deux continents se sont intensifiés. Ainsi, tout un commerce d'ingrédients africains s'est instauré et les *casas de produtos africanos* prospèrent. D'autre part, les voyages en Afrique des sacerdotes brésiliens sont maintenant chose courante. Les pèlerinages qui autrefois avaient pour but Bahia s'orientent aujourd'hui vers les sanctuaires du Nigéria ou du Bénin.

Le mouvement «d'africanisation», né à l'origine d'entreprises individuelles, aujourd'hui s'organise. Pierre Verger et sa Fondation en sont l'un des moteurs. C'est sous leur impulsion qu'en 1989 fut créée à Salvador la Maison du Bénin et, au Bénin, la Maison de Bahia, dans le but de promouvoir les échanges culturels entre les deux pays. Quant à Mãe Menininha, la prestigieuse Mère de Saint du Gantois, elle fut la fondatrice de «l'Union brésilienne d'étude et de préservation des cultes africains»[27].

Plusieurs autres associations furent également fondées par des sacerdotes en vue de promouvoir la culture religieuse yoruba au Brésil : On peut citer l'*Acabab*, maison de la culture afro-brésilienne à São Paulo. Le *Yorubana*, centre culturel d'études et de recherches yoruba de Rio de Janeiro (PORTUGAL, s.d. : 11), a comme objectif principal de «normaliser, codifier, exalter et préserver l'héritage culturel religieux d'origine yoruba, dans le cadre socio-culturel du pays». Il possède un centre de documentation et de recherche et divulgue un enseignement sur les cultures religieuses afro-brésiliennes. Quant à la *Funaculty* de São Paulo (PRANDI & GONÇALVES, 1989 : 42), fondation pour le soutien des cultes et de la tradition yoruba au Brésil, elle possède également une bibliothèque spécialisée sur la culture yoruba. On y enseigne les danses et les rythmes du *Candomblé*, la langue et la mythologie yoruba. Les recherches qu'on y mène visent à connaître les pratiques actuellement en cours en Afrique et s'intéressent en particulier aux divinités en voie d'oubli au Brésil.

Très tôt le *terreiro* Axé Opô Afonja de Bahia, s'est démarqué comme un des leaders du mouvement d'«africanisation». Oba Biyi qui fonda ce centre en 1910, laisse un souvenir marquant de son action pour le maintien des traditions africaines. Ses successeurs la considèrent comme «un exemple de lutte et de résistance pour la défense et la construction de l'identité religieuse des nègres de Bahia au Brésil» (AZEVEDO & MARTINS, 1988 : 11). Mãe Stella, actuel chef de l'Opô Afonja, poursuit, dans la même lignée spirituelle et idéologique, un mouvement militant d'«africanisation». C'est elle qui la première a fait retirer les images catholiques de son *terreiro*. De plus, elle cherche à entraîner dans un courant concerté de désyncrétisation les autres grands centres traditionnels de

27 Information provenant d'un entretien avec cette Mère de Saint, enregistré sur disque : «Mãe Menininha do Gantois, gravado ao vivo no Gantois, Salvador». Microsillon Continental LP.1.07.405.254.

Salvador, tels que le Gantois ou la Casa Branca. Initié dans la région de Bahia, ce mouvement gagne les communautés religieuses de la région de São Paulo, comme l'ont montré PRANDI & GONÇALVES (1989 : 43). Ainsi peut-on lire, dans le *terreiro* du Père de Saint Idereto do Nascimento Corral établi à Guarulhos, l'inscription suivante : «Toutes les modifications qui ont été et continueront à être introduites dans cette maison serviront, dans la mesure du possible, à la conduire jusqu'à ses racines, l'Afrique».

Le mouvement d'«africanisation» qu'on observe aujourd'hui dans les *candomblés* comporte donc deux composantes : une réafricanisation, cherchant à réintroduire ou simplement à introduire dans les cultes des rituels et connaissances d'origine africaine, essentiellement yoruba; une désyncrétisation, visant à rejeter du culte toute influence culturelle autre qu'africaine, qu'elle soit catholique, amérindienne ou spirite. Pour ce faire, sont mis en œuvre non seulement des voyages aux sources des sacerdotes brésiliens, mais aussi une recherche et un enseignement de type académique, rompant par là avec le mode de transmission traditionnellement oral des connaissances. A ce mouvement de défense de l'identité culturelle et religieuse africaine qui s'organise dans les *candomblés*, s'oppose la tendance antinomique du syncrétisme de l'*Umbanda.*

4.2. Syncrétisme de l'*Umbanda*

Nous avons vu comment au niveau des cultes se mêlaient en un syncrétisme foisonnant des traditions de diverses origines. Cette tendance est soutenue par une idéologie du syncrétisme, véritable volonté qui s'exprime dans les écrits et le discours des sacerdotes umbandistes. Voyons-en, en guise d'illustration, un entretien que j'ai eu avec un médium du temple Guaracy : «Notre but est de préserver la culture et la tradition africaine de notre peuple, de préserver et de maintenir la tradition pure de la culture de nos Indiens. [De plus,] nous élargissons nos recherches aux cultures spirituelles de tous les autres peuples et de toutes les époques». Selon lui, il s'agit de préserver (à mon sens, il s'agirait plutôt d'élaborer) une tradition brésilienne qui rend compte du mélange racial et culturel idéal qui devrait caractériser le pays. Cette observation va tout à fait dans le sens de la remarque de MOTTA (1988 : 43) pour qui la visée des umbandistes serait de créer une religion nationale, dans le sens également de l'analyse de ANDRADE (1992 : 17), qui qualifie l'*Umbanda* de religion brésilienne. De plus, s'exprime dans ces paroles la visée assimilatrice et universaliste à l'œuvre dans ce courant religieux où toute culture spirituelle est la bienvenue. C'est ainsi que le spiritisme d'Allan Kardec, la théosophie, la kabbale juive, participent de la doctrine qui s'élabore dans l'*Umbanda*. En puisant la quintessence des courants spirituels du monde entier, en en réalisant la synthèse, l'*Umbanda* pourrait, dans l'optique de ses adeptes, constituer une doctrine universelle convenant à tout être humain.

Au temple Guaracy, des groupes de recherche sont constitués qui travaillent activement à élaborer la philosophie et la doctrine umbandiste du temple, avec la participation active des «entités» spirituelles qui, selon ces croyances, enseignent aux hommes bien des connaissances oubliées ou secrètes. Ce type de recherche paraît être répandu dans ce milieu religieux et certains écrits umbandistes sont présentés comme un témoignage de l'effort mené conjointement par les hommes et les «entités» divines, en vue de construire une doctrine religieuse cohérente à partir des traditions les plus diverses. L'ouvrage de FREITAS (1985) sur les fondements de l'*Umbanda* aurait ainsi été rédigé sous l'inspiration d'un esprit. Ainsi s'élabore l'*Umbanda*, ainsi se créent les nouvelles traditions syncrétiques du Brésil, produits de l'Histoire sur un plan et fruit de la cohabitation des mondes visible et invisible sur un autre plan.

Conclusion

A travers ces observations, se fait jour l'extrême dynamisme des religions afro-brésiliennes, la vitalité de leur créativité. Des traditions multiples, en changement constant, s'y mêlent, évoluent et se restructurent en une myriade de formes mouvantes. Chaque centre religieux est caractérisé par un profond particularisme en liaison avec la personnalité et les orientations spirituelles du sacerdote qui le dirige. Ce particularisme est renforcé du fait de la restructuration des cultes maintenant entièrement aux mains du *babalorixá-babalaô*. De plus, il est probable que l'individualisme qui caractérise les sociétés dites «modernes» et dont on perçoit la progression au Brésil, ne soit pas étranger à cette évolution. Dans ce foisonnement des cultes et face à l'acculturation grandissante des adeptes plongés dans la société moderne du Brésil, des recherches s'organisent en vue de préserver les héritages culturels, de les codifier, d'élaborer les doctrines religieuses et de les enseigner. Deux grandes tendances religieuses se font jour, différant par leur motivation et leur idéologie : l'*Umbanda* syncrétique, à tendance universaliste, animé par la volonté d'apporter une solution pour tous, et le *Candomblé* «africanisant», «yorubanisant», qui crée un espace fédérateur pour les Noirs brésiliens. On comprend par là même pourquoi l'*Umbanda* est plus populaire et plus répandu que le *Candomblé*, lequel est en effet une religion plus réservée et moins accessible : que sa langue rituelle soit une langue africaine ou encore que bien des *terreiros* soient en périphérie des villes, en sont des indicateurs. L'*Umbanda* par contre est plus populaire, la langue portugaise généralement employée dans les rituels facilitant beaucoup la participation des fidèles. L'œuvre caritative des médiums qui apportent gratuitement aux consultants, un support médical, psychologique, moral et spirituel, constitue un pôle d'attraction majeur. Enfin, l'organisation mise en place dans certains centres, avec un temple en ville et un espace sacré à l'extérieur, donne aux fidèles la possibilité d'une fréquentation aisée et régulière, tout en préservant la présence essentielle de la nature dans le culte.

Entre ces deux courants religieux existe une réelle rivalité d'influence. D'un côté, elle se marque par le développement des cultes de *caboclos* qui gagnent jusqu'aux *candomblés* les plus traditionnels. De l'autre, elle apparaît dans la poussée inéluctable des traditions yoruba qui, soutenues par un courant académique militant, continuent leur avancée dans les cultes. Pourtant, ces différences et ces rivalités n'empêchent pas une profonde affinité résidant dans la croyance en l'existence de forces spirituelles émanant de la nature; pour préserver ce lien essentiel avec la nature chaque centre s'adapte, trouvant une solution originale. D'autre part existe une représentation similaire : le monde divin cohabite avec celui des hommes. En se manifestant sur la terre brésilienne, les divinités protègent et dynamisent les hommes, les aident à vivre et à se développer. En contrepartie, les *Orixás* reçoivent les hommages qui leur sont nécessaires et les «entités» y gagnent la possibilité de grandir à leur tour. Par là même, on comprend le succès de ces religions qui, non seulement offrent à leurs adeptes un support moral, spirituel, voire même matériel, mais encore qui, grâce à la magie du rituel et du symbole, répondent également à ce besoin vital qu'ont des êtres plongés dans un paupérisme grandissant et dans certaines des formes les plus sauvages de l'exploitation de l'homme, de conserver leurs racines et de garder un lien avec l'essence de leur être, leur nature, la Nature.

Bibliographie

ANDRADE, J. M. T. de, 1992, Campo religioso & Ecumenismo ; religiosidade, sincretismo e igrejas, *Debate*, CESE, n°2, ano II.

ARRUDA CAMARGO, M.T.L. de, 1988, *Plantas medicinais e de rituais afro-brasileiros*, I, São Paulo, Ed. Almed.

AUBRÉE, M., 1987, Entre tradition et modernité, les religions, «Brésil», *Les temps modernes*, 491 : 142-160.

AZEVEDO, S. & MARTINS, C., 1988, *E daí aconteceu o encanto*, Salvador, Ed. Axé opô Afonja.

BASTIDE, R., 1958, *Le candomblé de Bahia*, Paris, Mouton.

BRAGA, J., 1990, Ancestralidade Afro-Brasileira, *Religião e Cidadania* : 11-28, col. Cidadania, Bahia, Ed. EGBA/UFBA.

CACCIATORE, O.G., 1977, *Dicionário de cultos afro-brasileiros*, 3e éd., Rio de Janeiro, Forense Universitaria.

CARNEIRO, E., 1948, *Candomblés da Bahia*, Publicações do Museu do Estado, 8, Nouvelle éd. : Ed. de Ouro, col. Prestígio, Brésil.

CHAGAS VARELLA, J.S. das, s.d., *Ervas sagradas na umbanda*, 2ème éd., Rio de Janeiro, Ed. Espiritualista.

COSSARD-BINON, G., 1970, *Candomblé Angola*, Thèse de doctorat, Paris.

FREITAS, B. de, 1985, *Umbanda*, coll. «Enigmas e mistérios do universo», São Paulo, Ed. Hemus.

GOULART, M., 1949, *Escravidão africana no Brasil : das origens à extinção do trafico*, São Paulo, Ed. Livraria Martins.

GRENAND, F. & GRENAND, P., 1990, L'identité insaisissable : Les Caboclos amazoniens, «États et sociétés nomades», *Études Rurales*, n° 120 : 17-39.

HERSKOVITS, M., 1943, The southernmost outposts of New World Africanisms, *American Anthropologist*, 45 : 495-510.

JOHNSON, R.S., 1921 (réédité en 1970), *The History of the Yorubas from the Earliest Times to the Beginning of the British Protectorate*, C.M.S. (Nigeria), Lagos, Bookshops.

LOUIS, C., 1992, Mimosa tenuiflora (*Willd.) Poiret ou tépescohuite, le point sur une plante médicinale à visée cicatrisante*, Doctorat de Pharmacie, Fac. de Pharmacie de Montpellier.

MOTTA, R., 1988, Indo Afro-European syncretic cults in Brazil : their economic and social roots, *Cahiers du Brésil contemporain*, 5 : 27-48.

OLIVEIRA, J. P. de, s.d.1, *Filosofia Afro-umbandista e seus mistérios,* Rio de Janeiro, Ed. Espiritualista.

— s.d.2, *Os Orixás Africanos na Umbanda*, Rio de Janeiro, Ed Espiritualista.

ORTIZ, R., 1975, Du syncrétisme à la synthèse, *Archives des Sciences sociales des Religions*, 40 : 89-97.

PESSOA DE CASTRO, Y.A., 1976, *De l'intégration des apports africains dans les parlers de Bahia au Brésil*, Doctorat es lettres (langues et littératures africaines), Campus de Lubumbashi, Univ. Nationale du Zaïre.

PORTUGAL, F., s.d., *Ossayn, o orixá das fólhias*, 2ème ed., Rio de Janeiro, Ed. ECO.

PRANDI, R. & GONÇALVES, V., 1989, Deuses tribais de São Paulo, *Ciência hoje*, 10 (57) : 34-44.

RODRIGUES, N., 1933 (5ème éd. 1977), *Os Africanos no Brasil,* São Paulo, Companhia editória Nacional.

SCHULTES, R.E. & HOFMANN, A., 1973, *The Botany and Chemistry of Hallucinogens*, Springfield, Ed. Thomas.

SILVA PINTO, T. da, 1970, *A origem da Umbanda*, Rio de Janeiro, Ed. Espiritualista.

THOMPSON, R.F., 1985, *L'éclair primordial, Présence africaine dans la philosophie et l'art afro-américains*, Paris, Éd. Caribéennes.

VANDEZANDE, R., 1975, *Catimbó, pesquisa exploratória sobre a forma nordestina de religião mediúnica*, Dissertation de maîtrise en sociologie, U. de Recife.

VERGER, P., 1957, Notes sur le culte des Orisa et Vodun, à Bahia, la Baie de tous les Saints au Brésil et à l'ancienne Côte des Esclaves en Afrique, *Mémoires de l'IFAN*, Dakar.

— 1968, *Flux et reflux de la traite des nègres entre le golfe du Bénin et Bahia de tous les Saints*, Paris, Mouton.

— 1982, *Orisha. Les dieux yoruba en Afrique et au Nouveau Monde*, Paris, Éd. Métailié.

WILBERT, J., 1991, Does pharmacology corroborate the nicotine therapy and practices of South American shamanism ?, *Journal of Ethno-Pharmacology*, 32 (1-3) : 179-186.

Messianisme et modernité chez les Ngöbe-Guaymi[1] de Panama

Françoise GUIONNEAU-SINCLAIR
Université de Panama

> *«Ces mouvements sont une partie du processus d'adaptation sociale et économique imparfaite à des conditions venant directement ou indirectement de contacts avec l'Occident. Ce ne sont pas de simples réponses passives... Ce sont des essais créatifs d'une population qui cherche à réformer ses propres institutions.»*
>
> Firth, in Worsley, 1983 : 255

Les rapports entre certaines formes de mutation sociale observables aujourd'hui chez les peuples indigènes et l'action d'intégration menées par la société dominante sont la trame du mouvement prophétique et messianique analysé ici.

C'est dans le contexte binaire d'un État promulguant lois et décrets assimilateurs, face à des Amérindiens tentant d'organiser une résistance, que s'inscrit cet émouvant événement : l'avènement de la République Guaymi Libre qui conduisit les Ngöbe à la sécession en avril 1965. Ce mouvement, qui appartient aux nouvelles formes religieuses qui se développent actuellement dans l'Amérique indigène, comme en témoignent l'Église Maya du Mexique ou le culte du peyotl aux États-Unis, fait partie intégrante du processus d'adaptation des sociétés traditionnelles à la modernité. De nature syncrétique, profondément lié au problème de la terre, il est une réponse à l'État-Nation qui s'obstine à refuser aux Ngöbe l'accès à un territoire équitable dont ils seraient propriétaires : jusqu'à présent, le projet de loi relatif à la délimitation d'un territoire guaymi (ce qu'on appelle une *comarca*), qui devait mettre fin au processus de spoliation des terres, n'a toujours pas été approuvé par le pouvoir législatif panaméen.

---

[1] Ngöbe est l'autodénomination d'un peuple amérindien de la famille linguistique chibcha, classiquement connu dans la littérature anthropologique sous le nom de Guaymi et peuplant les régions montagneuses de l'ouest de Panama, jusqu'au Costa Rica. Ils sont environ 100 000 personnes.

1. Conditions d'une difficile enquête

Le mouvement Mama Chi prend naissance en 1962 dans la province panaméenne de Chiriqui, ébranlant tant les forces conservatrices des chamanes que les énergies modernistes de la jeunesse.

A la mort de la prophétesse Mama Chi, en 1964, le mouvement se scinde en trois groupes : celui des jeunes, d'une manière générale plus au fait de la culture panaméenne; celui du cacique Samuel González, prédicateur désigné comme le successeur temporaire de la prophétesse, régent jusqu'à la majorité de sa fille Nina Chi, alors âgée de quatre ans; celui enfin des chamanes, partisans d'une succession directe de l'enfant.

Ces trois factions existent encore aujourd'hui. Il m'a été facile de travailler avec le groupe correspondant aux jeunes d'alors, actuellement membres actifs de mouvements politiques. Plus difficile fut d'approcher le cacique. Cependant, après une période d'adaptation et de mise à l'épreuve, des relations de confiance s'établirent, qui perdurent aujourd'hui. Quant au groupe des chamanes, il me fallut de longs mois de patience, de vaine attente, de voyages solitaires et inutiles dans la montagne avant de pouvoir enfin rencontrer celle qui est aujourd'hui reconnue comme une sainte par le peuple guaymi, Nina Chi. Elle et ses fidèles vivent retirés du monde, refusant de fréquenter les étrangers et même de leur adresser la parole. Nul, en principe, ne peut être reçu par Nina Chi. Toutefois, et pour des raisons qui me demeurent obscures, j'ai, par deux fois, été autorisée à dialoguer avec elle, cependant que nous sommes restées en contact épistolaire. Après maintes péripéties en tout point comparables à un rite initiatique, je fus admise au sein de la communauté religieuse. Alors une prédicatrice, Margarité Amador, m'enseigna les chants et les prières particuliers à leur secte. Durant de nombreuses heures de veille, Nina Chi me conta l'histoire de sa mère, cette femme merveilleuse et admirable, Mama Chi qui, lassée de tant de misère et d'injustice, se lança un jour pour son peuple à la conquête du paradis sur la terre guaymi. Des circonstances historiques ainsi qu'un climat socioculturel précis avaient permis tant la gestation que la réalisation de ce mouvement, portant une femme amérindienne en position prééminente de prophétesse et de messie. Les conséquences qui en découlèrent pour la société ngöbe-guaymi furent et restent dramatiques.

2. Le mouvement prophético-messianique ngöbe

Vers les années 1960, la société ngöbe est au paroxysme d'une crise : les terres amérindiennes sont chaque jour davantage envahies, à la fois par des propriétaires fonciers et par des paysans sans terre; la nécessité d'émigrer à la recherche d'un travail salarié se fait plus pressante; la présence missionnaire tant catholique que protestante, ne se relâche pas; enfin, une administration contraignante s'ingénie à développer des formes de changement totalement contraires aux aspirations légitimes des indigènes. Le seul but de l'État reste, en précipitant un processus d'acculturation ethnocidaire, l'intégration du peuple ngöbe à la société nationale.

La politique d'émigration vers les plantations et les fermes d'élevage entraîne l'absence des hommes aux champs et l'abandon d'activités rituelles. A son retour, l'émigrant n'accepte plus ni l'autorité paternelle ni la soumission aux anciens. Ajoutées au problème de la terre, ces données nouvelles entraînent une déstabilisation profonde de la société ngöbe de l'époque. C'est dans ce dur contexte de crise économique, sociale et culturelle que surgissent divers phénomènes religieux : de jeunes visionnaires font état de plusieurs apparitions de la Vierge; ils seront postérieurement intégrés comme apôtres au mouvement de Mama Chi.

2.1. Portrait d'un messie

La jeune Delia Bejerano de Atencio a vingt ans lorsque, en compagnie de son époux, journalier dans la plantation bananière de Chiriqui, elle vit la grève la plus importante qu'ait connue la compagnie United Fruit. Plus de 5 000 ouvriers ngöbe y participent activement et les dirigeants sont eux aussi ngöbe. Ils paieront très chèrement cette grève, qui débouchera sur le licenciement de 1 700 journaliers amérindiens, brusquement obligés de retourner sur leurs terres sans la précieuse monnaie que l'on échange contre des biens désormais devenus indispensables.

Mama Chi a vécu ces événements et a, pour le moins, compris les leçons reçues des syndicalistes à la plantation. Au sein de son peuple, elle est une femme d'avant garde : faits peu communs en 1960, elle parle espagnol, possède une carte d'identité et est mariée selon la loi panaméenne. On sent là l'influence d'une mission religieuse. Si elle est un personnage d'exception, c'est que ces faits, qui sont plutôt l'apanage de quelques hommes, ne la détournent pas de sa condition de femme profondément attachée à certains pans de la tradition. Elle habite Boca Balsa, district de San Lorenzo, province de Chiriqui, à l'extrémité occidentale du territoire indigène, là où la pénétration du grand propriétaire foncier et du paysan sans terre est tout à fait notoire. Son peuple l'appelle Besigo, ou encore Petite Mère, Mama Chi, en opposition à la Grande Mère, Mama Kri, qui est la Vierge.

2.2. Cadre de l'annonciation

Le 25 Mars 1964, jour de l'Incarnation, Mama Chi fit un discours relatant sa première apparition. Voici la teneur de ses paroles, telles qu'elles m'ont été rapportées :

> *«Le 22 Septembre 1962*[2]*, vivant à la confluence de deux fleuves importants, le Balsa et le Fonseca*[3]*, elle était seule chez elle avec sa petite fille âgée de deux ans. Il était onze heures du matin lorsqu'elle entendit le bruit d'un avion volant tout près. Elle sortit et vit alors un homme et une femme descendre du ciel, portant une tunique blanche et juchés sur un appareil ressemblant à une motocyclette*[4]*. Lorsque l'appareil atterrit, la terre se mit à trembler et deux collines s'écroulèrent avec fracas. Alors Mama Chi cria, prit son enfant dans ses bras et tomba évanouie.»*

Ce discours montre combien les événements racontés restent proches de la trame traditionnelle. Par exemple, la solitude du personnage, son évanouissement, la position stratégique de sa maison entre deux fleuves confluant, le tremblement de terre ainsi que l'écroulement des deux collines font partie, chez les Ngöbe, de la procédure d'accès à la fonction de chamane. Le chamane, **sukia**, est visité par le Dieu Ngöbö et leur rencontre se tient toujours en un lieu solitaire, près de ces deux éléments indispensables que sont un fleuve et une colline. Lorsque l'élu est visité pour la première fois par le Dieu, il s'évanouit lui aussi. Les tremblements de terre sont toujours considérés comme des tentatives divines de destruction de la terre et Ngöbö est, originellement, associé à une colline.

Reste que l'écroulement des collines peut aussi être interprété comme le symbole de ce qui se passera si Mama Chi échoue dans la mission qui va lui être confiée. A la différence d'autres visionnaires, elle reçoit non seulement la visite de la Vierge, mais aussi celle de Dieu, qui prend lui-même la parole, et cela confère à la jeune femme une aura supérieure dans la hiérarchie des visionnaires. Son discours continuait en effet ainsi :

> *«L'homme prit l'enfant dans ses bras et parla, disant à sa mère de ne pas avoir peur. Puis ils entrèrent dans la maison, s'assirent sur un banc et l'homme parla de nouveau : "Voici la Mère; je suis le Père; nous sommes aux cieux. La Mère est descendue sur terre de nombreuses fois. Maintenant c'est moi qui suis descendu pour te demander une parcelle de terre pour mon œuvre. Moi, Dieu, j'ai fait la terre et le ciel; veux-tu me donner cette parcelle de terre ? "»*

Et la jeune femme acquiesça. Cet être, créateur de l'univers, lui avait révélé qu'il était le Père, **tadta**, et que sa compagne était la Mère, **mama** , selon la

---

[2] YOUNG (1978) propose comme date exacte de l'apparition le 22 Septembre 1961, car c'est l'information qu'il a recueillie. Cependant, je pense après enquête que l'année doit être 1962 : non seulement c'est ce qui m'a été communiqué par le cacique Samuel Gonzalez, mais encore c'est la date donnée par les magistrats municipaux lorsqu'ils consignèrent l'événement.

[3] A la confluence de ces deux fleuves se trouvaient, aux temps préhispaniques, les centres de formation des caciques, des prêtres, chamanes et sorciers.

[4] L'usage de la motocyclette était très fréquent dans les bananeraies.

dichotomie tout à fait traditionnelle PÈRE/MÈRE. Et au cours du dialogue qui s'établit, en guise d'épreuve, Dieu demanda le don suprême, une parcelle de cette terre devenue rare et donc infiniment précieuse. Discours simple et pourtant chargé de symboles, comme va le montrer la prophétie.

2.3. La prophétie

Il existe deux messages laissés par Dieu : un message oral et un message écrit. Selon le discours de Mama Chi, voici la déclaration orale :

> *«Dieu exigeait qu'en deux ans elle réunît tous les Ngöbe autour de tous les chamanes, afin de leur révéler son arrivée prochaine. Dans les cinq années à venir, les Ngöbe devaient l'adorer dans des chapelles, prier constamment, travailler cinq jours par semaine et lui consacrer les deux autres. Ils devaient abandonner les fêtes, ne plus pratiquer le rite de passage masculin, ni la fête des balsas, ni la fête de boisson. S'ils n'accomplissaient pas ses désirs, Dieu détruirait la forêt, assécherait les fleuves, éteindrait le soleil et détruirait la terre.»*

Dieu laissa aussi des recommandations écrites, représentées sur le sol par des signes ésotériques qui devraient être éclaircis dans un avenir proche. Ces signes sont inlassablement recopiés sur des cahiers par les fidèles et ne peuvent être montrés à aucun non-indigène. YOUNG (1978 : 62) dit avoir vu certains de ces cahiers, avec des signes du zodiaque, des lettres romaines et grecques écrites à l'envers, des chiffres arabes et des gribouillages. Je n'ai pour ma part relevé aucun gribouillage, mais j'ai pu reconstituer un alphabet (Fig.) qui n'est autre que le nôtre avec des lettres ingénieusement transformées (GUIONNEAU-SINCLAIR, 1987 : 84). Parallèlement à ce phénomène, le lexique a subi quelques transformations. Certains noms d'objet ont changé, comme par exemple **hechi**, mis pour **bogoda**, «crapaud», ou encore **chigi**, mis pour **nugro**, «chien» (YOUNG, *ibid.*). Or, changer les mots, c'est changer l'ordre du monde. Tout ceci fait partie du bagage de connaissances ésotériques que devaient, dans les temps anciens, posséder tant les chamanes-prêtres que les chamanes-sorciers, ou encore les caciques, et qui est aujourd'hui du domaine du chamane ordinaire, le **sukia**. Souvenons-nous à ce propos que Mama Chi devra, selon les injonctions de Dieu, s'appuyer sur tous les chamanes et le peuple réunis.

Le message qu'elle délivra dans son discours du 25 Mars 1964 comprenait d'une part la prophétie révélée par Dieu, d'autre part les propres injonctions proposées par la jeune femme pour en favoriser la réalisation : Dieu choisit le peuple ngöbe à cause de ses souffrances. Dieu veut sauver le monde et non le détruire. La venue de Dieu sera annoncée par des signes mystérieux. L'année 1964 sera justement celle de miracles et de prodiges, premiers signes destinés à vaincre l'incrédulité des hommes. La Vierge continuera d'apparaître, tous les fidèles entendront le son de clochette annonçant sa venue et pourront la voir.

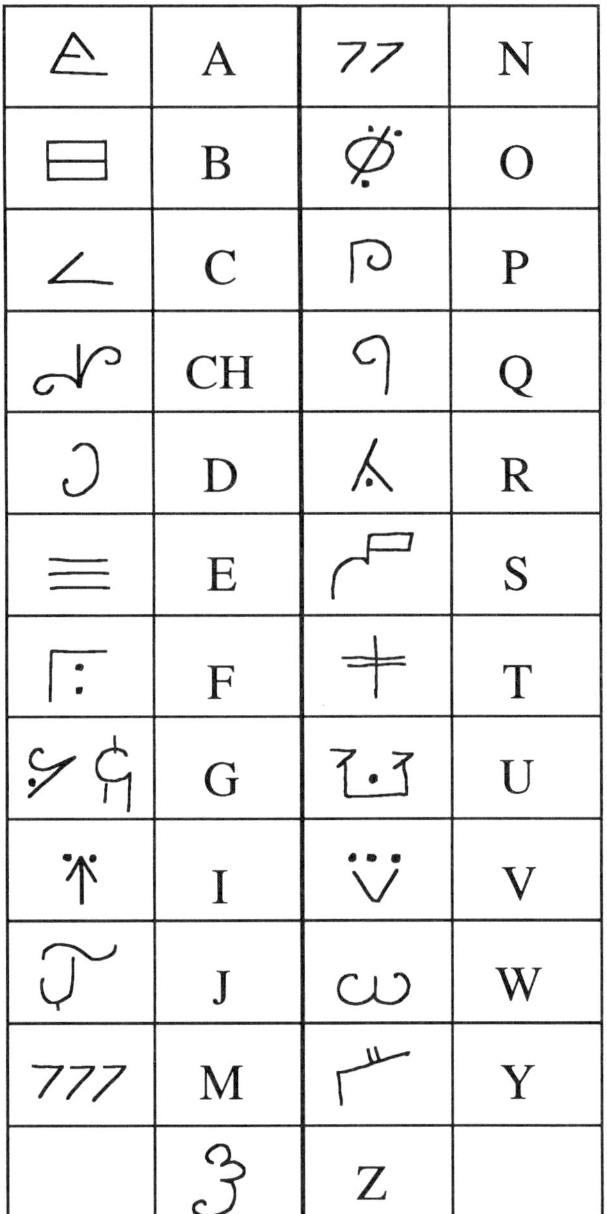

Figure. Alphabet ésotérique ngöbe, utilisé dans le culte messianique Mama Chi au Panama (GUIONNEAU-SINCLAIR, 1987 : 84).

Le contenu de la prophétie porte sur la fin prochaine des maux physiques; elle annonce la victoire sur la mort, le triomphe des Ngöbe, peuple élu, sur les *Latinos*[5], l'interdiction de fréquenter les étrangers, leurs villages, leurs écoles, et même leurs hôpitaux. C'est l'annonce de la fin d'un monde, du renversement imminent de l'ordre, de l'invincibilité de la révolte ngöbe, sauf au cas où les fidèles n'accompliraient pas les commandements de Dieu. Enfin, Mama Chi annonça sa propre mort prochaine et prédit sa résurrection.

2.4. Les injonctions de Mama Chi

Ainsi, les Ngöbe doivent désormais assumer la responsabilité de leur destinée : le paradis sur terre ou la destruction de leur peuple. Pour les y aider, Mama Chi accompagna la prophétie de Dieu d'un certain nombre d'injonctions que l'on peut découper en six thèmes principaux.

L'union

Le peuple sera uni. Pour cela, on doit éliminer toute source de division; cesser vices, bagarres et discorde; arrêter de boire de l'alcool; abandonner la fête des balsas et la fête de boisson; il faut aussi arrêter de confier les enfants aux étrangers et de les envoyer dans les écoles à l'occidentale, car à leur retour, en pleine adolescence, leur réinsertion dans la vie amérindienne est trop difficile[6]. Pour obtenir cette union, un seul chemin est indiqué par Mama Chi : il faut créer une société fraternelle. C'est ainsi qu'elle étendit à tous les membres de son mouvement l'usage de certains termes de parenté ayant auparavant un sens plus restreint : **teba**, germains du même sexe, et **ngwae**, germains de sexe opposé, avec les implications, dangereuses pour la reproduction de la société, que cela suppose : évitement absolu pour ces derniers, amour fraternel pour tous, devant déboucher sur la pratique d'une nouvelle éthique de vie (WORSLEY, 1983 : 250).

---

[5] *Latinos* est le terme espagnol utilisé à Panama pour désigner la population non indigène mais de longue souche dans le pays, renvoyant ainsi aux racines ibériques. Pour les Amérindiens, ils restent des étrangers.

[6] Une coutume assez ancienne était de confier temporairement une fille ou un garçon à une famille *latina* de la ville afin qu'en échange de ses services, celle-ci lui donnât le gîte, le couvert et l'éducation scolaire. Les parents venaient rechercher leur fille vers l'âge de la puberté pour la marier, alors que le garçon restait plus longtemps. En général, ces enfants perdaient leurs coutumes et l'usage de leur langue maternelle au profit de l'espagnol. Leur réadaptation était souvent délicate et conflictuelle. On peut donner plusieurs raisons à l'existence de cette coutume, la plus importante, telle qu'elle saille de mes enquêtes de terrain, étant celle-ci : bien qu'établissant une sorte de clientélisme au détriment des Amérindiens, ces derniers avaient l'impression d'en sortir gagnant, tant l'intérêt pour la connaissance et le savoir, que confère effectivement une éducation de type occidental, est grand.

Le travail de la terre

Avant tout, la terre doit être garantie[7]. Il faut travailler intensément dans la réserve, désormais délimitée et bornée par les Amérindiens, sinon par l'État[8]. On doit, à terme, produire et engendrer l'autosuffisance qui permettra de rejeter ce qui vient de l'extérieur et faire cesser la dépendance vis-à-vis des produits de consommation étrangers. L'ordre de Mama Chi est de faire produire la terre selon les techniques observées et apprises chez les *Latinos*, ainsi que d'élever bovins et poules, afin que, par une bonne alimentation, soit préserver «la race ngöbe». Cette insistance portée sur le maintien de la fertilité et des rendements est à mettre en relation avec les observations qui avaient été faites par les indigènes d'une baisse de leur production agricole (WORSLEY, 1983 : 43).

Il est vrai, ainsi que le rapporte YOUNG (1978 : 56), que Mama Chi recommanda la destruction des troupeaux de bovins et de porcs, et non celles, et l'auteur s'en étonne, des chevaux et des poules. Or, ceci est parfaitement explicable lorsqu'on constate que l'ordre ne portait pas sur les animaux destinés à la consommation familiale, mais uniquement sur ceux destinés à être vendus aux *Latinos* : le souci de la prophétesse était de supprimer non l'animal domestique en soi, mais la monnaie. Sans monnaie, plus de perversion par le dollar qui permet l'introduction dans les communautés de tout un matériel étranger. En outre, il faut sans doute voir dans l'ordre d'éliminer les porcs une influence adventiste.

La prière

Le samedi et le dimanche sont dédiés à Dieu et au repos. Les autres jours de la semaine, à la prière toujours, et au travail. Dans cette sélection, on peut supposer encore une fois l'influence adventiste dans le choix du samedi; l'influence catholique dans celui du dimanche, et l'influence du travail salarié sur celui des cinq jours de travail d'affilée, ce qui était effectivement le cas sur les bananeraies.

Par ailleurs, pour que Dieu puisse venir vivre sur la terre des Ngöbe, ceux-ci doivent rester en prière durant cinq années, soit jusqu'à la fin de 1967. Cette vie de prière se doit de remplacer les piliers que la société s'était donnés et qui doivent disparaître, les rites de passage et les fêtes. Pour autant, Mama Chi décide de ne pas s'aliéner les chamanes. S'ils dirigeaient jusqu'alors la vie religieuse, s'ils étaient traditionnellement les intermédiaires entre les esprits et le peuple, ceux qui la suivirent dans son mouvement messianique devinrent les interprètes des signes divins et eurent pour charge d'enseigner les prières et les chants anciens, hors désormais de leur contexte rituel coutumier. Ainsi assista-t-

[7] Ce à quoi s'employèrent effectivement immédiatement les Ngöbe.

[8] Les lois de 1934, 1952 et 1958 avaient accordé des «réserves indigènes» aux limites aussi floues que fantaisistes (JAÉN, 1991 : 12) et n'impliquant pas de réelles garanties.

on de la part des responsables du mouvement à une attaque de certaines anciennes coutumes cependant qu'ils tentaient de faire absorber des éléments nouveaux.

Le pacifisme

L'homme doit vivre en paix avec ses frères sur les terres indigènes, même avec ceux qui n'auront pas suivi la foule des adeptes. Mais il doit aussi supporter la persécution, ce qui rapproche ce mouvement du christianisme. Pour ce qui est de ses voisins *Latinos*, il doit observer à leur égard une attitude de pacificisme intégral.

La xénophobie

Ce pacifisme intégral vis-à-vis des étrangers est en fait fondé sur la totale ignorance que l'on doit observer à leur égard. Mama Chi ordonne de vivre dans un monde parallèle; il ne sera plus besoin de leur adresser la parole, interdit de leur vendre ou acheter quoi que ce soit, inutile de passer par leurs villages où guettent, comme autant de tentations perverses, les magasins et les bars.

Il pourrait sembler contradictoire que, trois de ses cinq apôtres étant métis et certains de ses fidèles, paysans, Mama Chi se déclare ainsi xénophobe. Or, elle stigmatise ceux et uniquement ceux qui exploitent les Amérindiens et les paysans pauvres, autant dire les commerçants et les propriétaires terriens; autant dire l'État et ses fonctionnaires. Ainsi la prophétesse ordonne de ne plus se soumettre à la loi panaméenne : jeter sa carte d'identité; ne plus déclarer naissances ni décès. Les *corregidores*, magistrats municipaux qui avaient pour tâche de tenir l'état civil, de régler les conflits et de servir d'intermédiaire entre l'État et les Amérindiens, voient d'un coup leur autorité bafouée et leur rôle annihilé.

Aussi bien, sous des dehors pacifistes et simplement xénophobes, peut-on voir les prémices d'une rébellion contre le pouvoir central et les germes d'une nation amérindienne autonome.

2.5. Lutte contre des rituels traditionnels

Mama Chi interdit, nous l'avons déjà énoncé, les rites de passage masculins, la fête des balsas et la fête de boisson. Il est temps d'en dire davantage et en particulier d'exposer ce que sont ces deux dernières cérémonies.

La fête des balsas, ou **krunkite**, est un jeu de bâtons. Un chef local, dit cacique, prend en charge l'organisation d'une réunion au cours de laquelle se réalisera le jeu de bâtons. Quatre mois avant la date prévue, il invite un homme de sa condition, lui faisant remettre une cordelette comportant autant de nœuds que de jours les séparant de la rencontre. Chaque jour, un nœud est sectionné. L'amphitryon, **kububu kri wiri**, doit fournir l'alimentation et la bière de maïs, *chicha*, à son invité, **kububu kri kugueri**, qui viendra avec ses consanguins et ses alliés. Autant dire que cette fête suppose une importante production d'aliments de la part de l'invitant et de tout son groupe de parenté, car l'appui logistique de celui-ci est requis pour la transformation et le stockage des vivres, qui se fait au niveau de plusieurs unités résidentielles ainsi réunies. L'invitant doit aussi pourvoir à la constitution du stock de bâtons nécessaires; il s'agit de tronçons de balsa (*Ochroma lagopus*), coupés trois mois auparavant et donc déjà devenus très secs et très légers. Un cycle de huit réunions annuelles est ainsi tenu, répété l'année suivante avec échange des rôles entre l'invitant et l'invité. C'est le nombre requis de fêtes pour que soit scellée entre les deux chefs et leurs groupes de parenté respectifs, la relation dite **etebali**, terme dans lequel on reconnaît la racine **teba**, «germains du même sexe». Ce cycle festif a pour but d'établir entre deux chefs de même stature et leurs groupes de parenté, des relations fictives de type consanguin, qui entraîneront ensuite aide et assistance mutuelle. Insistons sur le fait que cette relation d'échange est désormais exclusive des autres groupes de villages, lesquels en établissent d'ailleurs de semblables. Reste que basé sur une démonstration de puissance économique et sociale, ce rituel est la reconnaissance finale de deux hommes en tant que chefs importants[9], ce qui, dans une société où la stratification n'est que légèrement définie, revêt une importance capitale (YOUNG, 1968 : 420). Il ne fait pas de doute que l'on peut aussi voir, dans ce long rituel, un mode de consommation égalitaire des surplus économiques, jouant dans le maintien des entraves à la constitution de strates sociales.

La fête de boisson, appelée **toi**, est un rite de fertilité réalisé quelques jours avant l'entrée dans la saison des pluies, juste avant les semailles. Un chef et les gens de son unité résidentielle organisent une réunion à laquelle sont conviés un autre chef et sa maisonnée. Ce sont en général des parents proches, voisins et alliés, qui se réunissent ainsi durant un jour et une nuit de pleine lune. Chants et danses sont exécutés sous la direction d'un chamane; les vivres et la boisson, toujours et uniquement de la bière de maïs, sont offerts par l'amphitryon. Aux invités de montrer qu'ils sont dignes de leur hôte en ingérant tout ce qui leur est offert. Ainsi sont scellées des relations amicales entre les deux groupes qui se marqueront, les jours suivants, en travaillant la terre de concert, dans le cadre d'une stricte réciprocité.

Alors que la fête de boisson est géographiquement circonscrite puisqu'elle réunit les parentèles de maisonnées proches, éloignées de quelques heures seulement, la fête des balsas provoque quant à elle l'union exclusive de deux groupes de communautés fort distantes, séparées de deux à quatre jours de marche. Autrement dit, ceux qui sont compétiteurs lors des fêtes de boisson sont

[9] Peut-être servait-il, dans les temps très anciens, à sélectionner les chefs de guerre.

obligatoirement alliés lors de la fête des balsas. Dans les deux cas cependant apparaît très clairement cette relation de consanguinité fictive, **etebali**, qui suppose tout à la fois don et réciprocité, compétition et coopération. Or l'on se souvient que Mama Chi a justement choisi de développer entre ses fidèles les relations de germains, **teba**. Pourquoi s'y oppose-t-elle donc entre les communautés, proches ou éloignées? Sans doute la réponse est-elle à chercher du côté de la compétition que supposait les rituels de la fête des balsas et de la fête de boisson; puisqu'ils aidaient à la constitution de groupes et de sous-groupes, elle aura craint qu'ils n'aillent dans le sens d'une division de la société, s'opposant ainsi à l'union pan-guaymi qu'elle souhaitait mettre sur pied. C'est en tout cas au nom de l'union et de la non-violence que la prophétesse a banni ces importants rituels.

2.6. L'organisation ecclésiastique

Il semblerait que Mama Chi, représentant Dieu sur terre, soit, au sein de la hiérarchie de sa secte, le Christ lui-même, bien que puisse être établi un parallèle avec Moïse recevant, sur le Mont Sinaï, la Table des Dix Commandements pour un peuple tourmenté et sans terre.

Une fois par an, doivent se réunir sur un des lieux d'apparition de la Vierge, tous les messagers et prédicateurs du mouvement. Une campagne intensive est alors organisée par Mama Chi, ses apôtres, les chamanes et les prédicateurs qui sillonnent le pays ngöbe, de Veraguas à Chiriqui, de Chiriqui à Bocas del Toro, et même dans la montagne, de Talamanca au Costa Rica. Ainsi s'est constituée une organisation structurellement différente des instances anciennes. Car même si, en s'alliant une partie des chamanes, qui ont toujours fait partie de l'élite, elle sut, dans son mouvement, donner une place aux forces traditionnelles, elle a, parallèlement, tenu à s'entourer d'un corps de conseillers composés de jeunes gens scolarisés et possédant une longue expérience du contact avec les étrangers, soit pour avoir séjourné chez eux durant leur scolarité, soit pour avoir été leurs salariés dans la bananeraie.

3. La période post-Mama Chi

3.1. La mort de la prophétesse

Le 14 Septembre 1964, deux ans après la naissance de son mouvement, mourut Mama Chi, probablement de tuberculose. Attendant, comme elle l'avait annoncée, sa résurrection, ses fidèles la veillèrent plusieurs jours durant, pour enfin se résigner à l'enterrer près du fleuve Fonseca, où l'emplacement de sa tombe peut encore être visité.

Fallait-il voir dans sa mort, que s'était d'ailleurs prédite Mama Chi, la fin de l'état de corruption et de ruine de la société passée et dans sa résurrection attendue, la voie de la rénovation et de la renaissance d'une société nouvelle? Toujours est-il que les Ngöbe durent faire face à une situation qu'ils n'avaient pas envisagée : la mort d'une prophétesse non suivie de sa résurrection.

3.2. L'instauration d'un ordre nouveau

Avant de mourir, la prophétesse avait désigné son successeur, Samuel Bejerano Gonzalez, pour assumer les fonctions de régent jusqu'à la majorité de celle qu'elle considérait comme sa légitime héritière, sa fille, que Dieu avait prise dans ses bras le jour de la première apparition. Samuel est un homme jeune, qui a travaillé dans la plantation bananière et est fortement influencé par l'élément avangardiste du mouvement : maîtres d'école, étudiants, ouvriers, jeunes élevés chez les *Latinos*. L'équilibre que Mama Chi avait instauré, intégrant dans son mouvement les forces traditionnelles des chamanes et les forces modernistes de la jeunesse, est désormais précaire, et une lutte interne voit le jour.

C'est la jeunesse qui triomphe, celle des syndicalistes et des jeunes gens politisés. Le 20 Avril 1965 est proclamé l'Ordre Nouveau Indigène, qui implique la création de la République Guaymi Libre par les quatre mille Ngöbe réunis à Boca Balsa. Le président en est Samuel Bejerano Gonzalez. Sont encore élus un vice-président, douze représentants et soixante dix huit conseillers, ces derniers devant servir d'intermédiaires entre la communauté et le Président. Un corps de police est créé. L'assistance aux réunions de la présidence doit être validée par la présentation d'une carte d'identification, constituée d'un rectangle de papier comportant plusieurs signes cabalistiques.

Les objectifs proclamés par l'Ordre Nouveau Indigène sont les suivants : enregistrement des naissances et des décès par les chefs locaux (ce qui implique l'expulsion du représentant officiel de l'État panaméen, le *corregidor*); contrôle des entrées et des sorties du territoire indigène au moyen d'un permis; concentration de la population indigène en villages; interdiction de l'alcool, de la polygamie, de la fête des balsas; alphabétisation bilingue (langues indigène et espagnole); utilisation de techniques modernes d'agriculture. La nouvelle République est dotée d'un hymne, d'un drapeau et d'une constitution suivant les commandements de Mama Chi. Le nouveau dirigeant a donc franchi le pas qui séparait la simple réserve retranchée du monde voulue par la prophétesse, de la constitution d'un État libre. On quitte le royaume terrestre de Dieu pour entrer en république. Le mouvement est passé du religieux au politique.

3.3. Les idéaux de la nouvelle République

Le regard porté sur les étrangers par les membres dirigeant cette nouvelle République est tout sauf le regard appauvri du déculturé soumis et passif. Il faut plutôt parler d'appropriation, de récupération : reprendre à leur profit les expériences tentées par d'autres, une fois débarrassés de cette subordination ethnocidaire sous laquelle ils étouffaient, telle semble être la volonté première des responsables. Cette appropriation ne s'effectue pas selon un simple processus d'apprentissage, mais grâce à un mécanisme complexe où l'assimilation n'est pas une fin en soi mais débouche sur une réinterprétation, dont le produit, en fin de course, est très nettement ngöbe.

Prenons l'exemple de l'éducation : de nouvelles écoles sont créées où les maîtres, des Ngöbe, enseignent la langue, l'histoire et la culture guaymi. Il ne s'agit plus d'une école en espagnol, implantée par l'État panaméen dans un but unique d'intégration nationale, mais d'une école destinée à dispenser le savoir et le savoir-faire guaymi.

C'est dans le même esprit que la nouvelle République s'attaque au problème fondamental de la production agricole. Loin de rejeter en bloc les produits nouveaux et la technologie moderne, elle exhorte ceux qui travaillèrent à l'extérieur à reproduire chez eux système et production agricole modernisés, afin d'améliorer l'accès aux biens alimentaires.

Quant au maintien d'une société égalitaire, dont les dirigeants ont fort bien compris qu'il passait par une redistribution des surplus, il ne se fera plus, suivant en cela les injonctions de la prophétesse, par le canal des fêtes ostentatoires dont nous avons parlé, mais, d'une manière beaucoup plus vague, par le truchement d'une société fraternelle où tous doivent partager.

Pour ce qui est des assises proprement religieuses de la nouvelle République, elles se moulent dans un syncrétisme équivoque où la défunte prophétesse s'est approprié jusqu'à la personne de ce dieu des Blancs que désormais elle incarne.

3.4. La fin de la République Guaymi Libre

L'insurrection avorta dès lors que les autorités panaméennes eurent pris contact avec le cacique général Samuel Bejerano Gonzalez, le 23 Avril 1965. En effet, le gouvernement de l'époque envoya un peloton contre-insurrectionnel de la Garde Nationale, dirigé par le major Omar Torrijos[10]. Pourtant, les armes firent place au dialogue. Samuel se laissa convaincre par les belles paroles d'une négociation qui incluait d'un côté le respect des lois panaméennes et la reconnaissance du drapeau national, de l'autre, la délimitation des terres indigènes, le développement de l'agriculture régionale, l'instauration d'une

[10] Trois ans plus tard, celui-ci fomentait un putsch populiste et devenait dictateur du Panama.

éducation adaptée aux schémas culturels de la société indigène, enfin, l'accès du territoire restreint aux seuls Ngöbe. Pourtant, nous possédons un document datant de l'année suivante dans lequel Samuel dénonçait le non respect de l'accord signé et la trahison de la parole donnée. Le ton de la lettre, qui n'est plus celui, superbe et orgueilleux, d'un cacique rebelle, mais celui, plaintif, d'un homme déçu et usé, marque l'éclatement du mouvement, en germe dans la non-résurrection de Mama Chi et achevé lors de la reddition de la République Guaymi Libre.

3.5. Le mouvement des chamanes

Les chamanes, quant à eux, n'avaient pas participé au projet républicain de Samuel Bejerano Gonzalez et de l'élite de la jeunesse. A la mort de la prophétesse, le père de la Nina Chi l'emmena avec lui dans la bananeraie sur laquelle il retourna travailler. Cependant, très vite les chamanes allèrent l'y rechercher pour la tenir cachée de nombreuses années durant, au cœur de la montagne. Là, ils lui apprirent à assumer sa fonction de guide spirituel du peuple Mama Chi et lui enseignèrent à tenir sa position de sainte, représentante de Mama Chi *et* de Dieu sur terre. Jalousement gardée par des apôtres féminins, elle vécut coupée du monde. Lors des entrevues qu'elle m'accorda, j'ai senti combien cette jeune fille souffrait de son isolement forcé et combien était grande sa soif de savoir, se traduisant alors par des myriades de questions. Elle était constamment chaperonnée par un chamane, merveilleux sage qui prenait grand soin d'elle. Cependant, à la mort de celui-ci en 1985, Nina Chi s'éprit d'un jeune Ngöbe qu'elle épousa. Alors tout changea. Revenue dans le monde sous l'influence de son mari, épouse puis mère, la jeune femme prit avec lui le chemin de la politique. Son engagement dans un parti n'eut d'autre résultat que d'affaiblir son mouvement. En particulier lorsque, dans un désir de reproduire la hiérarchie ecclésiastique, son mari s'autoproclama pape, de nombreuses défections marquèrent le mécontentement des fidèles devant l'orientation prise. Alors, de par la montagne, retentirent à nouveau les voix de visionnaires mystiques, sans toutefois l'écho nécessaire à la création d'un nouveau mouvement messianique.

4. Du messianisme au combat politique : une synthèse inachevée

Toutes les conditions nécessaires étaient réunies pour que naisse en pays guaymi un mouvement messianique révolutionnaire. Une expansion trop rapide des horizons sociaux et économiques avait créé de nouveaux besoins qui ne pouvaient plus être satisfaits, dès lors que les Ngöbe étaient licenciés des plantations. Déjà rétifs, nous l'avons vu, à se soumettre à une autorité parentale vue sous le seul angle de la gérontocratie, les jeunes gens désœuvrés n'avaient d'autre échappatoire que l'émigration vers les centres urbains. Cette situation accentua la crise économique dans un territoire à la production agricole en déclin.

La décomposition n'était pas seulement matérielle mais aussi idéologique. Difficilement rééquilibrée après l'invasion européenne du XVIe siècle, la conception du monde se voyait de nouveau menacée. Le souvenir d'un âge d'or se mit à circuler, redonnant au peuple ngöbe l'envie de son prestige d'antan et cela autorisa tous les rêves. C'est alors qu'il prit conscience d'avoir perdu son rang, son indépendance et que lui prit l'envie de secouer le joug qui l'assujettissait à la société dominante. Seul un mouvement religieux ou une lutte armée pouvait régénérer la société ngöbe. Elle choisit la voie du millénarisme révolutionnaire.

C'est ainsi que le mouvement Mama Chi, réaction à des conditions sociales sans espoir fut, comme tout mouvement messianique, un «combat unique, final, apocalyptique, destiné à purifier le monde de tout mal et à transformer complètement la vie sur terre» (COHN, 1958 : 106). Ce combat se livra d'abord sans autres armes que celles de la foi. On luttait contre l'incroyant en utilisant le discours de la prophétesse, de ses apôtres et grâce aux signes laissés par Dieu. Pourtant, le pacifisme imposé par Mama Chi portait en germe les prémices d'une lutte armée qui fut activement préparée dès l'annonce de sa mort et surtout le constat de l'échec de sa résurrection. Cette lutte armée avorta, nous l'avons vu, dès que les autorités panaméennes eurent pris contact avec le Cacique général.

Les objectifs de ce mouvement, tels l'instauration du royaume de Dieu sur terre, la neutralisation de la société dominante, étaient trop ambitieux, irréels et inaccessibles pour aboutir à autre chose qu'un échec. Après l'évasion vers le paradis terrestre, l'expulsion de tout contenu religieux, puis l'échec de la lutte armée, le mouvement, essoufflé, se tourna vers des formes de combat plus proprement stratégiques.

Ce sont ces formes qui demeurent implicitement contenues dans l'activité politique d'aujourd'hui. Les résultats de ce mouvement messianique sont importants : il a permis une prise de conscience pan-ngöbe; il a identifié l'origine de leurs maux, c'est à dire leur dépendance vis-à-vis des *Latinos* et il a redonné espoir à un peuple désespéré. Quant à la société dominante, elle a compris qu'une minorité ethnique pouvait devenir dangereuse; de là l'intérêt des autorités panaméennes, jusqu'alors inconscientes et même méprisantes, à rechercher une solution. Dès lors, on peut avancer que c'est à Mama Chi que revient le mérite d'avoir initié le processus de politisation de la population ngöbe. Nous ne pensons pas que celle-ci aurait participé à une activité politique intense si le mouvement religieux n'avait précédé le mouvement politique.

Après la participation massive de l'électorat ngöbe aux élections nationales de 1980 et 1984, les Ngöbe menacent aujourd'hui le gouvernement de ne pas participer aux élections présidentielles et législatives de 1994, tant que leur territoire n'aura pas été délimité. A l'inverse, l'on peut apprécier combien fut rentable la lutte armée menée très tôt (1925) par les Kuna (Tule), qui se virent, dès 1930, reconnaître leurs terres. C'est d'ailleurs, aujourd'hui encore, l'unique territoire amérindien de Panama qui soit officiellement régi par une loi interne reconnue par l'État.

Autrement dit, la tentative des Ngöbe de jouer le jeu de l'insertion active dans les structures politiques de l'État-Nation n'a pas donné les résultats à la hauteur des espoirs qu'ils y avaient placés et la déstabilisation s'accentue d'une société ngöbe plus que jamais éreintée par la misère et la faim, plus que jamais abusée par une prolifération de missions religieuses de tous poils, elles aussi intensément impliquées dans un électoralisme effréné. Alors tout peut recommencer et le mouvement latent de la Nina Chi pourrait bien un jour se réactiver. Ceux qui restent fidèles au souvenir de la prophétesse sont très clairs : «Elle reviendra». Ils désignent ici non pas la Vierge, mais Mama Chi, figure mythique désormais auréolée d'un prestige égal à celle d'**Ulikron**, héros culturel et civilisateur des Ngöbe.

Pour autant, le peuple ngöbe n'est plus isolé : il participe, comme les Kuna d'ailleurs, aux activités des organismes internationaux, tels l'Organisation Internationale du Travail ou l'UNESCO, où ses représentants ont accès à une audience mondiale. C'est ainsi que la lutte pour la délimitation officielle des terres guaymi prend place dans un mouvement identitaire amérindien à l'échelon continental. Leurs revendications s'inscrivent désormais dans un contexte national, certes, mais surtout international. Elles sont une des réponses à ces mutations importantes auxquelles sont confrontées toutes les sociétés amérindiennes contemporaines qui entendent faire reconnaître leurs différences culturelles.

Bibliographie

COHN, N., 1958, Réflexion sur le millénarisme, *Archives de Sociologie des Religions*, 5 : 103-107.

GUIONNEAU-SINCLAIR, F.,1987, *Movimiento Profético e Innovación Política entre los Ngobe (Guaymi) de Panamá : 1962-1984*, Universidade de Panamá.

JAÉN, B., 1991, Situación social y económica del pueblo Guaymi, *Las tierras amerindias y la legislación panameña*, 9-14, Centro de Investigaciones antropologicas, Universidade de Panamá.

WORSLEY, P., 1983, *Elle sonnera la trompette : une étude des cultes du "Cargo" en Mélanésie*, Paris, Payot.

YOUNG, P.D., 1968, *The Ngawbe : social and economic organization of the Western Guaymi of Panama,* Ph. D. Dissertation, University of Illinois, Urbana.

— 1978, La trayectoria de una religion : el movimiento Mama Chi entre los Guaymies y sus consecuencias sociales, *Revista La Antigua*, 10 : 45-75, USMA, Panamá.

Une langue en kit

La créativité lexicale en inuit du Groenland oriental

Nicole TERSIS
CNRS-LACITO

Une petite population de chasseurs nomades vivant sur la côte orientale du Groenland est sortie de son isolement total il y a une centaine d'années, après la découverte de cette côte par le Danois Gustav HOLM en 1884.

1. Historique d'un changement

Les habitants «étaient alors au nombre de 413, disséminés sur quelque cinq cent kilomètres de côtes [...] dans un milieu hostile entre les glaces de l'inlandsis et celles de la banquise, à la latitude du cercle polaire». Ils tiraient l'essentiel de leurs ressources de la chasse au phoque : «viande, graisse et sang pour se nourrir, fourrure ou cuir pour se protéger du froid et de l'humidité, graisse pour s'éclairer et se chauffer, os pour fabriquer des outils et des armes [...]. Le mode d'habitat traditionnel reposait sur deux principes essentiels : dispersion et mobilité». La grande maison d'hivernage abritant plusieurs dizaines de personnes n'était pas une demeure fixe; on en changeait chaque année ou tous les deux ou trois ans le lieu et la composition selon les nécessités de la communauté; venait ensuite le nomadisme d'été, période de cueillette, de pêche et de chasse. Cette petite société possédait une tradition orale riche et des croyances religieuses fortes (VICTOR & ROBERT-LAMBLIN, 1989).

En 1894, arrivent à Ammassalik un missionnaire danois responsable de l'évangélisation et un administrateur chargé entre autres du comptoir commercial; dès lors le changement est amorcé : on échange des peaux d'ours et de renard contre du bois, du fer, des fusils, des munitions, du riz, du tabac, de la farine, du sucre et du thé; les pratiques chamaniques sont interdites, l'évangélisation et la scolarisation commencent. En 1921, toute la population est christianisée; l'école deviendra effective après la guerre, la population va augmenter (3000 habitants à l'heure actuelle) et se sédentariser.

Les Inuit du Groenland oriental connurent alors, en une courte période, un changement qui affecta l'ensemble de leur mode de vie. Il s'accéléra après la deuxième guerre mondiale, quand fut créé un réseau aérien ouvrant cette civilisation au monde occidental.

L'apport d'objets et d'institutions lié à l'administration et à l'évangélisation danoises entraîna la nécessité d'utiliser des dénominations nouvelles. Toutefois, il faut préciser que ces innovations lexicales ne proviennent pas nécessairement directement de la langue orientale mais qu'elles se sont souvent infiltrées à l'est par le biais de la langue de l'ouest, le kalaallisut, devenue langue officielle du Groenland en 1979.

Des raisons historiques expliquent cet impact de la langue de l'ouest où l'influence danoise a été plus ancienne : le début de la colonisation danoise remonte en effet à 1721 dans la partie occidentale du Groenland, là où les côtes sont plus accessibles et les conditions climatiques moins rigoureuses qu'à l'est. Il s'y ajoute que la langue de l'ouest est parlée actuellement par 90 % de la population groenlandaise[1].

Même si la plupart des créations lexicales ont transité par l'ouest à travers l'école, la radio, l'église et les journaux, elles ont été assimilées d'autant plus aisément à l'est qu'il ne semble pas exister de différence structurelle importante entre les deux parlers, mais simplement des différences phonétiques et lexicales[2].

2. La continuité dans le changement

Face aux réalités culturelles et religieuses nouvelles, face aux techniques euro-américaines et aux biens de consommation importés, comment la langue inuit du Groenland oriental s'est-elle inscrite dans le changement ?

Le lexique inuit a assimilé ces innovations de plusieurs façons :

---

[1] Cet article n'est pas le résultat d'une enquête systématique sur les néologismes. Il ne vise qu'à faire ressortir certains aspects linguistiques de la création lexicale propres à l'inuit, analysée à partir d'un corpus de 1400 racines lexicales; il n'a donc pas la prétention d'aborder l'aspect socio-linguistique de la question ni même d'envisager, de façon détaillée et comptabilisée, l'ensemble du corpus traité, ce qui pourrait faire l'objet d'une publication ultérieure.

Je remercie grandement Charlotte JESPERSEN-LEVANTAL pour sa participation dans la recherche des emprunts au danois ainsi que pour sa collaboration dans la préparation de cet article.

[2] DORAIS (1981) évalue à 32% la différenciation lexicale globale entre l'ouest et l'est; elle passe de 76% pour le vocabulaire de la chasse à 0% pour le vocabulaire sociologique et religieux.

– par le processus naturel de l'emprunt et de la polysémie;
– mais surtout par une importante activité néologique, favorisée par les ressources remarquables qu'offre la structure de la langue.

2.1. Une langue en kit

L'originalité du lexique inuit est de reposer sur un nombre relativement peu élevé de racines exprimant des notions à partir desquelles, par une combinatoire souple et mobile, souvent non figée, se constitue un nouvel apport lexical. C'est ce que l'on a appelé un lexique à haut degré de *motivation,* où le mot est lui-même une définition descriptive : il fait penser à ces constructions en *kit*[3] où l'assemblage des différents éléments (ici lexicaux ou grammaticaux) se fait selon un plan choisi, le *positionnement* de chaque unité assemblée étant essentiel dans l'élaboration du sens.

Bon nombre d'entrées du lexique fondamental inuit sont déjà des *formations motivées.* Cela signifie que divers types d'associations de pièces grammaticales ou lexicales à partir d'une même racine constituent tout d'abord des syntagmes qui vont se figer en un nom ou un verbe selon le montage décidé; on ajoutera que plus le nombre de pièces mises en jeu derrière la racine est important, plus le sens se restreint et se délimite. Ces ensembles se présentent comme des *périphrases explicatives*, analysables relativement aisément dans bien des cas. Prenons par exemple l'ensemble bâti à partir de la notion de manger :

nii-	*«notion de manger»*	
nii wu-q	«il mange»	//manger | Vb | Sp.//[4]
nii.ni-q	«repas»	/manger | fait de | Sp./
nii.ta-q	ce qui est mangé = «contenu de l'estomac»	/manger | dur. | Sp./
nii.ta.tsa-q	ce qui va être mangé = «nourriture»	/manger | dur. | prochain | Sp./
nii.ta.q.pi(k)	lieu de ce qui est mangé = «estomac»	/manger | dur. | Sp. | lieu | Sg./
nii.tu'.pi(k)	lieu habituel du manger = «marmite»	/manger | dur. | lieu | Sg./
nii.nia.q.ti-q	celui qui cherche à manger = «phoque à capuchon»	/manger | chercher | Sp. | dur. | Sp./

[3] *kit* : «ensemble des éléments vendus avec un plan de montage que l'on peut assembler soi-même» (Larousse).

[4] Abréviations employées :

Vb	verboïde	*Pl.*	pluriel	*dur.*	duratif	*génér.*	généralisateur
Sp.	spécificateur	*Part.*	partitif	*ponc.*	ponctuel	//	limite d'énoncé
Sg.	singulatif	*Suff*	suffixe	*évol.*	évolutif	/	limite de syntagme
.	marque du composé	-	marque du syntagme	'	consonne non explodée		

Ce même modèle va servir à ce que des notions nouvelles s'intègrent sans difficulté dans le moule syntagmatique de la langue, permettant un enrichissement lexical, voire, à terme, un renouvellement lexical. Toujours à partir de la notion de manger, voici ce que l'on trouve désormais :

nii.wi.q.ta.q.pi(k)	«magasin»	/manger | retirer | *Sp.* | *dur.* | *Sp.* | lieu | *Sg.*/
nii.wi.q.ti-q	«marchand»	/manger | retirer | *Sp.* | *dur.* | *Sp.* /

Nous en donnerons encore quelques exemples parmi beaucoup d'autres : d'abord l'ensemble des néologismes bâti autour de la notion d'enfiler :

nui	*«notion d'enfiler»*	
nui wa-a	«il (l') enfile»	//enfiler | Vb | Part./
nui.sa.q.ŋa-q	ce qui a été enfilé = «petite cape en perles»	/enfiler | faire | Sp. | évol. | Sp./
nui-q sa-a wu-q	«elle tricote»	//enfiler | Sp. | faire | génér. | Vb | Sp.//
nui.q.saat	«aiguille à tricoter»	/enfiler | Sp. | faire+instrument /
nui-q-sa-ŋa-tsia-q	ce qui va être tricoté = «laine»	/enfiler | Sp. | faire | évol. | acquis | Sp./
nui-q-sa-q-si-ma-ti-q	ce qui a été tricoté = «tricot»	/enfiler | Sp. | faire | Sp. | ponc. | actuel | dur. | Sp./

Suit l'ensemble des néologismes bâti autour de la notion de voler :

timmi-	*«notion de voler» (oiseau)*	
timmi wu-q	«il vole»	// voler | Vb | Sp.//
timmia-q	«oiseau» (nom dérivé)	/voler + suff. | Sp./
timmia.q.siit	«fusil de chasse»	/oiseau | Sp. | faire + instrument/
timmi-sa-q-tu-q	«avion»	/voler | ponc. | Sp. | dur. | Sp./
timmi.sa.q.tu.qa.q.pi(k)	«aéroport» = lieu où il y a des avions	/avion | exister | Sp. | lieu | Sg./
timmi.sa.q.tu mi aqi'.tu-q	«pilote d'avion»	/avion | à | conduire | dur. | Sp./

Puis l'ensemble des néologismes bâti autour de la notion de suivre des traces :

atiwa-	*«notion de suivre (des traces)»*	=> *«notion de lire*[5]
atiwa-q pu-q	«il suit les traces, il lit»	//lire | Sp. | Vb. | Sp.//
atiwa.q.ni-q	«lecture, éducation scolaire»	/lire | Sp. | fait de | Sp./
atiwa.ŋa-q	«livre»	/lire | évol. | Sp./
atiwa.ŋa.tsia-q	«revue, journal»	/lire | évol. | acquis | Sp./
atiwa.q.pi(k)	«école»	/lire | Sp. | lieu | Sg./
atiwa.q.tu-q	«écolier»	/lire | Sp. | dur. | Sp./
atiwa.ŋa.a.q.nia.q.pi(k)	«librairie»	/livre | retirer | Sp. | chercher | Sp. | lieu | Sg/

[5] Sur les relations entre la trace et l'écrit, voir THERRIEN (1990).

Ces types d'exemples abondent dans la langue : ils font apparaître le *continuum* tout à fait remarquable qui existe entre la *racine lexicale* et *l'énoncé* en passant par le syntagme nominal ou verbal, selon l'association choisie. En voici un autre exemple où l'on passe du nom (1) à un énoncé (2), lequel peut se structurer en un nouveau nom composé (3), qui entre lui-même dans la formation d'un nouvel énoncé (4), lequel peut à son tour entrer dans un nouveau syntagme qui pourrait pour sa part se figer en composé (5) :

itti	*«notion de plate-forme de la maison traditionnelle[6]»*	*=> «maison»*
1. itti-q	«maison»	/maison | Sp./
2. itti qa-q pu-q	«il y a une maison»	//maison | exister | Sp. | Vb | Sp.//
3. itti.qa.q.pi(k)	lieu où il y a des maisons = «village, ville»	/maison | exister | Sp. | lieu | Sg./
4. itti.qa.q.pi tia-q pu-q	«il va vers le village»	//village | aller | Sp. | Vb. | Sp.//
5. itti.qa.q.pi tia-q-ti-q	«celui qui va vers le village»	/village | aller | Sp. | dur. | Sp./

On envisagera maintenant, de façon plus précise mais non exhaustive, différentes structures caractérisant les créations lexicales.

2.2. Les formations motivées : structure

La création lexicale s'effectue en grande majorité par le biais des formations motivées qui aboutissent en se figeant à des noms composés[7].

Ces formations motivées sont identiques, dans leur forme, à des syntagmes. L'évaluation du degré de figement des syntagmes, et donc l'identification du composé, est quelquefois difficile en l'absence de tout critère formel et en raison de la concurrence entre certaines formations non encore complètement stabilisées dans la langue. Seuls les critères d'insécabilité et de sens permettent de trancher.

La structure du néologisme suit donc l'ordre déterminé-déterminant du syntagme. Le classement s'effectuera suivant que le centre du composé est un lexème nominal ou un lexème verbal (type processus et état).

2.2.1. Formations motivées à lexématique verbale : processus ou état

Ce type de formation est de loin le plus fréquent; il met clairement en évidence l'un des traits majeurs de la langue, qui consiste à passer de façon imperceptible de la syntagmatique verbale à la syntagmatique nominale puis à la composition. Cela signifie que tous les éléments affectant le lexème verbal dans

---

[6] Sorte d'espace communautaire surélevé servant aussi de lit, à l'intérieur de la maison traditionnelle.

[7] On rencontre toutefois des composés verbaux, comme par exemple kui.si wu-q «il est baptisé» /verser | ponc. | Sp./

un syntagme verbal se retrouveront dans l'élaboration d'un syntagme nominal qui ne se différenciera alors que par l'absence du prédicateur *pu/pa*.

On distinguera le lexème verbal suivi d'une ou plusieurs marques aspectuelles.

1) Lexème verbal suivi d'une marque aspectuelle

La structure du néologisme est identique à celle du syntagme formé régulièrement dans la langue à partir de deux schémas possibles selon que le lexème verbal nécessite ou non une expansion obligatoire :

a) Lexème verbal aspectuel + spécificateur

Brièvement ici[8], on précisera que les marques aspectuelles connaissent des variations consonantiques et vocaliques significatives qui expriment différentes oppositions, à l'exception des cas où elles sont conditionnées par le contexte :

les variations consonantiques t : duratif, s : ponctuel, n : neutre, p : directionnel, ŋ : évolutif, se combinent avec des variations vocaliques, indiquant l'orientation de l'action par rapport au locuteur, i : action située, u : action endocentrique, a : action exocentrique, soit :

	situé	exocentrique	endocentrique
duratif	ti	ta	tu
ponctuel	si	sa	su
neutre	ni		
directionnel	pi		
évolutif	ŋi	ŋa	ŋu

C'est ainsi que sur le modèle des syntagmes suivants :

mitaa-q-ti-q	«celui qui est déguisé»	mitaa-q pu-q	«il est déguisé» /déguiser | *Sp.* | *dur.* | *Sp.*/
akisi'-tu-q	«ce qui est blanc»	akisi' pu-q	«il est blanc» /être blanc | *dur.* | *Sp.*/
ini-ta-q	« ce qui est fini»	ini-q pu-q	«il a fini» /finir | *dur.* | *Sp.*/

on a construit :

nuu.ti-q	«disque»	nuu' pu-q	«il se déplace»
naqi.ta-q	«un imprimé»	naqi' pa-a	«il le presse»
atta'.tu-q	«secrétaire»	atta' pu-q	«il écrit»[9]
aŋata.su-q	«voyageur, touriste»	aŋata wu-q	«il voyage»
iŋa.su-q	«cuisinier»	iŋa wu-q	«il cuisine»

[8] L'interprétation des valeurs aspectuelles présentée ici demande un large développement, d'autant que ce point de vue n'a jamais été envisagé jusqu'alors dans les publications sur l'inuit. Voir à ce sujet TERSIS (1990).

[9] Ce terme vient de atta-q, «tout dessin décoratif sur les vêtements ou les bottes».

qammaa.su-q	«maçon»	qamma' pu-q	«il monte un mur»
sana.su-q	«charpentier»	sana wu-q	«il construit»
iwani'.su-q	«oignon»	iwani' pu-q	«il transpire» (odeur)
atta.ni-q	«écriture»	atta' pu-q	«il écrit»
iŋa'.pi(k)	«cuisine»	iŋa wu-q	«il cuisine»
mittiwa.q.pi(k)	«biberon»	mittiwa-q pu-q	«il tête»
miqsu.q.pi(k)	«machine à coudre»	miqsi-q pu-q	«elle coud»
paq.pati.ŋa-q	«fil métallique, fer»	paq.pati' pa-a	«il le martèle»

b) Complément + lexème verbal + aspectuel + spécificateur

Il s'agit de tous les cas où le lexème verbal nécessite une expansion nominale antéposée, comme tii- «faire», sii- «chercher», ŋŋu- «devenir», i'- «se situer», qa- «exister», entre autres.

Cela donne :

awiisi.tii.q.tu-q	«journaliste» /journal («danois) | faire | *Sp.* | *dur.* | *Sp.*/
niqqisi.tii.q.tu-q	«dentiste» /dent | faire | *Sp.* | *dur.* | *Sp.*/
ammati.wa.tsia.q.sii.q.tu q	celui qui cherche les étoiles = «astronome» /étoile | *Sp.* | chercher | *Sp.* | *dur.* | *Sp.*/
ataasi.ŋŋu.q.ni-q	fait de devenir un = «lundi» /un | devenir | *Sp.* | fait de | *Sp.*/[10]
ataatsi.mi.i.ta.q.pi(k)	«lieu de réunion» /un | dans | se situer | *dur.* | *Sp.* | lieu | *Sg.*/
tiŋi.q.taati.qa.q.ti-q	celui qui a des voiles = «bateau à voile» /voler | *Sp.* | faire + *instrument* | exister | *Sp.* | *dur.* | *Sp.*/

2) Lexème verbal suivi de plusieurs marques aspectuelles

Le lexème verbal peut également être suivi de plusieurs marques aspectuelles, la première caractérisant le verbe-processus, la seconde définissant l'agent, l'action en soi ou le lieu du procès. Les néologismes présentant ce type de structure sont très nombreux, on citera :

uku.ta.q.ti-q	«canif»	/se pencher | *dur.* | *Sp.* | *dur.* | *Sp.*/
nutti.q.ŋi.su-q	«interprète»	/déplacer | *Sp.* | *évol.* | *ponc.* | *Sp.*/
nitti.iwi.tsu-q	«Thermos» = qui ne refroidit pas	/être froid | *négation* | *ponc.* | *Sp.*/
immii.tsi.wi(k)	«magnétophone»	/mettre dedans | *ponc.* | lieu | *Sg.*/

[10] Les noms des autres jours de la semaine sont construits de la même façon sauf le dimanche qui est un emprunt direct au danois : sapaat

maqtu-ŋŋu-q-ni-q	«mardi»	= fait de devenir deux
piŋasu-ŋŋu-q-ni-q	«mercredi»	= fait de devenir trois
siama-ŋŋu-q-ni-q	«jeudi»	= fait de devenir quatre
tattima-ŋŋu-q-ni-q	«vendredi»	= fait de devenir cinq
aqpini-ŋŋu-q-ni-q	«samedi»	= fait de devenir six

nappa.q.si.ma.wi(k)	«hôpital»	/être malade | *Sp.* | *ponc.* | *actuel* | lieu | *Sg/*
kui.si.tsi.ni-q	«baptême»	/baptiser(verser | faire) | *ponc.* | fait de | *Sp.* |
pi.si.nia.q.pi(k)	«boutique»	/obtenir | *ponc.* | chercher | *Sp.* | lieu | *Sg/*

2.2.2. Formations motivées à lexématique nominale

Sur le modèle de syntagme :
lexème nominal + qualificatif dépendant + Sp.

siati'-tua-q	«pluie battante»	/pluie | grande | *Sp./*

on rencontre les constructions suivantes :

immu.tsua-q	«fromage»	/lait | grand | *Sp./*
umia.q.sua-q	«navire»	/bateau | *Sp.* | grand | *Sp./*
immia.aq.ŋa-q	«bière»	/alcool | petit | *Sp./*
sia.qŋaa.sa-t	«sucre en poudre»	/sable | semblable | *Pl./*
aniŋaa.sa-q	«argent, monnaie»	/lune | semblable | *Sp./*
suaa.sa-q	«riz»	/œufs de poisson | semblable | *Sp./*
quuqquu.taa.sa-q	«saucisse danoise»	/pénis | ? | semblable | *Sp./*
iŋataa.tsia-q	«verre»	/fenêtre | acquis | *Sp./*
puu.tsia-q	«sac en papier»	/sac | acquis | *Sp./*
naatsiia-q	«pomme de terre»	/végétal + acquis | *Sp./*
qaasaa.sia-q	«ordinateur»	/cerveau | acquis | *Sp./*
aqnuq.ŋaa.tsa-q	«tissu»	/vêtement | prochain | *Sp./*
aki.ti.ŋa.tsa-q	«dette»	/prix | faire | *évol.* | prochain | *Sp./*
imi.ŋa.tsa-q	«alcool»	/eau | *évol.* | prochain | *Sp./*

Le foisonnement des formations motivées n'épuise pas les possibilités de créer de nouvelles dénominations. La langue a également recours au procédé de la dérivation, plus figé dans son ensemble à l'exception d'un ou deux suffixes productifs. Il faut remarquer qu'au processus de la dérivation peut se surajouter, comme on va le voir, celui de la composition.

2.3. Les formations dérivées

Parmi les procédés dérivationnels, la dérivation flexionnelle (modification consonantique et/ou vocalique) est relativement figée. On relève cependant quelques cas de création lexicale par doublement consonantique et changement vocalique :

im/immi/immu

imi-q	«eau douce»
immi-a-q	«boisson alcoolisée»
immu-k	«lait»

u/a

ippi-a-q	«pain»
ippi-u-q ppu-q	«il prépare la pâte»

Par contre, la dérivation par suffixation est très productive. Elle sert couramment dans la langue à faire des noms d'instruments, de moyens ou d'objets traditionnels et nouveaux. Elle s'effectue, le plus souvent, par une nominalisation à partir de la base verbale.

Plusieurs schémas structurels sont possibles :

1. Lexème verbal + Vt
2. Lexème verbal + faire + Vt
3. Lexème nominal + faire + Vt

A partir de ces formules, on constate que l'on passe de la dérivation simple (1) à une dérivation qui se surajoute à une composition (2 et 3) :

Lexème verbal + Vt

atta' pu-q	«il écrit»	attaat	«crayon, stylo»
amma-q pu-q	«il ouvre»	ammaat	«tire bouchon»
paq.pati' pa-a	«il le martèle»	paqpaatiit	«marteau»
aatta-a wa-a	«il l'atteint»	aattaat	«fusil»
pisi' pu-q	«il marche»	pisiitit (Pl.)	«skis»
aiqi-q-sii' pa-a	«il lui montre»	aiqiit	«catéchiste»

Lexème verbal + si/sa/su (faire) + Vt

nui wa-a	«il l'enfile»	nui.q.saat	«aiguille à tricoter»
putta' pu-q	«il gonfle»	putta'.saat	«levure à pâte»
aya' pa-a	«il le repousse»	aya'.saatit (Pl.)	«fourchette»
kia' pu-q	«c'est chaud»	kia'.saat	«radiateur, poêle»
naku-q sa-q pa-a	«il le soigne»	naku.q.saat	«médicament»
kitsa q pu-q	«il a chaud»	kitsa.q.suut	«four»

Lexème nominal + si/sa/su (faire) + Vt

aniŋaa-q	«lune»	aniŋaa'.siitit (Pl.)	«calendrier»
niqqit	«dent»	niqqi.saasat (Pl.)	«dentier»
siati(k)	«pluie»	siati'.suut	«imperméable»

Il est évidemment possible de construire à partir de ces composés-dérivés, un nouveau composé :

mani' pu-q	«il est plat»	
mani'.saat	«fer à repasser»	
mani'.saa.wi(k)	«planche à repasser»	/fer à repasser | lieu | *Sg*/

2.4. L'accumulation de sens : polysémie

A côté des formations complexes rencontrées, la société, dans son évolution, a spontanément développé des ajouts sémantiques aux notions déjà existantes dans la langue. Nous n'en donnerons que quelques exemples à partir de bases nominales et verbales :

ipaq.ŋa-q	1) mousse, *Drepanocladus uncinatus* (utilisée autrefois comme mèche de lampe à huile) 2) ampoule électrique
inni-q	1) feu, étincelle 2) allumette
puu-q	1) contenant, enveloppe 2) sac de couchage
mati-q	1) fermeture 2) porte, couvercle
akisi'-tu-q	1) blanc, clair 2) métal brillant
siamaa-q	1) index 2) dé à coudre (*sic*)
qapu(k)	1) écume 2) levure (de bière)
aata.tiit	1) arc du foret 2) instrument pour remuer la nourriture
aqsa-q	1) balle 2) ballon de football
uqsi-q	1) huile, graisse animale 2) carburant
iqqu.q.si.wi(k)	1) bassine, baquet 2) machine à laver /laver | Sp. | *ponc.* | lieu | *Sg*/
itsia.wi(k)	1) emplacement pour s'asseoir 2) chaise /s'asseoir | lieu | *Sg*/
akku-	1) dépecer, découper 2) changer de l'argent, faire de la monnaie
pita-	1) couper, scier 2) faire une opération chirurgicale
api-	1) interroger, répondre 2) être confirmé (cérémonie religieuse)
kui-	1) verser un liquide 2) baptiser

Ces nouveaux sens deviennent à leur tour source de dérivation et de formations régulières identiques aux exemples précédents, soit :

atsi-q	«image»
atsi tii wu-q	«il photographie» //image | faire | Vb. | Sp.//
atsi.tii.su-q	«photographe» /image | faire | ponc. | Sp./
atsi.tii.wi(k)	«appareil photographique» /image | faire | lieu | Sp./
atsi.tia-q	«photographie, gravure» /image | faire | Sp./

3. Les emprunts directs au danois

Ces emprunts paraissent relativement peu nombreux. Sur les 1400 racines étudiées du lexique inuit, on compte une soixantaine d'emprunts directs; on y trouve quelques noms d'animaux n'existant pas au Groenland, des biens de consommation importés, des objets ayant rapport aux techniques modernes, quelques termes concernant le découpage du temps ou de l'espace, ainsi que quelques autres liés à la religion, et des mots de salutation. Il s'agit surtout de nominaux. Il faudrait y ajouter une liste des prénoms danois assimilés dans la langue.

Dans le décompte du temps, tous les noms des mois ont été empruntés; par contre, en ce qui concerne les jours de la semaine, seul le jour du dimanche a été emprunté directement au danois (*cf.* 2.2.).

La numération jusqu'à vingt se fait à partir du corps humain. Les doigts de la main et des pieds donnent vingt, «l'homme entier» :

ii.naa'.tu ŋu /humain | finir | *duratif* | *objet/* .

Au-delà de vingt, la numération se fait en danois.

Voici une liste non exhaustive des emprunts directs au danois :

inuit	***danois***
akkumutaatuqi «batterie»	akkumulator
aqaatiu «radio»	radio
awiisi-tii-q-tu-q «journaliste»	avis = journal
iitiwaqki «groupe électrogène»	elværk
iquupa «Europe»	Europa
isti-q «cheval»	hest
iutti «Noël»	Jul
kaaŋii-q «gâteau»	kage
kiitu «kilo»	kilo
kiitummiitiqi «kilomètre»	kilometer
kittaaqi «guitare»	guitar

inuit	***danois***
paqtiiqia-q «bactérie»	bakterie
patasi «prêtre»	præst
patquutia-q «pétrole lampant»	petroleum
piaqsiini «télévision»	fjernsyn
pinsiina «essence»	bensin
pitqumaksi «lampe à pression»	petroleum
putatii-q «policier»	politi
puuqski «Pâques»	Påske
siinuppi «moutarde»	sennep
sikaa-q «cigare»	cigar
sikaqitsi-q «cigarette»	cigaret

kukkukuu-q «poule»	kukuk	sikkiti-q pu-q «rouler à bicyclette»	cykle
kummi «gomme végétale»	gummi	siminti-q «ciment»	cement
kuppiqti «valise»	kuffert	skuu-t «chaussure»	sko
kutaa «salut, bonjour»	goddag	sniskuttiqi «motoneige»	snescooter
liimmi «colle»	lim	sukku-t «sucre»	sukker
liiwi-q «lion»	løve	sukku-taa-t «chocolat»	chokolade
makkaqiina-q «margarine»	margarine	sutaaqi «huile de chauffage, mazout»	solarolie
maskiina-q «moteur»	maskine	suutawaanniwaanni «soda»	sodavand
matqatsi-q «matelas»	madras	tanki baril «réservoir d'huile»	tank
miitiŋi «mètre»	mètre	tiitiqŋi «litre»	liter
mutiiqni «moderne»	moderne	tuutaqi «dollar»	doller
nuqmu «numéro»	nummer	uqnu-quyu «cent»	hundrede
panaana-q «banane»	banan	uttiiti «hôtel»	hotel
paqaakki «barraque»	barak	uutia-q «huile à moteur»	olie

Certains emprunts bien intégrés donnent lieu, comme l'on peut s'y attendre, à une dérivation ou à des formations motivées :

tupa	«tabac» (da.) tobak
tupa.aqŋa-q	«chique» /tabac|petit|*Sp.*/
tupaa.q-na-q	«thym» /tabac|*Sp.*/semblable||*Sp.*/ = comme du vrai tabac
sii-(t)	«thé» (da.) te
sii.tu.q.pi(k)	«tasse» /thé | consommer | *Sp.* | lieu | *Sg*/
kappi	«café» (da.) kaffe
kappi.ti.wi(k)	«cafetière» /café|faire|lieu|*Sg.*/

Quelques caractéristiques formelles montrent l'intégration de l'emprunt danois au phonétisme inuit : la réduction du système vocalique danois aux trois voyelles de l'inuit (i, a, u); les finales vocaliques correspondant à une finale consonantique en danois; la réduction fréquente des groupes consonantiques finaux et intervocaliques grâce à une voyelle intercalée. A l'exception de l'introduction du l initial et du maintien de quelques groupes consonantiques spécifiques au danois (sn, sk, tq, ks, mp) les correspondances sont les suivantes :

l et d => t,

f et b => p.

Les sourdes initiales remplacent les sonores dans les termes empruntés.

Conclusion

Face à l'évolution d'une société en pleine mutation, je n'ai fait qu'esquisser quelques aspects linguistiques de son renouvellement lexical. Bien des points seraient à approfondir; plusieurs termes, non cités dans cet article, demanderaient à être explicités, soit que le sens et l'origine de la racine restent incertains, soit que les constituants suivant la racine soient eux-mêmes à revoir; par ailleurs, la fréquence des emplois de ces créations dans le discours permettrait de tirer au clair le degré de figement de certains groupements.

Le cheminement des mots, dans le temps et dans l'espace, rendrait compte de ce qui différencie et de ce qui rapproche cette zone orientale du reste du monde inuit; il pourrait témoigner de son histoire.

De même, il faudrait prendre en compte les conditions sociolinguistiques actuelles et passées impliquant l'évaluation de l'impact de la langue officielle sur la société d'Ammassalik, en tentant de préciser les zones d'interférences, de concurrence ou de rejet entre les emprunts et les néologismes.

Il n'en reste pas moins, qu'à travers ces quelques exemples, il apparaît à l'évidence que la *vitalité* de la langue et son *génie analytique* détiennent toutes les ressources nécessaires pour intégrer les nouvelles réalités du monde moderne de façon inventive, sans que soit touché le «noyau dur» de sa structure fondamentale.

J'ajouterai que l'inuit, *langue en kit,* ne révèle ici que la partie la plus «voyante» de la structuration de son lexique, l'analyse sémantique des éléments de cette construction offrant des perspectives particulièrement riches qui ne demandent qu'à être exploitées.

Bibliographie

CORNILLAC, G., 1984, Résistance à l'emprunt lexical et émiettement dialectal en esquimau, *Systématique du Langage*, I : 81-93.

DORAIS, L.-J., 1978, *Lexique analytique du vocabulaire inuit moderne au Québec-Labrador*, Presses de l'Université Laval, Québec, 136 p.

— 1981, Some notes on the Language of east Greenland, The Language of the Inuit, *Études/Inuit/Studies*, Vol. 5, Supplementary Issue : 43-70.

FORTESCUE, M., 1990, Basic Structures and Processes in West Greenlandic, *in* D. Collis (ed.), *Arctic Languages, an awakening*, 309-332, Paris, Unesco.

PETERSEN, R., 1990, The Greenlandic Language : its nature and situation, *in* D. Collis (ed.), *Arctic Languages, an awakening*, 293-308, Paris, Unesco.

ROBBE, P. & DORAIS, L.-J., 1986, *Tunumiit oraasiat, Det Ostgronlandske sprog, The east Greenlandic Inuit language, La langue inuit du Groenland de l'Est*, Centre d'Études Nordiques, n°49, Université Laval, 265 p.

ROBERT-LAMBLIN, J., 1986, *Les Ammassalimiut au XXème siècle. Analyse du changement social au Groenland oriental,* Mémoires des Cahiers ethnologiques n°1, Université de Bordeaux II, 518 p.

TERSIS, N., 1990, Le verbe inuit, Prédication et orientation (Groenland oriental), *Revue d'Ethnolinguistique. Cahiers du Lacito*, 5 : 19-45.

THERRIEN, M., 1990, Traces sur la neige, signes sur le papier. Significations de l'empreinte chez les Inuit nunavimmiut (Arctique Québécois), *Journal de la Société des Américanistes*, LXXVI : 33-53.

VICTOR, P.-É. & ROBERT-LAMBLIN, J., 1989, *La civilisation du phoque, Jeux, gestes et techniques des Eskimo d'Ammassalik*, Paris, A. Colin & R. Chabaud.

La restructuration linguistique interne en quichua équatorien

Anne FAUCHOIS
CNRS-LACITO

1. Historique

Le quichua actuellement parlé en Équateur est un quichua de la variété II B (TORERO, 1984) dont les racines remontent à la période pré-inca. Cependant toute une série de facteurs n'a pas permis l'uniformisation de la langue : l'implantation d'autres variétés du quichua durant l'empire inca dans certaines provinces (par le déplacement de groupes péruviens et boliviens); la coexistence avec le quichua jusqu'au début du XVIIe siècle de langues pré-incas; l'étalement sur plusieurs siècles de la diffusion de la langue, la diversité des causes ayant provoqué cette diffusion par vagues; ou enfin l'isolement socio-économique des groupes quichua, provoqué par la colonisation espagnole. C'est ainsi qu'il existe actuellement en Équateur plus d'une dizaine de dialectes quichua II B.

> *«Le parler de chaque contrée consiste aujourd'hui en un compromis sous-régional spécifique de II B équatorien avec la langue originaire : chibcha, puruhá, cañar, palta-jíbaro etc. et les langues des envahisseurs, aymara, quechua cuzqueño plus ou moins constitué, d'autres langues et dialectes du sud et l'espagnol.»* (TORERO : 381)

Tous ces groupes, dont l'histoire commune remonte à l'arrivée des Espagnols, forment l'actuel peuple quichua équatorien : une langue commune, mais de nombreuses variétés déterminées par l'histoire de chacun de ces groupes. C'est ainsi que les frontières dialectales que l'on peut établir pour les phénomènes majeurs de variation linguistique coïncident plus ou moins avec les frontières provinciales.

Carte. Les provinces de l'Équateur.

L'Équateur compte en 1988 approximativement 10 millions d'habitants et on estime qu'environ 40% de cette population appartiennent à un groupe indigène. Le chiffre de locuteurs quichua est également flou, les recensements de 1962, 1974 et 1982 n'incluant pas de questions sur la langue; on trouve cependant un consensus sur un chiffre approximatif de 2 millions (DE VRIES : 1988; MEC-GTZ, 1987). Parmi ceux-ci, on considère plus du quart comme monolingues, ou ne maniant qu'un espagnol périphérique, par exemple pour les besoins du marché local. En 1980, on estimait à 80% le taux d'analphabétisme ou semi-analphabétisme dans le groupe quichua, contre 40% au niveau du pays. Le quichua n'est quasiment pas parlé par la population blanche-métisse et avait jusqu'à il y a quelques années une image très négative dans l'opinion publique et les médias, n'ayant aucune fonction au plan de la société nationale, ni dans le commerce, ni dans l'administration, ni dans l'enseignement, ni dans les réseaux de communication.

Avec pour seule fonction la communication locale à l'intérieur de chaque groupe, la langue en était venu à être dépréciée par les Quichua eux-mêmes, et à disparaître peu à peu dans certaines provinces. Les groupes quichua représentaient donc il y a encore un dizaine d'années des îlots culturels et linguistiques non intégrés en tant que groupes à l'économie nationale, où seul l'individu, comme citoyen équatorien marginalisé, était pris en compte, et totalement ignorés du réseau communicationnel national.

1.1. Les rapports à la société nationale

Au plan économique, les Quichua sont souvent de petits agriculteurs (1 à 10 hectares); ils peuvent commercialiser eux-mêmes leurs produits sur le marché local, mais passent presque obligatoirement par des intermédiaires métis pour la commercialisation sur le marché régional. Ces intermédiaires prêtent également à des taux qui peuvent aller jusqu'à 40% par an. Les codes qui régissent les échanges de biens et de services sont presque toujours les codes espagnols, que maîtrisent mal les Quichua.

La situation varie cependant beaucoup selon les provinces. Ainsi les Otavaleños, dans la province d'Imbabura, qui ont une économie basée sur le textile : la classe commerçante et propriétaire des manufactures de tissage est hautement scolarisée; certains Otavaleños ont des diplômes universitaires. Même si l'espagnol a souvent été leur langue première, la «bourgeoisie» otavalénienne parle un quichua présentant peu d'interférence avec l'espagnol local, et un espagnol plus pur que les bilingues des autres provinces. Ces Indiens sont fiers de leur culture et de leur langue, ont de nos jours des ateliers culturels produisant des écrits en quichua, et sont présents dans toutes les instances de l'État qui travaillent avec une participation indigène au développement des communes. A l'autre extrémité, la province de Cotopaxi est une des zones les plus attardées économiquement; le taux de migration rurale temporaire y est très élevé, beaucoup d'Indiens doivent aller travailler au moins six mois par an dans les villes voisines. Dans leur majorité, ces Indiens s'habillent comme les Métis et le Cotopaxi est une des provinces où se parle la chaupi lengua, ou «langue du milieu», que MUYSKEN (1985) a analysé comme un interlecte avant l'hispanisation totale.

Au début des années 1980, les Quichua ne jouent pas de rôle politique au sein de la société nationale, ni n'ont, avant le développement des fédérations, de représentation politique. Le droit de vote n'est donné aux analphabètes – qui représentent encore une grande partie de la population quichua – que pour les élections présidentielles de 1984.

Au plan général des communications, la langue quichua n'est pas reconnue par la société nationale, même si la constitution de 1945 permet l'utilisation des langues vernaculaires autres que l'espagnol à l'école primaire. La communication est unidirectionnelle, de la société métisse vers les groupes quichua, qu'elle n'atteignait il y a peu que par l'intermédiaire de Métis. Même dans le cadre de l'éducation bilingue interculturelle, les éléments culturels issus du monde quichua continuent à être réinterprétés par les Métis : nous vîmes ainsi en 1985, dans une école normale bilingue, des danses indiennes en costume exécutées par des élèves métisses sous le regard des élèves quichua, car ces dernières, nous dit le professeur de danse, «n'avaient pas de grâce».

1.2. La scolarisation de l'enfant quichua

L'école, au début des années 1980, utilise presque exclusivement l'espagnol. Si la langue quichua est oralement utilisée au début du primaire dans quelques écoles, elle n'est là que pour servir un passage plus rapide à l'espagnol. Et si beaucoup d'enfants, au début du primaire, sont monolingues quichua, quasiment tous les maîtres sont des Métis monolingues espagnol. En 1985, on ne comptait pas plus de 100 maîtres quichua titularisés, cependant que beaucoup, pour arriver à ce statut, avaient dû oublier leur langue et étaient de toute façon peu enclins par la pression sociale à l'utiliser dans le milieu scolaire.

Les contenus des livres scolaires sont les mêmes pour tous les Équatoriens, citadins ou urbains, Indiens, Noirs ou Métis. Les Quichua, s'ils sont représentés dans ces ouvrages, ne le sont que négativement, pour illustrer les petits travaux ou le problème de l'analphabétisme. L'histoire indienne est totalement ignorée.

L'enfant n'est pas accepté dans ses spécificités culturelles : les vêtements indigènes sont refusés dans la classe et l'emploi de sa langue est sanctionnée par le maître. L'école vise l'intégration totale, même si l'enfant abandonne souvent au bout de deux ou trois ans. Ceux qui arrivent à la fin du primaire ont acquis des connaissances et intégré un système de valeurs qui ne leur est d'aucune utilité au sein de la communauté quichua. Beaucoup émigrent vers les villes et vont grossir les rangs d'une masse urbaine sous-employée.

Certains de ces «acculturés» seront les moteurs du changement de la société. En effet il vont constituer une population «bi-culturelle» qui servira de pont entre les groupes quichua et les groupes métis. C'est par eux que se modifiera le réseau communicationnel unissant Quichua et Métis, par leur adoption de rôles nouveaux dans la société quichua : des rôles spécialisés dans le transfert de l'information. Cette population «hybride», porteuse de deux systèmes de valeurs, permettra l'entrée des Quichua en tant que groupe dans le système national.

2. Le changement

Le changement, c'est tout d'abord l'interaction plus grande des deux groupes, interaction se manifestant par une augmentation des échanges de produits et d'information. En effet, dans la dernière décennie, les groupes quichua ont commencé à être reconnus dans leurs spécificités culturelles et linguistiques, au travers du besoin économique et politique qu'en avait la société nationale. Ainsi, au plan politique, le droit de vote accordé aux analphabètes pour les élections présidentielles et législatives de 1984 (400 000 inscrits) s'est accompagné de la fabrication d'affiches de propagande politique en quichua !

Le changement a également été important au plan économique : l'immense amélioration apportée aux voies d'accès aux communautés a déterminé une plus grande mobilité des paysans, les moyens de transports étant bon marché. Avec une demande plus forte de produits agricoles de la part du marché interne, on assiste donc au développement de la commercialisation des productions locales. Les marchés sont ainsi devenus de plus en plus des lieux de contact avec la culture métisse et d'échange d'informations entre les communautés.

On constate à la même époque un développement des coopératives paysannes. La nécessité d'augmenter l'offre de produits de base de l'agriculture sur le marché national a créé un nouvel intérêt pour le petit et moyen producteur[1]. C'est ainsi que l'on a vu dans les années 80 se développer les institutions d'assistance au secteur paysan : création du Fonds de Développement Rural Marginal FODERUMA, création en 1980, par le Ministère du Bien-être Social, du Bureau National des Affaires Indiennes, qui vise à la fois le «sauvetage» des cultures autochtones et l'aide au développement, en relation avec les organismes de base et les fédérations indigènes.

---

[1] Les unités agricoles de 0 à 10 hectares produisent plus de 60% de la consommation alimentaire interne.

> *«C'est la finalité du Ministère du Bien-être Social de réussir la revalorisation des cultures autochtones, au travers de l'application de mécanismes de diffusion et de communication sociale qui assurent la prise de conscience et l'action organisée et autogestionnaire de la population indigène [...] pour une meilleure participation au processus du développement national.»* (El Tiempo, 10 mars 1983)

Enfin, les groupes quichua commencent à avoir accès au réseau national d'information; la radio est de plus en plus commune dans les maisons quichua tandis que se développent parallèlement des programmes en langue indienne.

Corrélativement au processus d'intégration des groupes quichua dans la société nationale, se sont développées les fédérations indigènes, revendiquant le droit à la terre et à leur propre culture. Les premières revendications s'expriment en termes de la société métisse : ainsi la première organisation paysanne regroupant des Indiens, ECUARUNARI, fondait plus son action sur la lutte des classes que sur des spécificités quichua. Cependant, les revendications portent également sur le droit à la langue. Lors de la première rencontre des peuples indigènes de l'Équateur, à Conocoto en 1977, il est déclaré : *«L'éducation doit être dispensée en accord avec la langue maternelle, respectant la langue vernaculaire.»*

Deux ans plus tard en 1979, le Président de la République, Jaime Roldos, traduit en quichua une partie de son discours d'investiture :

> (en espagnol:) *«Je désire répondre à une question : pour qui est-ce que je parle ? Je parle pour les centaines de milliers d'Indiens, pour mes frères indigènes équatoriens. (en quichua) Maintenant, quels sont ceux auxquels je m'adresse, seulement aux lettrés ?... non, moi, je m'adresse à tous les gens qui vivent dans ce pays.»* Et le président d'affirmer ensuite (en espagnol) *«La lutte contre l'analphabétisme sera l'une de nos grandes croisades.»* (El Comercio, 11 août 1979)

2.1. Les fédérations

La première fédération fut celle des Indiens Shuars (ou Jivaros) : de jeunes missionnaires salésiens aidèrent à la constitution de la Fédération des Centres Shuars, en 1964, dont le but premier fut d'aider les Indiens à obtenir la reconnaissance légale des terres qu'ils occupaient avant que ces terre ne soient totalement attribuées à la colonisation. Par l'intermédiaire des salésiens, les Shuars purent aussi obtenir d'importantes contributions financières à leur développement, de la part d'organisations humanitaires étrangères.

La fédération des Centres Shuars servit de modèle aux autres organisations indigènes, dont la plupart ont moins de quinze ans d'existence, et qui furent tout d'abord regroupées par le Conseil National de Coordination des Nationalités Indigènes de l'Équateur (CONACNIE). Presque toutes les ethnies ont leur organisation représentative; ainsi dans la région amazonienne, l'Organisation des Indigènes Secoyas de l'Équateur, L'Organisation des Indigènes Cofanes, celle des Sionas, celle des Huauranis. Sur la côte, la Préfédération des Centres Chachis, le Gouvernement Tsachila... Quant aux Quichua, on les trouve dans la région amazonienne (Fédération des Organisations Indigènes du Napo, Organisation des Peuples Indigènes du Pastaza), mais surtout dans la sierra, où ils sont le plus souvent regroupés dans les limites provinciales (correspondant historiquement à des regroupements ethniques) : Fédération Indigène et Paysanne de l'Imbabura (FICI), Mouvement Indigène de Tungurahua (MIT), Mouvement Indigène de Cotopaxi (MIC), Union Paysanne de l'Azuay (UNASUAY), Mouvement Indigène de Chimborazo (MICH); les mouvements peuvent également dépasser les frontières provinciales, ainsi la Fédération Interprovinciale des Indigènes Saraguros (surtout dans la province de Loja). Actuellement les fédérations sont regroupées dans le cadre de la CONAIE (Conseil des Nationalités Indigènes Ecuatoriennes).

Pour toutes ces organisations, c'est la revendication de la terre qui est primordiale, et les rencontres portent davantage sur des revendications économiques et politiques au sein de la société nationale que sur une revendication de la spécificité culturelle. La plupart des dirigeants des fédérations provinciales sont issus de la population «bi-culturelle» définie précédemment : ils manient un espagnol fonctionnel, sont lettrés ou semi-lettrés, portent en eux assez du système métis pour savoir avec quelles armes le combattre. Ces dirigeants se spécialisent dans la conduite toujours plus complexe des intérêts de leur organisation et avec eux naît une nouvelle forme d'autorité. En effet, après le concept de *leader*, apparaît un concept totalement nouveau pour les groupes quichua, celui de *cadre*, qui prend naissance dans l'aide apportée aux organisations par des groupes métis de gauche. Dans cette optique, le CEDIME, Centre d'Étude des Mouvements Sociaux de l'Équateur, propose une formation pour les dirigeants des fédérations. Un chercheur du Centre définit ainsi la finalité de cette formation :

> *«Le rôle du CEDIME doit être un rôle éducatif; [il faut] appuyer et fortifier les organisations par la formation de leurs cadres... La nécessité d'autonomie des communautés se résout par la formation des cadres; il n'y a pas d'autonomie sans les acteurs sociaux qui peuvent garantir cette autonomie.»* (séminaire «Diagnostic communicationnel», 22 février 1986)

On retrouvera ce concept de cadre dans les processus d'alphabétisation et d'éducation en quichua, en relation avec le concept, également récent, d'*intellectuels quichua*. Mais le rôle de cadre dirigeant n'est bientôt plus conçu comme un rôle unique; ainsi le CEDIME propose des cours différenciés à différents niveaux pour ces dirigeants, ceux-ci devant assumer des tâches de plus en plus complexes, administratives et techniques.

Avec le développement des fédérations, on assiste donc à deux phénomènes principaux; tout d'abord une extension des communications dans et entre les groupes quichua : les fédérations et la coordination des fédérations sont des lieux de rencontre et d'échange pour les différentes communautés quichua et les Rencontres Nationales favorisent la tendance actuelle des groupes quichua à vouloir s'identifier à une nation avec une identité politique culturelle et linguistique. Ensuite, on assiste à la création d'une nouvelle dynamique de pouvoir avec l'apparition de rôles – détenteurs d'information et vecteurs importants de communication – diversifiés et spécialisés dans la conduite des fédérations. Il est intéressant de noter au passage que cette spécialisation est à la base de la formation d'une bureaucratie. En effet, les dirigeants ont de plus en plus de mal à continuer à s'occuper de leurs terres; les tâches au bureau de la fédération prenant de plus en plus de leur temps, ils tendent à se spécialiser dans leur rôle; au développement de cette bureaucratie quichua pourrait être corrélatif le développement d'un salariat agricole au sein des communautés. Ces rôles nouveaux, définis dans l'échange entre dirigeants issus de la population «bi-culturelle» et groupes indigénistes nationaux ou étrangers, seront prédominants dans la structuration d'une société quichua nationale.

2.2. L'alphabétisation et l'éducation primaire en quichua

De la rencontre des aspirations des fédérations et de groupes métis intellectuels, en accord avec la volonté politique, naît en 1980 le premier programme national d'alphabétisation en quichua (avec apprentissage de l'espagnol seulement en post-alphabétisation), et en 1986 se met en place un projet pilote d'éducation primaire en quichua (programmes du Ministère de l'Éducation).

La première expérience d'alphabétisation en quichua issue du Ministère de l'Éducation prend place dans la province de Cotopaxi, par signature d'un accord entre le Ministère et l'Institut de Langues et Linguistique (ILL) de l'Université Catholique de Quito (PUCE). En 1979 est créé au sein de l'ILL le Centre de Recherche pour l'Éducation Indigène (CIEI), qui prend à sa charge le sous-programme national d'alphabétisation en langue quichua. Dès la création du CIEI, les organisations indigènes sont appelées à participer au programme, pour la sélection du personnel, la formation et la conduite des évaluations. L'équipe centrale du CIEI était en 1979 de 19 membres, dont 14 étaient indiens, originaires de huit des onze provinces à majorité indigène quichua. De ces 14 membres, 7 avaient au moins le baccalauréat, et 5 représentaient des fédérations ou organisations indigènes. Cette équipe passa à 46 membres en 1981.

Après une visite du pédagogue brésilien Paulo Freire (auteur de la méthode dite «psychosociale») en 1979, qui encouragea chaleureusement le projet, le Ministère de l'Éducation organisa des réunions regroupant les principaux dirigeants indigènes pour qu'ils se prononcent sur les orientations à donner à l'alphabétisation en quichua. A la troisième réunion, maintenant historique, du 14 au 18 avril au campement de Nueva Vida, l'assemblée se décida sur une écriture unifiée du quichua à laquelle devraient se soumettre toutes les provinces, quelle que soit la divergence de leur quichua régional par rapport à cette écriture. De plus, cette assemblée procéda à l'élection d'un représentant au Conseil National d'Alphabétisation et de 4 promoteurs nationaux devant siéger au Ministère pour y définir la politique d'alphabétisation à suivre.

Le programme d'alphabétisation devait avoir une durée de quatre ans, de 1980 à 1984, pour l'alphabétisation de 500 000 Quichua. Les organisations régionales étaient chargées de nommer les promoteurs et formateurs, au nombre de 160, formés par le CIEI en quatre promotions. Ces promoteurs et formateurs devaient eux-mêmes former 6 640 moniteurs en 4 ans. Parmi les critères retenus pour choisir les candidats moniteurs, on note : avoir un niveau d'instruction supérieur ou égal à la troisième année du primaire, mais aussi être reconnus comme «leaders» dans leur communauté. Il s'avéra par ailleurs que les moniteurs, promoteurs et formateurs devinrent rapidement des autorités locales, et créèrent de nouvelles organisations locales ou provinciales.

La plus grande réalisation du programme d'alphabétisation – qui fut en lui-même un relatif échec – fut la contribution à la constitution d'une élite politique et intellectuelle formée à partir d'une population déjà prédisposée pour ce rôle. Le CONACNIE (Conseil National de Coordination des Nationalités Indigènes de l'Équateur) fut ainsi créé sur la base du programme. Le CONACNIE voulait utiliser l'alphabétisation pour organiser le monde indien, et faire des revendications culturelles la base d'une nouvelle politique à l'égard de la société métisse. Une très grande partie des chercheurs du CIEI, des promoteurs, formateurs et moniteurs adhérèrent à ce mouvement. Nombre de ces «cadres» formés par le CIEI se retrouveront par la suite dans les différentes instances nouvelles de communication (Projet d'Éducation Bilingue Interculturelle, radios émettant des programmes en quichua, ateliers culturels, chargés de la communication pour les fédérations etc.).

Un deuxième grand impact du programme fut la revalorisation de la langue quichua et, par la diffusion d'une écriture unifiée, la propagation de l'idée d'un quichua national dépassant les frontières dialectales qui sont celles de la communication locale. L'appellation «quichua unifié» sera ainsi donnée à la fois au registre écrit, et aux formes orales considérées comme «quichua pur», sans emprunts à l'espagnol, et dotées d'une prononciation tendant à l'unification.

Le programme du CIEI se heurta rapidement à certaines fédérations, qui dénonçaient l'emprise du centre sur le programme, tandis que le CIEI accusait les dirigeants de ces fédérations de visées politiques ou même personnelles. Les promoteurs nationaux en vinrent à réclamer la disparition du CIEI. A la Rencontre Nationale des Organisations Indigènes sur l'Éducation Rurale, qui se tint à Cuenca, province de l'Azuay, du 6 au 10 octobre 1982, furent adoptées des résolutions demandant au Ministère de l'Éducation et de la Culture une participation élargie des fédérations à toutes les instances des programmes d'alphabétisation et d'Éducation en quichua. En particulier, il fut demandé au Ministère de mettre fin à l'accord avec le CIEI, de signer un accord direct

Ministère-CONACNIE, et de créer une section d'Éducation Bilingue Interculturelle où travailleraient des représentants choisis par les organisations indigènes.

C'est en accord avec ces résolutions qu'est mis en place en 1985 le Projet d'Éducation Bilingue Interculturelle, au sein du Département d'Éducation Rurale du Ministère, avec l'appui technique de la Société Allemande de Coopération Technique (GTZ). Le projet, prévu pour 10 ans, démarre en avril 1985.

Cette éducation doit être une éducation en quichua avec apprentissage de l'espagnol comme langue seconde. Les contenus veulent provenir autant de la culture quichua que de la culture dominante :

> *«Ce modèle ne doit pas se comprendre comme la négation de la possibilité d'accès à la culture dominante, mais comme un modèle d'éducation interculturelle dans lequel les deux cultures, les deux langues ont leur place, et où l'enfant prend force dans ce qui lui est propre pour ensuite mieux comprendre l'autre, la culture hispano-urbaine.»* (Proyecto píloto de Educación Bilingue Intercultural, 1986 : 7)

Le projet veut permettre une participation directe des indigènes à toutes les instances du processus éducatif : planification, programmation, direction, exécution, suivi et évaluation. On retrouve dans l'équipe centrale de l'EBI d'anciens chercheurs du CIEI (mathématiques, linguistique, dessin) et des représentants des organisations indigènes. Tous les chercheurs indiens sont par ailleurs invités à participer au projet. Enfin, c'est en collaboration avec les organisations indigènes concernées que sont choisies les communautés où doit s'implanter le projet, et les candidats maîtres.

Il est là important de noter, qu'au contraire du programme d'alphabétisation où les moniteurs formés par le CIEI n'étaient rémunérés que pour la durée du programme, dans le projet EBI, qui s'intègre à l'enseignement régulier, les élèves ont droit au même accès à l'enseignement secondaire que les enfants éduqués dans le système hispanophone, et les maîtres, titularisés au même échelon que les enseignants du système monolingue, resteront dans le système quel que soit le devenir du projet.

Peu de maîtres indigènes étant disponibles pour le projet (une quinzaine), il fallut donc chercher des candidats quichua aptes selon les critères du Ministère à devenir maîtres : l'expérimentation portant sur huit provinces et dix écoles par province, une liste de bacheliers quichua fut préparée dans chacune des provinces; lorsqu'il ne fut pas possible de trouver dix bacheliers dans une province, on fit appel à la province voisine. Parmi les près de 80 bacheliers ou maîtres des huit provinces réunis de juillet à octobre 1986 pour leur formation initiale, se trouvaient d'anciens moniteurs du CIEI, des dirigeants de fédération et des présentateurs de radio. Si tous étaient quichua et si pour une majorité d'entre eux le quichua était la langue maternelle, certains l'avaient oubliée et pour presque tous l'espagnol était la langue fonctionnellement dominante. Lors de cette formation, les cours sur le matériel pédagogique – élaboré par l'équipe quichua-métisse du projet en collaboration avec les maîtres – étaient donc donnés en quichua, et cette langue redevint pour certains une langue fonctionnelle durant la formation.

2.3. Le quichua à la radio

Plusieurs provinces ont des radios émettant en quichua; ce sont souvent des radios religieuses. Les programmes sont soit éducatifs, soit d'information, concernant l'agriculture, la santé, l'histoire, le coopérativisme, l'élevage, la nutrition, le développement communautaire... On y présente également les nouvelles nationales et internationales, le sport, les messages des organisations, des journaux communautaires et bien sûr la parole de Dieu. Si ce sont les Églises qui ont lancé les radios quichua, on constate actuellement le même phénomène que dans le secteur de l'éducation : les organisation souhaitent la disparition de la mainmise de l'Église sur ces radios, pour les prendre elles-mêmes en charge. Les producteurs/présentateurs des programmes quichua (une vingtaine) sont tous quichua, bien que certains aient dû réapprendre leur langue. En 1985, près de la moitié avaient suivi une formation du CIEI. Cependant, leur formation initiale et continue aux techniques du journalisme radiophonique se fait en espagnol.

3. L'apparition d'une nouvelle classe quichua et d'un nouveau registre de langue

Ces changements progressifs, dans les secteurs politiques, éducatifs et médiatiques, ont donc contribué à un développement communicationnel à la fois entre les groupes quichua et avec la société métisse, et à l'expression organisée, au sein de la société nationale, de revendications non seulement économiques et politiques, mais aussi culturelles et linguistiques. Ces revendications sont essentiellement le fait de cette population «bi-culturelle», dont le développement a été canalisé par les groupes métis. Plus qu'à une évolution réelle de la société quichua traditionnelle, on assiste à l'émergence d'une nouvelle classe quichua, scolarisée en espagnol, qui va adopter des rôles issus du système national. Il semblerait en effet que ce soit la scolarisation, avec l'acculturation qu'elle entraîne, qui provoque la distanciation nécessaire à la revendication de sa propre culture.

Alors qu'auparavant, l'information nationale était apportée aux groupes quichua par des vecteurs extérieurs, l'intervention de cette population porteuse des valeurs traditionnelles quichua filtrées par le système métis va modifier non seulement le mode d'accès à l'information, mais encore son contenu : cette population va intercepter l'information qui vient de l'extérieur, la «quichuiser» et la renvoyer vers le groupe quichua dans son ensemble. Par exemple les éducateurs communautaires et les promoteurs zonaux, souvent sélectionnés par les communautés, sont chargés des différentes tâches de l'alphabétisation, mais servent également d'agents d'information pour les projets ministériels.

Le changement réside donc ici tout d'abord dans le transfert de l'information (information au sens propre, mais aussi contenus éducatifs et idéologiques) qui est en partie ou totalement à base métisse, mais maintenant interprétée par un vecteur quichua sous une forme quichua. Ensuite le changement réside dans la place que vont occuper ces vecteurs d'une communication moderne dans la société quichua. Cette population bi-culturelle, définie comme population bilingue, lettrée ou semi-lettrée en espagnol, porteuse de deux systèmes de valeurs – et donc interlocutrice privilégiée des groupes métis dans le développement des nouvelles instances de communication – est appelée à occuper les rôles vecteurs d'une nouvelle communication élargie, communication entre les groupes quichua et avec les Métis.

Il s'agit donc là de trois rôles principaux : cadres dirigeants des fédérations indigénistes, enseignants du projet d'éducation bilingue, et producteurs-présentateurs de programmes quichua à la radio. Ces rôles spécialisés ont des répercussions sur la société quichua dans son ensemble, et c'est au travers des communications dont ces rôles sont les vecteurs que va peu à peu se mettre un place un nouveau registre de la langue quichua, adapté à la transmission de concepts non traditionnellement quichua, ainsi qu'à une communication dépassant les frontières dialectales.

Une des particularités de cette population est la non spécialisation dans un des nouveaux rôles. On a vu ainsi que parmi les bacheliers réunis en 1986 pour leur formation initiale à l'éducation bilingue, se trouvaient d'anciens moniteurs d'alphabétisation de l'Université Catholique (responsable du premier programme national d'alphabétisation en quichua et de la mise en place du quichua écrit unifié), des dirigeants de fédération et des présentateurs de radio. En ce qui concerne les présentateurs de radio, nous avons vu également que s'ils sont tous quichua, certains ont dû réapprendre leur langue et près de la moitié ont suivi la formation de l'Université Catholique au quichua écrit unifié.

En 1986, nous avons organisé à Quito un atelier national sur l'utilisation du quichua à la radio dans le cadre du projet d'éducation bilingue. Cet atelier réunissait les producteurs/présentateurs quichua des radios les plus importantes de la sierra équatorienne. Un questionnaire fut présenté aux participants quant à leur rapport à la langue : A la question «Avez-vous l'impression qu'il y a une influence du quichua écrit unifié sur le quichua parlé ?», 60% répondirent positivement.

Nombre de ces détenteurs de la nouvelle parole sociale, qui peuvent avoir par leur position un pouvoir décisif sur l'évolution de la langue, ont donc dû réapprendre le quichua, le plus souvent au travers de cours sur le quichua écrit unifié. Même pour ceux qui parlaient librement le quichua dans leur enfance, l'espagnol est devenu la langue dominante : langue souvent la plus fréquemment utilisée, c'était il y a peu la seule langue utile – et adaptée – dans la vie professionnelle des journalistes et enseignants, la seule langue dont l'usage était valorisé par l'entourage et dont le bon apprentissage était renforcé par l'écrit. Nos acteurs sont donc essentiellement caractérisés par les deux traits, espagnol langue dominante, et influence forte du quichua écrit, qui représente pour beaucoup la refonctionnalisation d'une langue oubliée tout en étant une variante valorisée de cette langue. C'est ainsi que, parmi les individus qui assument actuellement les rôles de cadre-dirigeant, enseignant du projet bilingue ou présentateur de radio, nombreux sont ceux qui proviennent de familles où l'on interdisait l'usage du quichua pour que l'enfant apprît mieux la langue de promotion sociale, l'espagnol. C'est leur bonne connaissance de l'espagnol – au détriment du quichua – qui les a amenés à leur position actuelle, où ils doivent maintenant maîtriser le quichua dans sa nouvelle fonctionnalité.

Au plan de la «nation» quichua se constituant, on peut considérer ces nouvelles positions, celle de présentateur de radio et celle d'enseignant dans le système régulier, ainsi que la position de cadre dirigeant, comme correspondant à l'extension du réseau de communication quichua, déterminant de nouvelles relations contractuelles. Le développement de cette structure communicationnelle est en relation avec des changements sociaux concernant le groupe dans son entier. Tout d'abord, comme nous l'avons présenté précédemment, c'est le sentiment croissant chez une partie de la population d'appartenir à une nation quichua qui a contribué à créer les conditions nécessaires à l'avènement d'une conscience linguistique. La diversification des rôles au niveau des pouvoirs et du transfert d'information existe aussi à la base : ainsi les rôles nouveaux de la femme, en partie provoqués par l'émigration des hommes, qui accentuent la modification des instances de socialisation. Nous avons vu également la diversification économique, avec l'intégration des micro-économies locales aux marchés régionaux.

Le programme pour l'école bilingue veut intégrer ces transformations sociales. Dans des propositions pour les cahiers de lecture-écriture (Séminaire pour l'Éducation Bilingue, Quito, 25 avril 1986), on peut lire :

> *«Il faut non seulement identifier les rôles traditionnels de la femme et de l'enfant, mais proposer une modification de ces rôles traditionnels : les femmes dans des activités scientifiques, dans des rôles de chef* [...] *Il faut élargir les limites de l'unité domestique à la communauté, à la nation.»*

Extension et diversification sont donc les deux mots clés, mais le concept nouveau de nation quichua s'accompagne de conflits internes, les tenants de l'unification s'opposant aux régionalistes, lesquels prônent le respect des valeurs propres à chaque groupe. En effet, l'unification a comme symboles des entités sans références : ainsi le quichua unifié écrit, qui ne correspond à aucune forme parlée de la langue; ainsi la représentation de l'Indien dans le matériel scolaire, le «prototype»; pour qu'aucun groupe ne se l'attribue ni le rejette, ses marques distinctives ne correspondent à aucune réalité : de blanc vêtu, mais non du costume des Otavaleños, avec une ceinture de couleur, mais dont la couleur ne désigne aucun groupe particulier. Par ailleurs, l'unification est bien sentie par certains comme impliquant une interaction plus grande avec la culture métisse : aller à l'université, c'est déjà perdre sa culture, c'est presque perdre son âme. Mais les connaissances des Métis sont nécessaires au développement des groupes : les mathématiques orales quichua ne permettent pas la gestion des coopératives paysannes, jusqu'à présent dépendantes de comptables métis.

Le respect des valeurs culturelles est donc durement éprouvé par la nécessité de modernisme, et nous allons voir que la langue elle-même ne s'en sortira pas indemne.

4. Le changement linguistique

4.1. Les nouvelles situations de communication

On a donc observé ces dernières années une extension sociale de l'emploi de la langue quichua, et son entrée dans des champs de communication réservés jusqu'alors à l'espagnol, en particulier à la radio et dans l'éducation nationale. Corrélativement, le désir de revaloriser la langue pour lui rendre sa propre identité est exprimé de plus en plus fortement par les Indiens engagés dans le processus de développement. La langue quichua sort ainsi peu à peu du ghetto où l'avait enfermée la domination espagnole pour assumer de nouvelles fonctions : de langue de tradition orale, limitée à la communication locale, elle devient une langue écrite de caractère national, servant une communication élargie.

C'est avec l'alphabet défini à la réunion de Nueva Vida, en 1980, que le CIEI de l'Université Catholique entreprend l'élaboration d'une écriture unifiée de la langue, avec des choix orthographiques correspondant à une neutralisation des variations phonétiques et morphologiques existant entre les différents dialectes.

> *«La langue écrite doit manifester les traits communs des dialectes qui la composent en plus des particularités dont on veut étendre l'usage pour amplifier le cadre de la communication intergroupe. L'écriture, conçue comme un moyen de communication non isolant, c'est à dire capable d'atteindre le plus grand nombre de locuteurs de différents dialectes, oblige à une agglutination interdialectale, qui n'est pas autre chose que l'échange entre formes linguistiques tendant à leur généralisation.»* (Programme d'alphabétisation en quichua, 1979 : 3).

Cependant, cette écriture n'était pas alors conçue comme devant avoir une forme orale; on lit en effet dans le même document :

> *«Pour la lecture des graphèmes, chaque dialecte peut assigner au signe considéré sa valeur phonétique respective.* (*op. cit.* : 33)»

Outre des variations phonétiques, phonologiques et morphologiques, les dialectes quichua se différencient au plan lexical, non pas tant par une variation dans les lexèmes d'origine quichua, que par différents degrés d'emprunts à l'espagnol, intégrés au système lexical des dialectes en question. Ainsi dans certaines provinces, comme celles du Cotopaxi et de Cañar, on rencontre la forme de parler dénommée *chaupi lengua* (*chaupi*, «milieu» en quichua). Cette forme de parler a été bien étudiée par Pieter Muysken, qui la définit par les deux caractéristiques suivantes : d'abord, c'est une forme de quichua avec un vocabulaire presque exclusivement d'origine espagnole et des structures presque exclusivement d'origine quichua; ensuite, elle représente une étape de transition (qui dans certains cas peut durer plusieurs générations) d'une communauté quichuaphone vers l'espagnol.

Pour lutter contre la *chaupi lengua* et les emprunts trop nombreux à l'espagnol, ainsi que pour exprimer les nouvelles réalités auxquelles était confrontée la langue (par exemple le vocabulaire scolaire), l'équipe indigène de l'Université Catholique – dans le cadre de la mise en place du quichua écrit unifié – travailla dès 1980 à l'actualisation du lexique quichua, cherchant de «nouveaux» mots par différents procédés : réintroduction de termes oubliés, généralisation de termes régionaux, extension du sens d'un mot (ou composé ou dérivé) par analogie, emprunts aux quichua péruviens ou boliviens, etc. Les nouveaux lexèmes furent diffusés par le programme d'alphabétisation et certains de ces termes nouveaux s'étendent actuellement dans les provinces quichua. Par ailleurs, le quichua unifié présentait une syntaxe purement quichua, bien que sa structure informative fût influencée par l'espagnol.

Ce quichua unifié parut tout d'abord à beaucoup de locuteurs quichua comme une langue étrangère; quatre points principaux posaient problème :

– la grande distance entre les graphèmes en contexte et leurs prononciations régionales : ainsi l'écriture neutralise les oppositions phonétiques ou phonologiques sourdes/sonores, les oppositions phonologiques aspirées/non aspirées, etc.;

– les différences dans la morphologie des suffixes : ainsi pour le morphème génitif écrit -pac, on a les formes régionales /-pak, -pa, -puk, -pu, -k, etc./, avec des réalisations [p-b] à l'initiale, [k-x] en finale;

– l'introduction d'un lexique nouveau, et l'utilisation d'un signifié unique pour des signifiants ayant des signifiés différents selon les dialectes;

– une rhétorique complexe, copiée en partie sur l'espagnol.

Par ailleurs, les moniteurs étaient mal formés à la pédagogie de cet écrit qu'eux-mêmes oralisaient sans comprendre à la première lecture; la forme régionale et l'oralisation de la forme écrite entraient souvent en compétition pour rendre compte du mot écrit, ce qui rendait extrêmement difficile l'établissement des relations sons-signes.

Cependant, ce quichua écrit eut rapidement une influence sur la langue parlée, la fonctionnalité de cette écriture naissante s'intégrant à l'évolution de la langue vers une augmentation de son potentiel de communication. Les acteurs de la communication élargie ont en effet toujours exprimé le besoin d'une variété valorisée du quichua, à laquelle ne soit plus attaché le trait de «langue inférieure», ainsi que d'un quichua supra-régional qui puisse servir de vecteur pour les nouveaux contenus (informatifs, didactiques...) dans les nouvelles situations sociales. Par ailleurs, ces acteurs constituent une population mobile servant une communication intergroupes, et c'est dans leur parler que l'on peut constater le plus d'interférences et de fluctuations. L'utilisation du quichua écrit dans leur pratique sociale va renforcer cette tendance à l'homogénéisation.

Rapidement donc, deux registres différents coexistent sous l'appellation «quichua unifié» : le quichua écrit, d'usage encore malaisé, parce que trop éloigné des parlers régionaux, et le quichua oral revalorisé, considéré comme *quichua culto* («quichua cultivé»), utilisant des formes de l'écrit, mais représentant en fait un compromis entre ces formes et les parlers régionaux.

Si nous parlons d'un seul registre oral, et non pas de plusieurs spécifiques à chaque rôle, c'est que nous avons choisi de ne considérer comme caractéristiques que les changements par rapport aux quichua dialectaux qui pouvaient être analysés comme conditionnés par les facteurs communs aux différentes positions, aux différentes pratiques de rôles correspondantes et à la population appelée à assumer ces rôles. Nous considérons donc pour l'instant ce registre comme celui d'un quichua standard en cours de constitution, adapté aux contenus et aux modalités d'une communication de diffusion. Ce registre présente des spécificités à tous les niveaux linguistiques : phonologique/ phonétique, lexico-sémantique, syntaxique, discursif. Cependant, même si les acteurs qui contribuent à sa création ne sont pas toujours conscients des nouvelles formes linguistiques qu'ils emploient, ils savent qu'est en train de se former un quichua normatif, valorisé, qu'en référence à l'écrit présentant les mêmes valeurs, ils nomment également quichua unifié.

Pour illustrer cette conception du quichua unifié, nous citons ci-après les propos d'agents du processus, dans une enquête conduite en 1986 pour le projet EBI.

Un élève d'un Institut Normal Bilingue :

«Le quichua qui vous est enseigné est-il le quichua unifié ?
- Oui, c'est le quichua unifié, parce qu'ils doivent enseigner ce qui est correct, pour que nous-mêmes puissions enseigner correctement. Le quichua dialectal, nous le connaissons déjà, pourquoi nous l'enseigneraient-ils ?»

Un professeur de quichua dans une école normale :

> *«Ce quichua unifié parlé, quand l'utilisez-vous ?*
> *- Je l'utilise avec les élèves du centre d'alphabétisation, et pour les gens qui apprennent le nouveau quichua (el quichua nuevo)»*
> *- Et quand vous allez dans une autre communauté ?*
> *- Ça dépend, si je vois que c'est des gens qui n'utilisent pas encore le quichua unifié, je parle le mélangé/mixte (mixtificado); dans ce cas je dis «libru» (emprunt du quichua à l'espagnol «libro», livre).*
> *- Et quel est le quichua que vous préférez parler ?*
> *- Pour moi, pour des raisons d'affinité indigène et paysanne équatorienne, je préfère le quichua unifié, parce que, comme ça, nous n'aurons pas de problème dans le futur pour communiquer avec les autres.»*

Un moniteur d'alphabétisation du Cotopaxi, qui dans son discours même, a du mal à distinguer forme régionale et régionalisation de la forme unifiée :

> *«Le quichua dialectal (dialectico) varie dans les terminaisons, mais avec les mêmes significations. Par exemple, à Salasaca, ils disent [atil] «poule», à Zumbahua, nous disons [atalpa]... [atizhba], différentes prononciations, mais c'est le même sens. [atazhpa] est la forme structurale... ou [atallpa], la forme propre, la forme correcte. Je dis [thangana] «pousser», je prononce [thangana] mais on n'écrit pas [thangana], parce que vous savez que dans le quichua écrit il n'y a pas la lettre g.*
> *- Mais quand vous parlez avec quelqu'un en quichua, quelle forme vous utilisez ?*
> *[tangana]* (on remarque là la disparition de l'aspiration de l'occlusive)
> *- Et quand vous êtes dans le centre d'alphabétisation ?*
> *- Je parle correctement, je dis [tankana], pour que les élèves ne commettent pas d'erreurs, nous devons parler correctement.»*

Un dirigeant de l'Azuay :

> *«Que se passe-t-il si l'enfant ne parle plus comme ses parents ?*
> *- Alors les parents se réjouissent, parce que tout le monde sait, même si on n'en parlait pas, que nous ne parlons ni le quichua pur, ni l'espagnol pur, alors il faut retrouver la pureté des langues (los idiomas puros).»*

Des maîtres d'écoles du Tungurahua :

> *«Il est nécessaire qu'il y ait un quichua officiel en Équateur que tout le monde connaîtra. C'est vrai, actuellement, nous vivons le quichuagnol (quichuañol), nous n'avons mis en pratique, ni un espagnol pur, ni un quichua pur.»*

Un promoteur d'alphabétisation du Cotopaxi :

> *«Maintenant, nous sommes presque habitués à parler ce quichua unifié... Par exemple, si je rencontre quelqu'un de l'alphabétisation, je parle en quichua unifié, si je parle en dialecte, on me regarde, alors tu te rends compte que non, alors je dois répondre en unifié.»*

Il est intéressant ici de constater que les préjugés contre les quichua régionaux – préjugés des Métis repris par les Indiens –, ne sont pas levés par l'apparition d'une variante de prestige; au contraire, ces préjugés trouvent leur justification en contraste avec cette variante. Le quichua «nuevo, puro, estructural, correcto» est ainsi opposé au quichua «dialectico, mixtificado» et aussi au «quichuañol». Cette valorisation du quichua unifié est un des facteurs qui le font sortir de la pratique formelle des rôles pour l'étendre aux relations extérieures : il connote la personne cultivée, qui sait parler correctement. De plus, son caractère idéologique d'unificateur du peuple quichua accélère sa diffusion comme langue intergroupes (qui n'est pas linguistiquement nécessaire, il y a intercompréhension pour la majeure partie des groupes dialectaux de la Sierra). Enfin, on peut noter qu'à la conscience d'un quichua «nettoyé» des interférences avec l'espagnol est corrélative la conscience d'un espagnol pur. Augmenter le prestige et les fonctions du quichua, c'est donc aussi ouvrir la possibilité d'un bilinguisme coordonné.

Notre dernière enquête en 1990 auprès des enseignants du projet d'éducation bilingue nous a montré que s'il y avait bien une expression très nette du besoin d'un quichua revalorisé, les maîtres avaient encore des attitudes très différentes envers les quichua dialectaux. Différentes situations se produisent, que nous illustrons ci-dessous par des extraits d'interviews (traduits de l'espagnol ou du quichua) :

Lorsque le maître est originaire d'une ethnie valorisée socialement (par exemple les Otavaleños d'Imbabura) et qu'il n'a jamais cessé de parler le quichua, il amène les enfants à oraliser le quichua écrit dans leur dialecte :

> *«Moi, avec l'éducation bilingue, j'utilise le quichua unifié... je fais prononcer comme on dit oralement, mais l'écriture, il faut la fixer... peu à peu nous arrivons à l'unification du quichua, mais en respectant les manières de parler.»*

Cependant, un maître de la même province, craignant les problèmes posés par le passage à l'espagnol, fera oraliser la forme écrite telle quelle :

> *«J'ai toujours parlé le quichua, mais nous qui parlions le quichua, nous avons eu un peu de difficulté pour parler et écrire l'espagnol...*
> *Moi, je leur fais prononcer exactement comme c'est écrit, parce que je pense qu'après ils peuvent avoir des problèmes avec l'espagnol... alors je les fais lire exactement comme c'est écrit, et après je leur explique que nous pouvons prononcer comme nous parlons...»*

Par contre, des maîtres issus de provinces où la variété dialectale est très éloignée du quichua écrit et/ou bien où le quichua cédait peu à peu la place à la *chaupi lengua* (par exemple le Cotopaxi), ou encore qui ont dû par leur histoire personnelle réapprendre la langue, tendent à utiliser une forme orale du quichua unifié, et à faire utiliser celle-ci par les enfants :

Un maître de la province de Cotopaxi :

> *«De la même façon que nous avons appris l'unification de l'écriture, nous devons faire lire comme c'est écrit... quel que soit le dialecte d'ici.»*

Un autre maître de la province de Cotopaxi :

> *«Moi, j'ai réappris le quichua par moi-même... mes parents parlaient le quichua, mais j'ai vécu loin de chez moi. Depuis que je suis dans le programme d'éducation bilingue, je parle la langue quichua, avec tous mes amis et dans ma famille. Je fais lire*

les enfants comme c'est écrit dans le texte, et les enfants prononcent comme c'est écrit, il n'y a pas de problème.»

Un maître de la province de Tungurahua :

«Je savais le quichua, comme mes parents le savaient; mais à l'école ils m'ont traumatisé, ils m'ont fait tout oublier... Après, j'ai dû récupérer, et maintenant je continue à enrichir mon vocabulaire et je parle dans les communautés.»

Un maître de la province de Bolívar :

«Je parlais le quichua, mais pas le quichua unifié, je parlais la chaupi lengua; quand je suis devenu maître, j'ai commencé à parler le quichua unifié; ... Parfois ils me demandent pourquoi tel mot, on le dit comme ça, moi je leur explique que nous sommes en train de faire ce quichua unifié au niveau national...»

Un autre maître de la province de Bolívar :

«J'ai parlé le quichua, mais je ne parlais pas l'unifié; seulement avec le programme d'alphabétisation, et après avec l'éducation bilingue. Je m'efforce à ce que les enfants parlent exactement comme c'est écrit, mais je respecte le dialecte et les enfants peu à peu s'adaptent à la manière dont je parle moi; moi j'applique le quichua unifié et les enfants s'adaptent à ma façon de parler.

J'aimerais bien parler le quichua unifié avec mes amis, mais c'est un peu difficile, surtout avec les anciens, ils ont leur manière de parler. Mais dans le travail... j'ai l'espoir que les enfants dans le futur parlent mieux que nous.»

Au-delà de ces différences d'opinion, une autre phase de l'enquête a montré que dans une situation professionnelle (telle que celle de devoir s'exprimer en quichua et répondre à un questionnaire devant une linguiste rattachée au Ministère de l'Éducation), tous ces maîtres utilisaient des registres oraux extrêmement semblables, enracinés dans les formes unifiées de l'écrit.

Les réactions des producteurs/présentateurs de programmes radiophoniques quichua vont dans le même sens que celles des enseignants quant à la valeur du quichua unifié. S'ils ne sont pas sous la même influence de l'écrit, leur rôle n'en est pas moins un creuset où peuvent se fondre les variations de prononciation : tous ont exprimé le sentiment qu'il faut parler à la radio un quichua correct qui soit compris dans toute la province et même au-delà pour la plupart des radios. Enfin, certains considèrent que la radio doit appuyer l'unification du quichua. Il est important de noter à cet égard que les programmes en quichua sont souvent perçus au-delà des frontières dialectales circonscrivant la localisation de l'émetteur et/ou la communauté d'origine du ou des producteurs/présentateurs.

Le discours radiophonique est en grande partie fondé sur des systèmes conceptuels appartenant à la réalité métisse. On trouve par exemple des commentaires sur les événements sportifs, au travers d'un lexique spécialisé constitué en grande partie par des emprunts à l'espagnol; il en est de même pour les programmes religieux, même si les concepts de la religion – et le vocabulaire correspondant – sont en partie intégrés dans la sémantique quichua. Les nouvelles nationales ou internationales présentent de même des concepts extérieurs à la réalité paysanne. Les programmes culturels consistent le plus souvent en musique indienne, lecture de mythes ou devinettes; quant au transfert d'informations internes au monde quichua, il s'agit le plus souvent d'enregistrements de messages et d'entrevues dans les communautés.

En ce qui concerne la prononciation («dialectale» ou «unifiée»), nous avons constaté lors de l'atelier de Quito où étaient réunis les présentateurs de radio et où ils écoutaient ensemble l'enregistrement de leurs émissions, les mêmes réactions que chez les enseignants : certains présentateurs étaient conscients de parler à la radio un quichua différent et justifiaient leur choix :

Un présentateur de Bolívar :

> *«A la radio, je fais attention à ne pas mélanger le dialecte... il faut toujours essayer d'unifier.»*

Un autre présentateur de Bolívar :

> *«A la radio, il faut davantage parler le quichua pur, et les paroles qu'on ne peut pas traduire, les dire en espagnol. Il faut que tout le monde comprenne.»*

Un présentateur de Chimborazo :

> *«Il faut un quichua qu'on comprenne dans tout le pays... A la radio, il faut essayer de faire attention, de bien parler.»*

Et même ceux qui dans un questionnaire préalable avait répondu utiliser leur quichua dialectal à la radio, se rendaient compte à l'écoute qu'en fait ils utilisaient un registre aux formes unifiées.

Les présentateurs de radio ont pour première tâche de faire passer l'information, et il est parfois plus facile de rendre les concepts métis par des emprunts que par des innovations lexicales quichua qui supposeraient par ailleurs l'intégration du concept à la structure sémantico-culturelle du groupe. Certains des programmes paraissent donc essentiellement s'adresser à des bilingues connaissant bien le système social métis. Cependant, ces présentateurs sont également conscients de leur rôle dans la propagation d'une variante soutenue d'un quichua national, et du fait qu'ils doivent concilier la nécessité de transmettre l'information et le désir de revaloriser la langue.

Les contenus éducatifs obéissent d'ailleurs aux mêmes influences : ils s'appuient sur l'existant quichua, mais ont cependant pour finalité un apport de connaissances extérieures et une modification des comportements, même si cette modification des comportements est décidée par les acteurs quichua du secteur éducatif. Les producteurs des ouvrages scolaires sont donc confrontés au problème d'exprimer en quichua des réalités relevant d'un système différent. Ne serait-ce que dans le contexte de l'enseignement, il fallut trouver des équivalents quichua pour tout le paradigme de la lecture-écriture (lire, écrire, tableau noir, cahier, livre, crayon, etc.). Ces créations, même si elles amènent parfois de délicats problèmes de polysémie, ne remettent pas en cause les systèmes traditionnels quichua. Par contre, dès qu'il s'agit des contenus scientifiques, on arrive souvent à l'alternative de remplacer un paradigme quichua par un paradigme métis, par exemple pour le système des poids et mesures. La présentation en quichua ne doit pas faire croire au respect du système traditionnel : ainsi une partie des spécificités des mathématiques orales quichua disparaît à l'écrit (par exemple la manière de poser les opérations, inopérante à l'écrit); par ailleurs fut rajouté le zéro (*illac*, littéralement «ce qui manque»).

De la même manière les contenus idéologiques des discours politiques reflètent souvent des concepts propres à une société de classe, les cadres dirigeants des fédérations étant souvent pris en charge, comme on l'a vu, par des intellectuels équatoriens militants indigénistes.

L'introduction de tous ces nouveaux concepts participant de systèmes de valeurs extérieurs, que l'expression formelle en soit des emprunts ou des néologismes, modifie profondément le système lexico-sémantique du quichua, créant l'image d'une culture alternative ancrée sur le système social national.

Enfin, un facteur important du changement linguistique concerne les situations d'énonciation des nouveaux discours : ceux-ci s'inscrivent dans une communication de diffusion, avec un apport moindre de paramètres situationnels, alors que la syntaxe du quichua oral est justement construite en grande partie sur la prise en compte de ces paramètres. Par ailleurs, le message didactique, politique ou informatif ne s'appuie pas sur des réactions directes émises par l'auditoire; les innovations linguistiques par rapport au quichua traditionnel ne se produisent donc pas dans des conditions où elles pourraient être immédiatement corrigées, ce qui est un facteur supplémentaire d'un changement linguistique rapide dans le milieu des producteurs. Enfin, on a noté chez les producteurs d'un écrit ou d'une émission radiophonique que le fait de ne pas s'adresser à des lecteurs/auditeurs d'une zone dialectale unique provoque le recours à des formes unifiées. Au niveau de l'auditoire, les évaluations auprès des enfants scolarisés montrent qu'ils entrent rapidement dans cette dynamique du quichua unifié avec leurs enseignants; et les enquêtes menées par les journalistes dans les communautés montrent qu'à tout le moins existe chez les auditeurs une compétence passive des formes unifiées.

Le problème de la modification des repères énonciatifs concerne surtout les producteurs de matériel écrit et les présentateurs de radio. Ce type de production implique une nouvelle indépendance par rapport aux paramètres de l'énonciation. Si on la compare à la production d'énoncés en dialogue, on note tout d'abord que la situation d'émission ne coïncide pas avec la situation de réception; par ailleurs, le récepteur n'est pas un individu, sinon un être social, et l'expérience commune est donc là le contexte social large. On note ensuite qu'il y peu de référenciation possible à des éléments appartenant à la situation d'énonciation. On note enfin que l'information transmise a une origine extérieure à l'énonciateur, qui n'est là qu'un «porte-parole». La communication s'appuie donc sur une réalité à laquelle ne participent que de loin l'énonciateur et son public.

Un langue est adaptée aux modes de communication dans lesquels elle sert de vecteur. Quand le système de communication se modifie et qu'apparaissent des rôles nouveaux porteurs d'une nouvelle parole sociale, celle-ci détermine une adaptation du système linguistique. Ce fut la parole en situation (le dialogue) qui détermina les spécificités structurelles du quichua oral traditionnel. Des analyses linguistiques de ce quichua (FAUCHOIS, 1987) ont en effet montré que nombre de ses systèmes intègrent des paramètres de l'énonciation dans leur fonctionnement; les niveaux syntaxiques, sémantiques et énonciatifs sont ainsi très imbriqués. Par exemple, l'indication de relations syntaxiques peut être totalement dépendante de modalités énonciatives posant la relation de l'énonciateur aux segments d'expérience exprimés dans l'énoncé. Les analyses du CIEI préalables à l'élaboration du matériel d'alphabétisation firent apparaître le même phénomène :

> *«Les caractéristiques de la culture orale, incluant les éléments pertinents de la communication bilatérale (le dialogue) et du contexte de situation, apparaissent clairement intégrées aux structures morphosyntaxiques du quichua... Par ailleurs, le quichua est une langue plus adaptée au discours direct qu'au discours indirect, comme l'est l'espagnol, ce facteur influant de manière évidente dans la structuration du message écrit.»* (Programa de alfabetización en quichua, informe sobre el área lingüística 1979 : 43)

Les nouveaux acteurs de la communication ressentent donc là aussi un sentiment d'insécurité dans la production de discours «hors situation», dû à l'absence des repères énonciatifs habituellement constitutifs des discours. Généralement, ce sentiment d'insécurité se traduit par le besoin de se distancier d'une information qu'ils ne font pas leur. Cependant, ils ne disposent pas actuellement des outils nécessaires à l'élaboration d'un discours indépendant. On note alors dans leur production deux types de réactions, souvent combinées : tout d'abord le recours aux formes rhétoriques de l'espagnol – langue dans laquelle ils ont souvent été formés professionnellement –, amenant une utilisation de règles syntaxiques de l'espagnol collées sur les structures quichua (ce phénomène étant accentué par la nécessité de redondance dans ce type de communication); ensuite le rééquilibrage de certains paradigmes de monèmes fonctionnels ou de modalités quichua sur des critères exclusivement syntaxiques ou sémantiques, en évacuant la valeur énonciative-déictique de ces morphèmes. Nous présentons au point suivant des exemples de modifications discursives déterminées par la nécessité pour l'énonciateur de se distancier de son énoncé.

4.2. Les formes du changement

Les formes du changement sont multiples à tous les niveaux de la langue, et une présentation exhaustive du changement linguistique dépasserait le cadre de cet article. Nous nous contenterons donc d'illustrer les traits principaux du changement à chaque niveau linguistique.

En ce qui concerne les changements phonétiques et phonologiques, les enquêtes menées en 1986 et 1990 auprès de dirigeants, présentateurs de radio et enseignants montrent et confirment les tendances principales suivantes : tout d'abord la perte de la série d'occlusives aspirées pour les locuteurs des zones dialectales où cette série s'oppose à une série d'occlusives non aspirées. Ensuite l'interruption du processus de sonorisation après consonne nasale à l'intérieur de lexèmes, au travers des nouveaux mots introduits, mais surtout perte de sonorisation des occlusives à l'initiale de suffixe, pour les locuteurs des provinces où se produit cette sonorisation. Enfin, l'élimination progressive de la voyelle /u/ dans toutes les formes et de la voyelle /i/ dans une majorité des formes où l'écrit et les dialectes d'autres provinces présentent une voyelle /a/.

En ce qui concerne le lexique nouveau et l'intégration de ce lexique dans de nouveaux schémas syntaxiques et rhétoriques, on constate que la «relexification» de la langue entreprise à l'origine par le CIEI et poursuivie par le projet EBI s'est relativement bien diffusée, par le biais de l'alphabétisation et des écrits. Mais il est également intéressant de voir comment les acteurs de la nouvelle communication cherchent individuellement et spontanément dans la pratique de leur rôle des solutions aux lacunes lexicales du quichua.

Dans cette période de transition, la nécessité d'exprimer de nouveaux concepts se traduit fréquemment par le recours à des emprunts à l'espagnol – surtout quand le premier objectif de la communication est l'information, comme dans le cas des nouvelles à la radio –. Ces emprunts sont alors souvent circonstanciels et mal intégrés à la syntaxe de la langue : ils peuvent être en position de topique, avec utilisation d'un pronom de reprise :
*Cai **doctor ministro de la educacion,** paimi*... «Ce ministre de l'Éducation, il...», ou entraîner l'utilisation d'un schéma syntaxique espagnol : on trouve ainsi des proposition relatives sur le modèle de l'espagnol (utilisant un pronom relatif) au lieu de celui du quichua (qui utilise des formes participiales); de la même manière, l'utilisation d'un emprunt en fonction objet entraîne souvent son intégration dans un schéma syntaxique Sujet-Verbe-Objet au lieu de l'utilisation de la marque fonctionnelle quichua de l'objet :

*Churamucrin shuc **ley*** «ils vont établir une loi», où *shuc **ley***, «une loi», a sa fonction objet indiquée par sa position après le verbe, et non par le monème fonctionnel suffixé *-ta*, avec une antéposition préférentielle du complément objet au verbe (*shuc **leyta** churamucrin).*

L'isolement de ces emprunts dans le discours se traduit également par l'emploi de divers procédés de distanciation, comme l'utilisation de déterminants récemment spécialisés dans cet emploi (qui peuvent se traduire par «le dit», «l'espèce de», etc.); ces emprunts concernent par exemple le champ politico-économique (***gobierno, presidente, ministro, ley, sindicalista, sueldo, salario, precios, fábrica*** ...), et tous les rôles et institutions propres à la société métisse :

shuc ***decreto*** *nishca* (*shuc* «autre», ***decreto***, espagnol «décret») «le dit décret»;

cai ***microbio*** *sami*, «cette sorte de microbe»; l'informateur commente : «là, si je dis *cai* ***microbio***, c'est comme si on connaissait déjà le microbe»; par ce commentaire, il exprime implicitement la gêne ressentie par l'emploi du déictique *cai* dans une situation distanciée. On note dans d'autres discours une redéfinition du déictique *cai* et du contrastif *shuc* «l'autre», dans une opposition d'articles défini/indéfini calquée sur l'espagnol ***el/uno*** (absents en quichua traditionnel).

Enfin, on note chez tous les acteurs le procédé de «composition redondante», qui consiste à utiliser un mot quichua de sens général proche, pour accompagner un emprunt :

huasi ***edificio*** (*huasi*, «maison») : «bâtiment»;

calle *ñambi* (***calle***, espagnol «rue»; *ñambi*, «chemin») : «rue»;

pushac ***ministro*** (*pusha-c* , «celui qui guide») : «ministre»;

pastilla *muyu* (***pastilla***, espagnol «pilule»; *muyu*, «graine») : «pilule anticonceptionnelle»;

trago *yacu* (***trago***, espagnol «alcool»; *yacu*, «eau») «alcool».

Ce dernier procédé est vraisemblablement motivé par deux facteurs : le besoin d'une détermination nominale pour restreindre le sens originel du mot quichua et la nécessité, ressentie par tous les producteurs, d'une redondance formelle pour les nouveaux concepts.

Cependant, la revalorisation de la langue impliquant le rejet des emprunts, beaucoup d'acteurs se livrent souvent à un travail d'équivalence conceptuelle visant à la production d'une terminologie quichua reflétant les nouvelles réalités. Ces procédés peuvent entrer en concurrence, parfois chez un même producteur, avec les procédés utilisant l'emprunt décrits précédemment.

Pour cette recherche d'équivalence, nous avons constaté deux procédés principaux qui font consensus, mais dont l'utilisation extensive peut avoir d'importantes répercussions sur la langue.

Le premier procédé consiste en l'utilisation d'un mot quichua de sens général pour des références spécifiques (le mot quichua perdant alors sa propre référence historique) :

llacta, «peuple, territoire» (référant à la circonscription territoriale d'un groupe quichua); pour désigner les concepts de «pays», «ville», «province» et «commune»;

cullqui, «argent», pour désigner «salaire», «paye», et même «prix»,

huasi, «maison», pour «immeuble», «entrepôt», «hôtel»;

pushac, «dirigeant» pour «président», «gouvernement».

La multiplication des concepts sous un matériel formel limité mène à de graves problèmes de polysémie sans atteindre le degré de précision informative de l'espagnol. Il existe une spécificité du découpage administratif du pays, des rôles politiques, de la rétribution du travail et de la différenciation des édifices selon leur fonction, qui est propre à la société métisse : cette spécificité ne peut pas s'exprimer en quichua. Il existe des mots du quichua écrit unifié, par exemple *marca*, pour «province», *quiti*, pour «canton», *jatun causai*, pour «paroisse», etc., mais jusqu'à présent cette terminologie est peu adoptée, peut-être justement pour être la traduction littérale d'un champ de signification non-quichua.

Alors que les emprunts circonstanciels (pour les besoins d'une communication ponctuelle) dissocient ces concepts de la réalité proprement quichua, leur traduction les intègre à cette réalité. Cette intégration peut correspondre à une appropriation du concept; ainsi, à côté de l'hispanisme ***escuela***, «école» (concept auparavant absent du lexique quichua), se trouve maintenant *yachana huasi* («maison du savoir») qui traduit non pas l'école traditionnelle monolingue espagnole qui refusait de reconnaître la culture quichua, mais la nouvelle école bilingue de la campagne, intégrée aux communautés. Cependant la traduction amène le plus souvent à l'imposition d'un concept non appropriable, et à l'évacuation du concept quichua qui existait auparavant sous le même mot : ceci s'est déjà passé au travers de l'imposition de la religion catholique : *supai* ne désigne plus un esprit bon ou mauvais, propre au monde spirituel quichua, mais un démon chrétien. Par l'intégration en masse de concepts métis dans le système lexico-sémantique de la langue, et la déspécialisation sémantique corrélative, c'est la vision quichua du monde et la culture qu'elle reflète qui est atteinte.

Le second procédé consiste en la création de mots nouveaux par dérivation : on peut dériver différents mots à partir d'une même racine verbale, le plus souvent en utilisant des suffixes participes : *-c*, qui marque le participe présent-agent, *-shca*, qui marque le participe passé-patient, *-na*, qui marque le participe futur-instrumental, et *-i*, atemporel-abstractif.

Ainsi, dans l'élaboration d'un livret pour l'éducation civique (travail avec des promoteurs d'alphabétisation, PASTAZA, 1984), on trouve :

pushaita rurana (*pushu-*, «conduire», *-ta*, «marque de l'objet», *rura-*, «faire») pour «administration»;

ricu na (*ricu-*, «voir») pour «définition»;

llanca-c (*llanca-*, «travailler» -mot du quichua unifié-) pour «travailleur» et *llanca-na* pour «emploi»;

yacha-na (*yacha-*, «savoir») pour «éducation»,

tantari-shca (*tantari-*, «se réunir») pour «réunion»;

minishtishca (*minishti-*, «avoir besoin») pour «nécessité, intérêt»;

huiña-c (*huiña-,* «faire croître, élever») pour «préfet».

Plusieurs problèmes se posent dans l'utilisation de ces suffixes de dérivation. Tout d'abord une racine verbale avec un suffixe déterminé ne crée pas automatiquement un seul sens. C'est la liaison constante d'un mot dérivé avec un référent unique qui crée une seule signification pour ce mot. Dans les nouvelles créations, on trouve également des hésitations quant au suffixe à choisir pour l'expression du concept à rendre :

Ainsi «nouvelle» se dit *huillai* (*huilla-,* «informer») pour les présentateurs de la radio Latacunga (Cotopaxi) et de la radio Surcos (Bolívar), mais se dit *huillana* pour les présentateurs de la radio Voz de Ingapirca (Cañar), selon qu'ils conçoivent la nouvelle comme le procès d'informer ou ce qui sert à informer.

Les nouveaux dérivés peuvent également devenir polysémiques : ainsi *uyari(i)* (*uya-,* «entendre»; *-ri,* «réflexif), utilisé à l'école pour signifier «son» (ce qui s'entend), mais auquel les présentateurs de radio ont également attaché le sens de «nouvelle», et que nous avons entendu une fois dans le sens de «magnétophone».

Beaucoup d'hésitations donc dans la production, qui rendent difficile le renforcement de la liaison entre le néologisme et le concept qu'il veut représenter, et la compréhension de cette liaison par les lecteurs ou auditeurs. Cette compréhension, qui déjà est malaisée sans connivence préalable (comment comprendre à priori que «celui qui fait croître» désigne un préfet) est parfois rendue impossible par la multiplication des néologismes par dérivation dans certains textes.

Mais le plus grand problème que pose l'utilisation des suffixes participes pour la création lexicale réside dans le fait que ces marques interviennent également dans l'indication de relations syntaxiques. Lorsque la liaison du dérivé à un concept est connue, ce dérivé est analysé directement comme synthème; mais lorsque cette liaison est mal établie, le lecteur ou l'auditeur ne sait pas immédiatement s'il doit analyser le dérivé comme synthème ou syntagme :

Ainsi *pushac an* (*pusha-*, «conduire; *a-,* «être»; *-n* 3e personne) peut signifier «c'est le gouverneur», «il est gouverneur», ou encore «il a l'habitude de conduire».

Les hésitations à considérer ces participes comme synthèmes nominaux ou syntagmes verbaux se reflètent bien dans les constructions syntaxiques qu'ils régissent. Ainsi, dans une même information traduite par plusieurs radios, la référence aux dirigeants d'un club sportif («les dirigeants du club de Cuenca») est rendue par :

*Deportivo Cuenca**manta** pushaccuna* (*-manta,* «provenanciel», -avec ici un calque de l'espagnol-) : «les dirigeants du (venant de) club Cuenca»,

Deportivo Cuencapac pushaccuna (*-pac,* «complément du nom») «les dirigeants du club Cuenca»,

Deportivo Cuenca pucllaccunata pushaccuna (*puclla-,* «jouer»; *-cuna,* «pluriel»; *-ta,* : «marque l'objet d'un verbe») : «ceux qui guident les joueurs du club Cuenca».

Les innovations lexicales et le rééquilibrage conséquent du système lexico-sémantique de la langue que les nouveaux acteurs manient, reflètent bien les problèmes actuels de repositionnement du groupe quichua dans la société nationale, aussi bien dans les domaines politique, économique, que culturel... Cependant, on peut voir là une perte des spécificités historiques de la langue.

Au niveau syntaxique, le changement qui s'initie dans l'élaboration de discours adaptés à la communication élargie, écrits ou oraux, provient en partie des mêmes facteurs qui déterminent les innovations lexicales. D'une part les messages transmis par les canaux de la communication quichua moderne sont en partie de même contenu que les messages transmis par les canaux de la communication hispanophone; d'autre part, les acteurs sont plus habitués à l'expression hispanophone de ces contenus, ce qui ouvre à une influence forte de l'espagnol, langue dont les modèles syntactico-rhétoriques sont adaptés à ce type de communication.

Mais ce qui est ici déterminant est le fait que les structures syntaxiques du quichua oral ne sont pas adaptées au mode de la communication «distanciée». En effet, il existe une forte dépendance des systèmes syntaxiques du quichua aux paramètres énonciatifs et référentiels de la constitution des énoncés, vraisemblablement du fait que le quichua comme langue de l'oralité a été fondé sur et conditionné par le mode de communication dialogique. Les systèmes de monèmes grammaticaux ne peuvent pas être considérés indépendamment des modalités de leur mise en fonctionnement, car ils sont en prise directe avec les différentes alternatives de leur actualisation, qui fondent à la fois leur équilibre et leur économie.

Ainsi, l'emploi des modalités *-rca/-shca*, qui ont soit une valeur aspectuelle d'accompli, soit une valeur temporelle de passé selon leur combinatoire, dépend de la présence ou de l'absence de l'énonciateur dans l'événement référé :

rupashca ca-rca-ni (*rupa-*, «brûler»; *-shca*, participe; *ca-*, copule; *-rca*, accompli attestif; *-ni*, 1e pers.) : «je m'étais brûlé (je m'en étais rendu compte à ce moment-là)»;

rupashca ca shca ni (*rupa* , «brûler»; *-shca*, participe; *ca-* copule; *-shca*, accompli non attestif; *-ni*, 1e pers.) «je ne m'en étais pas rendu compte, mais j'ai été brûlé».

A partir de formes gérondives, l'expression d'une relation causale passe par la certitude de l'énonciateur quant à la réalisation de l'événement chronologiquement premier (modalisateur *-mi*), tandis que l'expression d'une relation conditionnelle passe par l'expression de son doute quant à la réalisation du même événement (modalisateur *-ca*) :

upi-sha macha-n (upi- «boire»; *-sha* «gérondif»; *macha-* «être saoul»; *-n* 3e pers.) : «quand il boit, il faut qu'il se saoule»;

upi-sha-ca macha-n (upi- «boire»; *-sha* «gérondif»; *-ca* «non certitif»; *macha-* «être saoul»; *-n* 3e pers.) : «s'il boit, il se saoulera»;

upi-sha-mi macha-rca (upi- «boire»; *-sha* «gérondif»; *-mi* «certitif»; *macha-* «être saoul»; *-rca* «passé attestif»; 3e pers. marque ∅) : «parce qu'il avait bu, il fut saoul».

Or, les recherches menées sur les nouvelles productions, en relation avec les producteurs, montrent un très net sentiment d'insécurité dans la production. Le besoin de compenser l'absence des habituels repères énonciatifs de l'oral se traduit généralement par une complexification de la détermination, une déspécialisation sémantico-énonciative de certains monèmes fonctionnels et modalités et une systématisation de leur usage sur des oppositions de valeur souvent calquées de l'espagnol. Nous avons pu également constater un codage plus formel des relations syntaxiques, avec emprunts de monèmes fonctionnels à l'espagnol pour l'expression de relations liées en quichua à la position de l'énonciateur par rapport aux événements référés. On note ainsi une redéfinition de la paire *rca/-shca* comme prétérite/passé composé; une utilisation systématique de la modalité *-ca* pour marquer la distance (ainsi *can* (2e personne) «tu», *can-ca* «vous»); l'utilisation fréquente du monème fonctionnel espagnol ***porque***, «parce que», etc.

Le classement des justifications données par les producteurs pour leurs innovations spontanées ont par ailleurs permis de vérifier les facteurs communicationnels avec lesquels étaient en relation la plupart de ces spécificités discursives :

«*Si je le dis directement, c'est comme s'il était en face de moi*», pour justifier l'emploi fréquent de la 2e personne distanciée, *can-ca*.

«*Si je le dis directement, c'est comme si je leur montrais*», justifiant la création d'un binôme avec déterminant emprunté à l'espagnol.

«*C'est que ça ne m'est pas arrivé*» ou «*Si je le dis autrement, c'est comme si je connaissais déjà, comme si je connaissais où et quand ça se passe, etc.*, pour justifier la complexification de la détermination ou l'absence de certaines modalités aspectuelles.

«*Si je le dis directement, c'est comme s'ils connaissaient déjà*», pour justifier des déterminations complexes.

La disposition d'un corpus très diversifié nous a permis de ne retenir de ces changements linguistiques que ceux qui faisaient l'objet d'un consensus chez la majorité des producteurs, et de chercher, parmi les changements communs, les tendances générales d'adaptation syntaxique de la langue à la communication à distance; parmi les tendances principales, on relèvera :

– le rééquilibrage de paradigmes de modalités nominales et de modalités verbales;

– le passage d'un système duel à un système triel d'actualisation pour la prédication nominale (avec la nécessité d'exprimer une «appréciation non subjective, hors situation» pour les énoncés définitoires);

– le passage de formes participiales d'un statut verbal à un statut nominal, déterminant pour l'organisation de leurs expansions;

– la spécialisation de modalités d'énonciation comme marques fonctionnelles.

5. Le quichua, pour quelles fonctions ?

Agents du secteur éducatif, dirigeants, journalistes..., sont ceux qui vont promouvoir la norme, non pas seulement dans la pratique de leur rôle, mais surtout dans le cadre général de l'élargissement des communications dont ils sont les catalyseurs, et par ce qu'ils peuvent représenter comme élite garante de l'identité de la future nation quichua. Cette norme sera celle d'un quichua morphologiquement supra-régional, dont les emprunts à l'espagnol seront consciemment calculés, et dont la rhétorique et la grammaire seront adaptées aux contenus et aux modes de communication que la langue devra servir. Cette norme n'est pas encore bien définie : si morphologiquement elle suit plus ou moins le quichua écrit, on observe quant au lexique une variation entre le purisme d'écrits pour l'éducation, dans lesquels tout concept nouveau doit être traduit en quichua, et l'hispanisation lexicale dans certaines informations radiophoniques; enfin, les changements syntaxiques que l'on peut constater, qu'ils portent sur une restructuration des systèmes fonctionnels ou sur une modification dans l'organisation des énoncés, tendent presque tous vers une similarité structurelle avec l'espagnol; mais il est encore tôt pour connaître tous les phénomènes qui, dans cette similarité, relèvent réellement d'une évolution interne de la langue.

Faire du quichua une langue fonctionnelle dans la société nationale signifie une meilleure communication entre les deux cultures; mais pour établir cette communication, c'est le quichua qui, augmentant son potentiel communicationnel, prend en compte des significations de la culture métisse. Communication signifie ici concession : pour dialoguer dans le cadre de la société nationale, le quichua doit intégrer la représentation de cette société dans son propre monde – et ainsi perdre de sa spécificité face à l'espagnol –, puisque de toutes façons les objectifs du dialogue appartiennent en grande partie au monde de significations métis. Dans une intégration totale, la langue pourrait rester quichua au plan des signifiants -ce qui pourrait satisfaire la revendication culturelle-, mais tendre à une telle similarité structurelle avec l'espagnol qu'elle ne représenterait plus une unité culturelle spécifique quichua. Enfin, une partie de la population risque de se sentir marginalisée par cette forme d'«occidentalisation», et de se désolidariser de son élite, ce qui conduirait à l'échec de la diffusion d'un quichua national et donc à l'impossibilité d'une cohésion entre les différents groupes que veut réunir cette langue.

Avant de s'interroger sur les changements acceptables ou non pour la constitution d'un quichua «moderne», d'un quichua fonctionnel apte à la communication élargie, il convient donc de s'interroger sur la fonctionnalité que l'on désire réellement développer pour le quichua. En effet, l'équilibre à trouver entre purisme traditionnel et adaptation est corollaire de l'équilibre que doit trouver le peuple quichua entre le respect de ses traditions et son intégration à la société nationale.

Bibliographie

DE VRIES, L., 1988, *Política lingüística en el Ecuador, Perú y Bolivia*, EBI (MEC-GTZ)-CEDIME, Quito, Editorial Abya-Yala.

FAUCHOIS, A., 1988a, Aspect et énonciation en quichua du Pastaza équatorien, *in* N. Tersis & A. Kihm (eds.), *Temps et Aspects*, Paris, SELAF, pp. 187-195.

— 1988b, *El quichua serrano frente a la comunicación moderna*, Quito, Editorial Abya-Yala.

GUEVARA, D., 1972, *El castellano y el quichua en el Ecuador,* Quito, Casa de la Cultura Ecuatoriana.

Instituto de Lenguas y Lingüística, 1979, *Programa de alfabetización en quichua, informe sobre el área lingüística...*, Quito, PUCE.

MEC-GTZ, 1986, *Proyecto píloto de Educación Bilingue Intercultural*, MEC - Departamento de Educación Rural, Quito.

— 1987, *Educación Bilingüe Intercultural en el Ecuador, Informe de une investigación sociolingüística en el área quichua 1981-1982*, Quito, Ediciones Abya-Yala.

MONTALUISA, L. O., 1980a, Hístoria de la escritura del quichua, *Revista de la Universidad Católica*, 28, Quito, PUCE, pp. 121-145.

— 1980b, El vocabulario general de la lengua quichua para el Ecuador, *Revista de la Universidad Católica*, 25, Quito, PUCE, pp. 98-118.

MOYA, R., 1981, *Simbolismo y ritual en el Ecuador andino - El quichua en el español de Quito*, Otavalo, Editorial Gallocapitán (Col. Pendoneros n°40).

MUYSKEN, P., 1972, *Syntactic developments in the verb phrase in Ecuadorian quechua*, Lisse-The Peter de Ridder Press.

— 1985, Contactos entre quichua y castellano en el Ecuador, *Memorias del primer Simposio Europeo sobre Antropología del Ecuador*, Quito, Ed. Abya-Yala.

ORR, C., 1978, *Dialectos quichuas del Ecuador con respecto a lectores principiantes*, ILV, Cuadernos Etnolingüísticos n°2, Quito.

POVEDA H. C., 1978, *La alfabetización en el Ecuador durante el período 1970-1978,* série «Respeapia» 3, Santiago de Chile.

TARLE, G., 1980, *Plaidoyer pour une alphabétisation endogène - Expérience en milieu indien kichua de l'Équateur*, Mémoire présenté pour le diplôme de l'EHESS.

TORERO, A., 1984, El comercio lejano y la difusión del quechua. El caso del Ecuador, *Revista Andina*, 2(2) : 367-402.

YANEZ COSSIO, C., 1980, Sistema ortógráfico para alfabetización en la lengua quichua, *Revista de la Universidad Católica*, 25, Quito, PUCE, pp. 17-29.

Langue évanouie et quête identitaire

L'omawa dans la région de Tefé (Amazonas, Brésil)[1]

Françoise GRENAND
CNRS-LACITO

«Perdre sa langue,
c'est perdre le chatoiement de la vie»
Jean-Marie Le Clézio

1. Climat d'une découverte

Une langue peut en cacher une autre. J'ai pu vérifier la validité de cette affirmation triviale au cours des années 1987 et 1988, alors que je forlançais sur l'Amazone les locuteurs d'une langue autrefois fameuse, la *língua geral*, autrement mieux dite *nheengatu*, «la belle langue». Encore parlée sur le haut Rio Negro, et même revitalisée par des populations récemment encore de langue arawak (TAYLOR, 1985; RENAULT-LESCURE, 1991), la *língua geral* n'est plus, en amont de Manaus sur le Solimões, que l'ombre d'elle-même, refuge des chimères de l'Amazonie du XIXe siècle, celle des saigneurs de caoutchouc et des machinistes de l'Opéra de la jungle, celle des tueurs d'Indiens et des cueilleurs de salsepareille pour grands vérolés parisiens.

La *língua geral*, langue de catéchèse imposée puis de colonisation ayant viré à la langue de traite spontanée, pour achever sa course comme langue maternelle (BESSA FREIRE, 1983), fut pratiquée à des degrés divers par les innombrables populations de la vallée de l'Amazone. Aujourd'hui, cette diversité ethnique stupéfiante, encore bien visible au mitan du siècle passé dans les récits

[1] Je remercie sincèrement Odile Renault-Lescure, Anne Fauchois, Aryon D. Rodrigues et Jean-Pierre Chaumeil pour leur attentive relecture. Chacun dans son domaine a contribué à enrichir mon propos de manière significative.

de voyage d'un Paul Marcoy par exemple, s'est trouvée broyée sous la meule agglutinante de la colonisation. On eût pu croire l'identité culturelle évaporée, ayant cédé le terrain à des spécificités régionales bien marquées pour qui louvoie, comme nous le fîmes, Pierre Grenand et moi, avec une délectation avouée, dans cet univers à fleur d'eau, fait de mille chenaux, de mille lacs et d'un ciel sans confins.

On eût pu croire. Pourtant, sous les hardes grises de l'acculturation vibre encore quelquefois le cœur d'un homme libre. Voilà pourquoi, alors qu'en amont de Tefé, je cherchais à vérifier mon hypothèse simplissime selon laquelle, dans le *nheengatu*, le maintien de la voyelle centrale [ɨ] est inversement proportionnel à l'essor du portugais régional[2], nous abordâmes, un peu après midi, dans un tranquille village qui se remettait lentement des mois de crue hivernale. Il eût dû être peuplé d'anonymes *Caboclos*. Pourtant, une longue pratique du monde amérindien nous a habitués à apprécier les différences, si minimes soient-elles. C'est sans doute dans la qualité du silence, feutré, ouaté, épais et translucide à la fois, assez fin pour laisser passer les rires d'enfants et le pépiement des perruches (l'apprivoisement est un attribut si pertinent du monde amérindien), mais retenant dans ses mailles les querelles d'adultes et les bruits domestiques, que nous comprîmes que ce voyage serait différent des autres.

Après les présentations d'usage, le chef de la communauté nous adressa à une famille qui occupait la frange amont du village. Trois maisons : celle du grand-père et de la grand-mère, celle du fils et de sa famille, la cuisine. Le fils nous reçut roidement. Oui, le chef de la communauté avait eu raison de nous envoyer vers eux, son père parlant bien la *língua geral*; mais il était désormais inutile de revenir sur ces choses du passé : ils étaient tous Brésiliens, ils écoutaient la radio, parlaient portugais, étaient aujourd'hui bien civilisés et ne pouvaient être confondus avec des Indiens de la grande forêt. Il était très fier, d'ailleurs, d'une de ses filles qui, ayant pris la route du jusant, était aujourd'hui femme de service à l'aéroport international de Manaus, avec un uniforme et tout, et qui ferait sans nul doute un beau mariage. Pour en revenir à son vieux père, il perdait un peu la tête; il était actuellement à la pêche et si nous voulions bien l'attendre, il nous parlerait volontiers, bien que cela ne serve à rien, de la *língua geral*. D'ailleurs, il en connaissait aussi une seconde, qu'il avait parlée étant jeune, et qu'il appelait la «langue légitime», la «vraie langue»; peut-être celle des Incas, ça, il ne savait pas; mais si nous pouvions attendre... Nous pouvions.

Le vieil homme arriva après la tombée du jour. Un merveilleux vieil homme. Il ne nous salua pas avant d'avoir offert ses prises à la grand-mère, remisé ses pagaies, étalé son filet, égoutté ses bottes, changé de pantalon. Il se

2 Pour Aryon Rodrigues (*comm. pers.*), une hypothèse alternative à la fusion de la voyelle [ɨ] en la voyelle [i] pourrait être la prédominance dans la région de locuteurs d'origine arawak (Baré, Baniwa, Manao) dont les langues originelles ne connaissaient pas la voyelle centrale.

coiffa, se parfuma, boutonna une chemise isabelle, s'enquit à travers la cloison de savoir si nous avions eu du café et entra.

Ainsi, nous voulions savoir s'il parlait *nheengatu*. Bien sûr. Tous les hommes de son âge l'avaient appris en même temps que le catéchisme, mais ne l'employaient plus. Il parlait aussi le «castillan», car il était né au-delà de la frontière péruvienne. Mais tout cela n'était rien à côté de la langue que lui avait murmurée sa mère lorsqu'il était né. Là était la «langue légitime», celle de leurs ancêtres, celle des Indiens qui avaient occupé toute la région avant les Brésiliens et même avant les Portugais. D'ailleurs, il allait bien voir si je m'intéressais vraiment aux vieilles langues. Il appuya ses poings sur ses yeux fermés, comme pour faire barrière au spectacle du quotidien, resta quelques minutes ainsi, releva enfin la tête et me déclara : «*Amiti netsetsa era, sabe.* - Qu'ai-je dis, petite ?»

Ça n'était pas là du *nheengatu*. Ni de l'espagnol (il avait dit qu'il parlait «castillan»), ni même du quichua («la langue des Incas», selon le mot de son fils). Pourtant, malgré le **sabe**, «tu sais» en portugais régional, rejeté en bout d'énoncé, c'était de toute évidence une langue amérindienne, mieux, une langue tupi, car je reconnaissais en **ne-** le classique morphème possessif de la 2e personne du singulier, et, sous la forme **tsetsa**, pouvait se cacher une manière de signifier «oeil». Je fis part au vieil homme de ma démarche cependant que je la construisais. Il plissa les yeux, convint que ce n'était pas si mal, forma les couples **era** = «beau», **amiti** = «être» et me traduisit tout à trac : «Tu as de beaux yeux, tu sais». Cette irruption d'une des répliques les plus célèbres du cinéma français dans cette modeste maison de pêcheur ancrée quelque part sur la rive de la nuit amazonienne déclencha en nous un rire formidable. Et le vieil homme, sûr désormais de son succès, poursuivit : «C'est ce que je disais autrefois aux jolies femmes. C'est ma langue, la langue *omawense*». Notre rire s'étrangla : **-ense** est un suffixe lusitanien pour exprimer l'appartenance; **omaw-** ne pouvait être que *omawa*... Nous venions d'entendre un homme s'exprimer en omawa, ou omagua, la langue disparue depuis des lustres d'un peuple prestigieux dissous dans la tourmente coloniale. Et ce fut comme si ce vieux monsieur comprenait notre émotion. Il nous expliqua comment on cesse d'être fier pour avoir la paix; comment, à force de se faire oublier, on finit par tout oublier de soi-même; comment, enfin, parce qu'il y a de moins en moins de monde pour vous comprendre, on en arrive à ne plus parler sa langue.

Nous restâmes cinq jours. Tour à tour honteux de ces résurgences d'un passé qu'il voulait aboli et fier du savoir du père suffisamment unique pour avoir ainsi dérangé des étrangers jusque chez eux, son fils assistait à nos séances de travail, totalement silencieux, attentif simplement à ce que la surdité du vieil homme n'entravât pas la communication. Sa femme, vieille indienne rabougrie faussement bougonne et qui avait pris, avec les années, l'habitude de parler pour deux en un curieux monologue à deux registres, fut au départ toute étonnée de se sentir hors jeu. Elle se fit rapidement une place sur l'échiquier : d'abord, en évoquant d'antiques souvenirs, elle aida plusieurs clés à tourner dans la mémoire de son mari, battant des mains comme une enfant à chaque renaissance lexicale. Ensuite, elle nous sustenta. Nous avions droit soit au café amazonien du pauvre (versez une cuillerée de café dans un litre d'eau un peu chaude saturée en sucre, puis passez sans attendre), soit à une citronnelle (remplacez la cuillerée de café par quelques feuilles de citronnelle du jardin nouées en boucle). Il y eut même certaines trouvailles de vocabulaire qu'elle jugea dignes d'une collation plus substantielle. Elle disparaissait alors à la chasse à la poule, pour revenir bien vite faire cuire la victime à grands bouillons sur le feu de l'autel de l'honneur recouvré. La fierté de son mari se lisait dans le frémissement de la lèvre qu'accompagnait la cambrure soudaine des reins; la sienne, dans le concert étourdissant de casseroles, louches et coutelas qui nous parvenait de la cuisine. Les heures de mémoire morte, la pauvre femme paraissait tout aussi privée de vie. La souffrance de son mari se lovait dans le silence qu'il imposait alors, la sienne, dans la fixité d'un regard éteint. Ce fut le cas, lors de cette première enquête, lorsque nous ne parvînmes pas à faire émerger le mot pour dire *ciel*. Le vieil homme, après avoir murmuré un «Mon Dieu, comment est-ce possible ?» à peine audible rentra en lui-même et ne nous vit même pas partir.

Avant cela, il m'avait conté les dernières fois où il avait dialogué en sa langue : c'était avec un compère du même âge, presque vingt ans en arrière, lorsqu'ils se retrouvaient pour les messes de Pâques et de Noël à l'église de Tefé. Ayant gardé de mauvais souvenirs de leur évangélisation, ils se vengeaient, avec la régularité que peuvent savoir prendre les grandes vengeances : l'un lançait des bouts de phrases que l'autre rattrapait au vol pour les envoyer s'écraser sur le latin du prêtre, qui, à bout de nerf, laissait tout à trac ressortir son allemand, hollandais, français ou italien maternel en une bordée d'injures. Bref, les deux larrons furent interdits de messe pour cause de troubler l'office par l'usage illégal d'une langue indigène. Sans la messe, la petite bourgade ne leur offrait plus aucun attrait; ils cessèrent d'y aller, ne se rencontrèrent plus et enfouirent leurs blagues omawa dans la valise aux souvenirs.

J'ai rencontré cet autre vieillard, tout près du lac de Tefé. Introduite par l'amitié que me portait son compère, et qui, roulée sur les eaux blanches du Solimões était venue jusqu'à lui, j'eus droit à des présentations écourtées. Il me raconta lui aussi l'histoire sacrilège des offices, et c'est avec ce fil invisible qui les reliait l'un à l'autre qu'ils communiquèrent le temps de mon enquête. Ils dirent s'estimer trop vieux pour entreprendre un voyage devenu trop long. En fait, ils ne souhaitaient pas se revoir. Il est ainsi de vieilles amitiés qui se sustentent du seul goût des souvenances.

Dans la même communauté, on me parla d'une dame, également fort âgée. Lors de mon premier voyage, elle était au chevet d'un fils de cinquante ans qui se mourait lentement. Lors du second, elle l'enterrait à peine. Lors du troisième, elle me signifia qu'elle avait perdu ensemble l'envie de parler du passé et l'envie de vivre dans le présent. J'ai respecté sa douleur, tout en ayant fort regretté son désir de silence, car il eût été intéressant de vérifier le présupposé selon lequel une femme eût conservé de sa langue maternelle d'autres champs lexicaux que des hommes.

On me parla aussi du chef d'une communauté retirée à quelques heures à l'intérieur des terres. Prévenu lui aussi de notre arrivée, il nous attendait. C'était un homme à la petite soixantaine qu'une calvitie sérieuse, calamité rare chez les Amérindiens, faisait paraître plus âgé. Il nous dominait, assis sur un raide fauteuil de bois natif, aux accoudoirs encore marqués par les coups de machette d'un dégrossissage arrêté en chemin. Homme habitué à commander, il voulut tout de suite entrer dans le vif du sujet et, après s'être plaint que les gens d'Église et les gens de pouvoir eussent jadis interdit à tous les Omawa de parler leur langue, il tint à dire qu'il m'avait fait venir car il était le seul de sa communauté à encore parler (ou à vouloir parler ?) sa langue maternelle et m'invita à lui poser des questions sur les mots que les deux vieillards n'auraient pas su retrouver. Ce fut la déroute. L'homme ne parvint qu'à articuler une dizaine de mots[3]. Totalement décontenancé par l'inattendu mur de silence que lui imposait sa propre mémoire, il était de plus en train de perdre la face devant ses gens. Il se contracta sur son fauteuil de bois. Ses bras quittèrent ensemble ceux du fauteuil, s'arrondirent à hauteur de son visage en une esquisse de prière, pour se croiser finalement sur sa poitrine. Il ne bougeait plus. Je le sentis rembuché et baissais le regard. Pierre Grenand, conscient qu'il fallait lui rendre d'un coup la parole et la fierté, aborda le problème de la lutte des communautés indigènes pour leurs terres. L'homme le regarda avec une infinie reconnaissance, laissa échapper un long soupir et rompit les digues d'un flot de paroles supportant un discours où il se sentait à l'aise. L'assistance s'anima tout soudain pour le soutenir dans ses légitimes revendications, et, autant de fois que l'on se revit, il ne fut plus jamais question de la langue ancienne, bien qu'il s'en montrât, à bas bruit, l'un des plus ardents défenseurs.

Je pris donc l'habitude de travailler séparément avec les deux vieillards, refaisant le voyage pour chacun d'eux quatre fois en deux ans. Même si le second me fut précieux, la relation fut plus intense avec le premier : n'était ce pas à lui que je devais cette émotion première à chaque fois renouvelée ? Ce furent en effet pour moi des moments de joie pure que ceux où ces vieillards retrouvaient un mot, et donc un instant, leur jeunesse. Je revois leurs mains passant lentement dans leurs cheveux (les mots se cachent-ils dans les

---

[3] Parmi ces termes, il sut cependant se souvenir que le même mot, **may**, que l'on trouve déjà sous la plume des plus anciens chroniqueurs de l'Amérique méridionale, servait pour Espagnol, Blanc et … diable.

cheveux ?); je revois leur regard dilué dans le vague, là où le ciel cogne le fleuve[4], leur regard enfui du présent, comme uniquement tourné vers la mémoire des temps anciens, vers la mémoire des parfums ou bien celle des couleurs, vers la mémoire de la musique des mots pour essayer de les y débusquer. Ils recherchaient justement tout ce qui entoure les mots et leur sert de calice. Tout ce que, trop souvent, le chercheur effleure sans s'y attarder. Et les silences ? Qui dira jamais l'intensité des silences qui parfois nous enveloppaient au détour d'un mot oublié ? Les deux vieillards, sans avoir jamais su qu'ils inventaient les mêmes gestes, aimaient à se tenir face à la porte ouverte. Moi, j'étais assise en contrebas, un peu sur le côté. Pour chaque quête, on eût dit qu'ils râtelaient le fleuve laiteux. Des murmures qui n'appartenaient qu'à eux venaient mourir sur leurs lèvres entrouvertes. Mais leur âme, librement, chevauchait le vent. Aussi longtemps que durait la trolle, la maison respectait ce singulier silence. Je savais le mot retrouvé lorsque leur regard, revenant enfin dans la pièce, plissait en un sourire les rides de leurs paupières. Roulant le mot dans leur bouche gourmande, ils se tournaient vers moi, lentement, et, consentant au partage, le lâchaient enfin : «Petite, je sais le mot».

Le vieil homme comprit bien vite qu'il aurait quelques difficultés à me livrer sa langue maternelle. Soit qu'elle fût prisonnière, comme il le disait, derrière l'écran du portugais («je dois vaincre le portugais», répétait-il en une véhémente prière). Soit qu'elle fût rétive, il le pensa aussi, lui faisant payer le prix fort pour toutes ces années où il l'avait contrainte au silence. On le voyait par instant happer l'air de la main, comme s'il crochetait une mouche. Sentait-il les mots voleter autour de lui en un bourdonnement indistinct ? Cherchait-il à les emprisonner pour les mieux écouter ?

Lors de ma seconde venue, le vieil homme m'accueillit avec l'indifférence feinte de ceux qui savent qu'ils ont des choses à dire. Il accepta mes cadeaux de retrouvailles avec le plaisir qu'y eût mis un enfant gâté. L'important était ailleurs : Il avait reconquis moult mots; on allait pouvoir voyager dans le temps, vaincre encore une fois l'oubli. Pourtant, le *ciel* ne fut pas encore reconquis cette fois-là.

---

[4] Et quel fleuve ! L'un des deux hommes vivait à l'une des confluences du Japurá et de l'Amazone (que les Brésiliens nomment à cet endroit Solimões), là où, au XVIIe siècle, les Espagnols érigèrent la croix de délimitation des possessions espagnoles et portugaises, acte symbolique dont la décision avait été prise à Rome par bulle papale et qui allait, comment s'en fussent-ils douté, déterminer l'écartèlement des Omawa.

2. L'histoire sans fin

Les Omawa se seraient-ils dilués dans le *ciel* ?

Aux premiers temps de la Conquête, les Omawa étaient un peuple considérable. Ils s'étendaient sur plus de sept cents kilomètres le long des rives, tantôt boueuses, tantôt sableuses du haut Amazone, en peuplant également les innombrables îles de *várzea*, depuis l'embouchure des rios Tefé (rive droite) et Japurá (rive gauche), jusqu'au bas rio Napo (PORRO, 1981). On les rencontrait au Pérou, au Brésil, peut-être même en Équateur…

Aux premiers temps de la Conquête toujours, les Omawa faisaient rude impression. Habillés de robes de coton alors que leurs voisins allaient nus, on les eût dit civilisés. Dressant fièrement leur crâne volontairement aplati en cône dès la naissance[5], ce qui, fendant à l'extrême leurs yeux en amande, rendait leur regard impénétrable et dur : ils faisaient peur. Enfin, hantant le grand fleuve en maniant avec une singulière dextérité leurs admirables embarcations monoxyles, les Omawa, ces hommes de l'eau, forçaient l'admiration, et la parole de RIVET (1910 : 5) prend soudain du relief : «Ces peuplades ont accompli leurs migrations par voie fluviale et, à ce titre, méritent bien d'être appelées avec les Guarani, comme le fait Hervas, les *Phéniciens d'Amérique*».

On passe en tout cas sans hiatus du jugement d'Acuña, «cette population est la plus raisonnable et la mieux policée de tout le fleuve» (PORRO, 1981 : 207), à celui du commentateur du journal du Padre Samuel Fritz, «Ce fut autrefois une nation nombreuse et forte» (GARCIA, 1917 : 375). Ce jésuite, le premier qui les côtoie vraiment, ou du moins le seul dont on ait gardé le témoignage, a en effet fondé, entre les années 1685 et 1725, 38 villages pour regrouper et catéchiser, après les razzias portugaises et des épidémies meurtrières, des restes épars d'Omawa rendus perplexes sinon dociles. De cette époque date la coupure en deux du peuple omawa, six cents kilomètres de berges en partie désertées, hormis quelques communautés exsangues d'ethnies diverses, séparant les établissements de l'embouchure du Javari de ceux du Japurá. C'est en tout cas à cette époque que pense Betty Meggers lorsqu'elle écrit, désabusée : «The aboriginal cultural pattern [of the *várzea*] had been completely destroyed within 150 years of its discovery, leaving only fragmentary and sometimes biased eyewitness accounts to provide details of its former character» (MEGGERS, 1971 : 121).

---

[5] De cette coutume est né leur surnom tupi de Cambeba «têtes plates», dont Aryon Rodrigues (*comm. pers.*) pense qu'ils le reçurent des premiers Tupinamba qui remontèrent l'Amazone au XVIe siècle. Fort curieusement, un auteur contemporain, à la suite de textes brésiliens concernant la survie des Amérindiens et en particulier *Povos Indígenas*, (1986) continue à les en affubler, alors même qu'il fonde son article, au demeurant intéressant et chaleureux, sur la quête identitaire des actuels Omawa de Tefé (JORNA, 1991 : 213-244).

Voyageant en 1846 et 1847 «à travers l'Amérique du Sud», Paul Marcoy fait le même constat : «Il ne reste absolument plus rien des anciennes coutumes de [la] nation [omawa] et ses représentants actuels en ont si bien perdu le souvenir qu'il nous est impossible d'en donner une idée» (MARCOY, 1869 : 230). D'épidémie en mise en esclavage, et de regroupement forcé en fugue atomisante le long des petits cours d'eau vassaux du grand fleuve, les Omawa, selon le jugement de tous les voyageurs, se métissèrent avec leurs infortunés compagnons d'odyssée, les moins mal venus étant les Kokama, leurs frères d'amont qui, par la langue, la culture et l'histoire, leur étaient très proches[6]. Écoutons encore Marcoy : «[Je dis cela] afin que le voyageur, bien intentionné d'ailleurs, qui descendra le fleuve après moi et comme moi s'arrêtera à Omaguas ne soit pas tenté de prendre pour de vrais Omaguas les métis qui peuplent le village actuel» (*op. cit.* : 237). Par delà le mirage obsessionnel de la race pure, on sent, chez tous les voyageurs, cette nausée qui leur monte à la tête devant le gâchis auquel les guerres coloniales (Portugal contre Espagne; Créoles brésiliens contre Portugal[7]; Brésil contre Paraguay[8], etc.), suivies de leur habituel cortège de déportations, spoliations territoriales et autres fruits amers, ne manquèrent pas d'aboutir.

A chaque fois mêlés à des conflits dont ils ne détenaient pas toutes les clés, les peuples indigènes de la vallée de l'Amazone, soit tentèrent, comme les Mura, de tirer leur épingle du jeu en menant une politique d'expansion territoriale basée sur une mobilité permanente, aux dépens et des colons et de leurs congénères (MOREIRA NETO, 1988), soit essayèrent, comme les Omawa, de vivre repliés sur eux-mêmes, oublieux de leur passé dominateur, dans une sorte de lissage de façade fait pour les rendre transparents. C'est ainsi que des cinq établissements omawa qui pouvaient être dénombrés aux alentours de 1840, il n'en reste plus un seul vingt ans plus tard. Ce n'est pas qu'ils ont disparu avec leurs habitants, mais bien que ces derniers acceptent désormais d'être dénommés métis (JORNA, 1991 : 231). A cette époque comme au XVIIe siècle, l'on peut dire que la nation omawa, bien qu'occupant toujours les rives de l'Amazone, est coupée en deux : une partie, la plus nombreuse, vit au Pérou, l'autre, plus résiduelle, est au Brésil où elle finit par être occultée. La suite est malheureusement une piste facile à imaginer pour les Omawa comme pour une multitude d'autres peuples. Fondus malgré eux dans la masse indistincte des

---

[6] Il faut inclure aussi dans ce schéma les métissages avec les lambeaux d'autres peuples «descendus» bien involontairement des forêts de l'intérieur.

[7] Sans compter la révolte nativiste de la *Cabanagem* qui ensanglanta la vallée brésilienne de l'Amazone entre les années 1835-1845.

[8] De nombreux Omawa, connus pour parler une langue proche du guarani, et donc sensés être utiles au Brésil dans cette guerre méridionale, furent déportés pour servir d'interprètes soldats (JORNA, 1991 : 232).

métis[9], ils cessent d'être dénombrés et ne songent pas non plus à se compter eux-mêmes. Ils abandonnent leur statut d'indigènes et par là, leur droit à la protection lorsque celle-ci est amorcée dans la région en 1934 par un État soudain pris de remords. En fin de course, ils ont perdu tout droit sur les terres qu'ils habitent et cultivent et que, malgré toutes les spoliations, ils chérissent, héritage sauvegardé du temps. Et cette infernale glissade vers le néant explique la litanie qui va suivre : SPIX & MARTIUS (1976), voyageant au début du siècle dernier dans la région de Tefé gravement touchée par la récession, font montre d'un grand pessimisme; Tessmann publie en 1930 la photographie du «dernier des Omagwa», prise côté péruvien; du même côté de la frontière, MÉTRAUX (1928) les croit intimement métissés avec les Kokama; Espinosa en 1935, ne compte plus que deux villages spécifiquement omawa, établis sur la rive gauche de l'Amazone, cependant que GIRARD (1958 : 163), somme toute moins pessimiste, les donne simplement comme «un groupe en voie d'extinction»; enfin, le maître de l'anthropologie brésilienne, Darcy Ribeiro, les dit éteints en 1970. C'est alors que revint pourtant le temps de se battre, de se dire fiers d'être omawa, de se fédérer en communautés de base (FAULHABER BARBOSA, 1983) et de faire mentir tous ces gentils messieurs.

Serait-ce la langue omawa qui s'en est allée, laissant les Omawa orphelins ? A mon troisième voyage, nous échouâmes encore, en un obsédant ressac, sur la rive du *ciel*.

Pourtant, les deux vieillards avaient déjà fait revivre, pour eux et pour moi, par ce miracle qu'est la voix d'un homme, plus de six cents mots oubliés par le temps. Ils avaient redonné vie à plus de vocables de leur langue qu'il en fut jamais consignés sur le papier par chacun des voyageurs précédents[10]. D'ailleurs, les jugements désabusés que l'on peut cueillir dans la littérature sont éloquents sur le pessimisme qui les anima. Spix, par exemple, pense que les quelques

[9] Nous avons consacré un récent travail à cette perte identitaire des *Caboclos* brésiliens (GRENAND F. & P., 1990).

[10] Il serait d'ailleurs plus juste et plus honnête de parler des vocabulaires qui nous sont parvenus plutôt que de ceux qui furent dressés. Le comte de la VIÑAZA (1892), par exemple, cite, dans sa *Bibliografia española de lenguas indigenas de América*, le *Catálogo* de Hervas, qui cite lui-même, sous le numéro N 913, les *Gramatica y Vocabulario de las lenguas Omagua y Xebera* du Padre Samuel Fritz, et sous le numéro N 1036, la *Gramatica de las lenguas Omagua y Cocama* du Père Guillermo Grebinet (GARCIA, 1917 : 376). Autrement dit, si l'on tient compte du fait que Hervas cite pour sa part les travaux des pères Fritz et Grebinet, information contenue dans une lettre de l'abbé Velasco reproduite dans le travail du Comte de Viñaza, il devient clair que, de citation en citation, on n'a pas revu les documents originaux depuis plus de deux siècles; les seuls fragments qui soient parvenus jusqu'à nous sont bien tous contenus dans RIVET (1910). Sans être perdus à tout jamais, ces précieux écrits sont peut-être, souhaitons-le, simplement endormis sur les rayons d'une bibliothèque. Aryon Rodrigues (*comm. pers.*), toujours très optimiste, «cultive l'espoir de retrouver un jour une copie manuscrite de la grammaire du Père Fritz en Pologne ou en Russie, où elle aurait été mise à l'abri des bombardements de la dernière guerre !»

Omawa qui restent «parlent la *língua geral* et quelques mots de l'idiome de leurs ancêtres» (JORNA, 1991 : 225). Marcoy consigne dans son journal : «[Ce peuple] a gardé la langue de ses pères. Toutefois, il ne la parle qu'en secret et dans l'intimité. Son idiome courant est le tupi. Sa langue officielle et diplomatique, un portugais baroque mais intelligible. Avant que cette langue des anciens Umaüas ait disparu comme le reste, hâtons-nous d'en donner ici les quelques mots que nous avons pu recueillir» (MARCOY, 1866 : 344). Arrive le début du XXe siècle et RIVET (1910 : 3) nous offre sa précieuse compilation des *langues guaranies du haut Amazone*, c'est-à-dire les langues omawa et kokama, dont il réunit «tous les matériaux que nous possédons à l'heure actuelle», soit environs 245 formes lexicales différentes pour la langue qui nous occupe, assorties d'un *pater noster* maigrelet et d'un catéchisme vitement expédié en douze questions-réponses. Pitoyable et pourtant inestimable moisson.

Jorna conclut qu'après l'interdiction de parler la langue et de pratiquer le chamanisme signifiée par les autorités civiles et religieuses brésiliennes dans les années 1925, «*les Cambebas ne parlèrent plus couramment la langue indigène*» (*op. cit.* : 239), et c'est bien cet esprit d'ultime sauvegarde qui anime Tessmann au même moment. Quant à Rafael GIRARD (1958 : 164), au milieu de notre siècle, après avoir échoué à Lima à rassembler la moindre documentation linguistique contemporaine sur l'omawa, il compare sa quête à celle d'un détective et ne recueille qu'une poignée de mots distincts de ceux de Tessmann, qu'il avait dans sa musette avec l'article de Rivet.

Au terme de cet historique du déclin, l'on aura compris que je ne pouvais pas même imaginer l'émotion qui m'attendait un soir, alors qu'un vieil homme s'en revenait de la pêche.

3. Analyse diachronique du lexique omawa

Tournons nous vers le matériau disponible[11], examinons ce qu'il contient, et peut-être saisira-t-on les phases du déclin.

Il convient de prendre en compte deux préalables majeurs qui, pour triviaux qu'ils puissent paraître, devront nous rester présents à l'esprit. Le premier est le suivant : tout vocabulaire conservé dans quelque source qu'on l'y découvre doit *a priori* être envisagé comme potentiellement partiel, soit que le collecteur n'ait pas publié (par négligence, par volonté délibérée, par manque de temps ou de moyens) l'intégralité de ses notes; soit encore que les aléas de l'histoire ne nous en restituent de façon aléatoire qu'une partie; soit enfin que le document, de

[11] L'espace imparti à cet article m'interdit de présenter, comme je l'aurais souhaité, la totalité du vocabulaire omawa disponible à ce jour. C'est pourquoi j'en prépare conjointement la publication ailleurs, assortie d'une analyse linguistique plus fine et plus détaillée.

seconde main, constitue un morceau choisi (selon des critères qui nous échappent partiellement ou totalement) d'un document plus ancien. Le second peut ainsi être énoncé : la somme des vocabulaires conservés selon les modalités ci-dessus énoncées ne saurait être considérée comme le reflet statistique de la réalité du lexique du peuple qui le posséda, mais au contraire doit être envisagée comme n'étant porteuse que du ou des centres d'intérêt des différents collecteurs à travers l'histoire.

Appliquons maintenant ces considérations préalables aux lexiques des Omawa que nous possédons.

On peut conjecturer, par exemple, que le Père Fritz, qui vécut quarante ans parmi eux à cheval sur le XVIIe et le XVIIIe siècles, en en partageant bon gré mal gré les heurs et les malheurs, est celui qui aurait pu nous restituer le vocabulaire le plus étendu et le plus varié, porteur de réalités antérieures au XVIIIe siècle. Malheureusement, nous ne pouvons aujourd'hui le lire qu'au travers des filtres successifs de Gilii (1782) et Hervas (1800)[12]. Le premier, jésuite comme le Père Fritz, homme de terrain dans le haut Orénoque, écrivit, après l'expulsion de la Compagnie, un volumineux essai de l'histoire du continent. Quant au second, il tenta, au travers d'un regard comparatif, un premier travail linguistique sur les langues du monde; mais tous deux ne retinrent du matériau du Père Fritz que les éléments dont ils pensaient avoir besoin. En tout cas, aucun des deux ne nous donnent la clé du *ciel* omawa.

Ensuite, nous sommes face au document de MARTIUS (1867) compilant ses propres enquêtes et celle de Spix. Les grands naturalistes font montre ici des mêmes talents qu'ailleurs en Amazonie et il est intéressant de constater que bien souvent, les mots de la faune et de la flore n'ont été collectés que par eux, Espinosa et nous.

Vient alors Paul Marcoy qui, comme le souligne J.-P. CHAUMEIL (ms), ne mérite pas l'opprobre dont il fut toujours la victime. Le vocabulaire relevé par cet homme curieux couvre à peu près tous les domaines et s'il est digne, à mes yeux, de la reconnaissance des Omawa, ce sera pour avoir été celui qui, un jour de 1846 ou 1847, quelque part sur le haut Amazone, eut le bonheur insoupçonné de consigner dans ses carnets le mot **huaka**, «ciel». Fut-ce la sérénité d'un *ciel* de couchant, la colère d'un *ciel* d'orage, ou encore la timidité rose d'un *ciel* naissant ? Peut importe; Marcoy restera pour nous le seul homme qui, peut-être parce qu'il était peintre, aura su écouter les Omawa conter le *ciel*.

Vient ensuite la grande nuit, où tout le monde croit les Omawa agonisants ou morts. Curieusement, c'est pourtant aussi tardivement que dans le premier tiers de notre siècle que deux chercheurs recueillent la plus grande part du vocabulaire qui nous soit parvenue de la civilisation matérielle. C'est à TESSMANN (1930) et à ESPINOSA (1935) que nous devons l'intégralité des

[12] Cités par RIVET (1910).

termes d'architecture et des noms de parures ayant survécu, la riche diversité de la poterie et de l'armement (sarbacanes et flèches) subsistant non plus dans la guerre mais encore dans la chasse et la pêche. Le plus surprenant reste encore la notation d'un terme, **paruri** , pour «bouclier» et d'un autre, **palu**, «casse-tête», qui, s'ils représentèrent une réalité redoutée à l'époque de la Conquête, ne pouvaient plus être autre chose, en ce début de siècle, qu'un souvenir des temps héroïques pieusement entretenu. Il convient cependant d'ajouter que le Père Espinosa a pour sa part collecté un très important vocabulaire kokama qui, du fait de sa «coïncidence exacte» avec l'omawa, serait selon lui valable pour les deux langues; il se contente donc de souligner les formes omawa divergentes. Le doute subsiste pourtant de savoir si toutes les formes recueillies pour le kokama l'auraient été en enquêtant directement avec des Omawa.

Je suis extrêmement surprise du silence total de l'anthropologue Jorna concernant la langue, alors qu'il travailla dans les mêmes communautés que moi quelques mois auparavant. Sans doute son unique tort fut-il de ne pas poser la bonne question. Mais l'ai-je vraiment posée moi-même ? En ce qui me concerne, mon plus grand étonnement reste encore d'avoir recueilli plus de 270 mots qu'aucun de mes prédécesseurs ne nous légua jamais[13], mais dont on peut, en toute logique, supposer que les deux vieillards ne les inventèrent pas pour moi. Il est d'ailleurs surprenant de constater la grande hétérogénéité du matériau disponible : sur la totalité des 1170 mots différents compilés, un peu moins des deux tiers n'ont été notés qu'une seule fois. Un petit lot de mots, souvent pris dans le milieu naturel, a été consigné plus de six fois; citons : **tata**, «feu», **kwaraʃi**, «soleil», **awa**, «homme»; enfin, deux seulement se retrouvent sous la plume de neuf collecteurs différents, il s'agit de **yase**, «lune» et **petima**, «tabac».

Pour en arriver au vocabulaire que j'ai relevé, je crois important de préciser ici que je n'ai travaillé qu'avec la mémoire de mes informateurs, consignant avec soin chaque mot dont ils se souvenaient, mais ne leur offrant jamais un mot antérieurement collecté par d'autres qu'ils n'eussent plus eu qu'à reconnaître[14]. Autrement dit, les mots recueillis au rythme impulsé par mes informateurs peuvent être considérés comme un reflet de ce qui a été conservé de la langue par les deux personnes qui ont accepté de s'en ouvrir.

Plusieurs constats peuvent être dressés :

– Tout d'abord celui-ci : la plus forte proportion de vocabulaire que les deux hommes ont conservé dans leur mémoire se rapporte au corps (37% du total des mots que j'ai recueillis); vient ensuite le vocabulaire se rapportant à la nature (36%); arrive enfin celui se rapportant à la culture et à la vie en société (27%).

---

13 Encore une fois faite la réserve d'usage concernant le Père Fritz, bien sûr.

14 Méthode de toute évidence utilisée par Girard et qui explique en partie le peu d'originalité de son vocabulaire.

– Ensuite le second : l'érosion lexicale, calculée en comparant section par section le volume de mots mémorisé en 1988 par rapport au volume sauvegardé tous auteurs confondus, croît dans le sens corps / nature / culture, passant de 36% pour le corps à 43% pour la nature pour atteindre 66% pour la culture.

– Autrement dit, le volume des mots mémorisés pour chaque section par les deux vieillards est inversement proportionnel au pourcentage d'érosion lexicale.

Ces constats permettent quant à eux les déductions suivantes :

– Le vocabulaire qui touche l'individu de plus près, celui qui est attaché au corps humain et à ses fonctions de repérage dans le temps et l'espace est majoritaire en volume dans la mémoire des deux Omawa contemporains, en même temps qu'il s'est le moins érodé dans le temps.

– A l'inverse, tout le vocabulaire touchant de près ou de loin à la culture et à la société est celui qui a le plus décru en volume dans leur mémoire, cependant qu'il s'est le plus érodé dans le temps. L'appauvrissement lexical a tout naturellement accompagné les transformations tirant la société vers le bas. Dans ce processus, il est intéressant de constater que le vocabulaire touchant à la cellule familiale (ici 45 mots dans un contexte peu extensible) fait figure d'îlot de résistance. Par exemple, l'assimilation du «beau-père» avec l'«oncle utérin» montre que, si le mariage avec la cousine croisée n'est plus de mise, l'homme qui occupe la position repérable par le mot **tutɨra** peut encore à l'occasion emplir simultanément les deux fonctions d'oncle et de beau-père.

– Au milieu se situe le vocabulaire de la nature et de l'agriculture. C'est ici que les réserves que je faisais *supra* sur la qualité des vocabulaires conservés jouent le plus. Par exemple, nul ne saurait prétendre que les 34 mots concernant la flore sauvage conservés dans la mémoire des deux vieillards, quand bien même ils comptent pour 44% dans le vocabulaire total sauvegardé en ce domaine, puissent représenter décemment la flore exubérante des basses terres amazoniennes. Il en est de même pour la faune : si les hésitations et les erreurs manifestes tournant autour de l'identification des singes doivent être attribuées avant tout à l'incompétence de la plupart des observateurs, mon insuccès notoire, malgré mon obstination, à faire revivre davantage d'insectes ou de reptiles, est à mettre sur le compte de l'enfouissement dans la mémoire. Je pense donc que cette section est celle qui mérite le moins d'être prise au pied des chiffres et qu'il faut considérer, là aussi, que l'amenuisement du vocabulaire de la nature a été majeur. Ajoutons que c'est dans le domaine de la nature que les Portugais se trouvèrent le plus démunis pour nommer les réalités de la colonie et donc que c'est là que l'apport des langues indigènes, et principalement de la *língua geral*, fut le plus fort. Autrement dit, chaque fois qu'un Omawa conversait avec un membre de la société nationale pour des questions de cueillette de produits naturels, de chasse, de pêche ou d'agriculture, ce qui représenta les domaines majeurs des sollicitations, pouvait s'opérer une sorte de substitution linguistique, qui, là encore, a sans doute fini par l'emporter.

Examinons maintenant le volume que représentent les emprunts au regard du lexique global.

A cet égard, l'inventaire des erreurs supposées s'avère peu complexe à établir. Par exemple, le fait que Spix & Martius soient les seuls à avoir consigné une forme quichua, **yaku**, au lieu de **uni**, pour dire «eau», révèle manifestement une erreur; par contre, le fait que mon informateur donne une forme espagnole, *benado*, au lieu de la forme tupi, **ɨgtsewaso**, pour nommer un «cervidé» (*Mazama americana*), relève déjà de l'abandon de la forme indigène. L'exemple de la numération est intéressant à analyser : tous les voyageurs ont donné des mots tupi classiques pour noter les chiffres de «un» à «quatre» (**yupi**, **mokuyka**, **musapɨrɨka** et **irwaka**); puis Spix & Martius, Espinosa et moi comptons jusqu'à «neuf» en quichua, en espagnol, ou en portugais; les deux voyageurs allemands ont même noté, pour «cinq», une savoureuse redondance, **peseghati–pua**, composée sur les bases quichua **pichca**, «cinq» et tupi **pua**, «main» et «cinq». Marcoy revient à un mot tupi pour dire «dix», **upa–pua** («mains achevées»), cependant qu'Espinoza repart dans le lexique quichua pour cent, **wipipaʃa**, et mille, **waraŋa**. Tout cela ne fait que révéler l'embarras traditionnel des langues tupi-guarani face à la numération et leur attrait compréhensible à remplacer, de *cinq* à *neuf* en général, leurs lexèmes dérivo-composés démesurés par des formes simples, lorsqu'une langue qu'elles côtoient les leur offre.

L'aventure du «tonnerre» est, elle, passionnante. On sait que les missionnaires du XVIe siècle qui, à partir du tupinamba, langue tupi côtière, mirent au point la *língua geral*, choisirent, pour représenter le Dieu catholique, l'entité tupi *Tupã*. Il est aujourd'hui difficile, faute de textes précis sur la question qui seraient contemporains de la démarche, de savoir si les religieux jugèrent plus prudent, afin d'éviter tout amalgame potentiel, d'écarter d'emblée le démiurge tupi *Mair*, créateur du ciel, de la terre et des hommes, ou s'ils préférèrent, d'un strict point de vue théologique, adopter *Tupã*, dieu du tonnerre et du feu mauvais, esprit coléreux et puissant. MÉTRAUX (1979 : 12), en faisant incidemment remarquer que *Zumi-topana* est pour un chroniqueur anonyme le «Créateur» des Omawa, nous force cependant à nous interroger sur le contenu sémantique du mot **topana≈tupã**, sans que nous puissions jamais espérer démêler la part du locuteur de celle du théologien. Ce qui est sûr, c'est que le mot **tupã**, ainsi détourné de son sens, ne convenait plus aux Tupi convertis pour exprimer l'idée de «tonnerre». Aussi voit-on, tant en *língua geral* qu'en omawa, le mot portugais *trovão* emplir cette case vide. Gilii et Martius ont noté l'un **topa**, l'autre **tupá**; Espinosa a encore relevé **tupa**, cependant que j'ai noté **trovã**, et que les autres voyageurs restent silencieux. Quant à Girard, qui avait, comme je l'ai dit, sa bibliographie dans sa poche, je le soupçonne fort d'avoir, en 1958, forcé l'histoire à marcher à reculons lorsqu'il amalgama **tupa**, «le feu, le foyer, le tonnerre», au «dieu du tonnerre».

Le nombre relativement important d'emprunts au quichua (37 mots), arrivant au même niveau que les emprunts à l'espagnol et au portugais (37 mots aussi) montre bien l'attrait exercé par une grande langue véhiculaire pour nommer les animaux domestiques importés, pour simplifier, comme je l'ai dit, la numération ou encore, curieusement, pour parler du miel et de ses dérivés. L'emprunt du mot quichua, **huahua**, pour désigner le «bébé» est intéressant en ce que, rapporté déjà par Gilii, il est antérieur au milieu du XVIIIe siècle, ancienneté en un sens confirmée par le groupe de mots omawa composés sur cette racine allogène. L'espagnol, qui, en l'absence du quichua, eût sans doute rempli ces deux premières niches, fournit ici l'essentiel des noms des objets domestiques importés. Quant à la *língua geral*, elle fait une entrée remarquée dans la langue en offrant sur un plateau tout le vocabulaire récemment forgé de la nouvelle religion[15].

Un autre groupe de mots intéressants rassemble ceux que je qualifierais volontiers de régionaux, en ce sens qu'on les trouve dans des langues d'origines variées parlées dans la région. On les rencontre dans le domaine de la faune et de la flore, ce qui n'a rien de surprenant. Le cas du mot **puna**, dont on trouve déjà un écho dans les langues pano, ici tantôt «sarbacane» (pour Tessmann et Girard), tantôt «fusil» (pour moi) est l'exemple des chemins détournés que peut prendre un mot pour voyager entre sens et fonction. En quichua équatorien d'Amazonie, **lapun** désigne l'«arc», cependant que **pucuna** est la «sarbacane» et **pona**, le palmier *Iriartea* dont on se sert pour la façonner. En kokama, **puna** est également la «sarbacane», cependant que **mai-puna** est la «sarbacane de l'homme blanc», c'est-à-dire le «fusil». Il y eut donc successivement, un transfert de sens de la matière (le palmier) à l'objet (la sarbacane), puis un emprunt à une famille linguistique (le quichua) par une autre (le tupi); enfin un second transfert de sens d'un objet indigène (la sarbacane) à un objet importé sensé jouer le même rôle (le fusil), alors que le rapprochement formel entre le palmier et l'arc s'éclaire si l'on sait que le premier sert parfois aussi de matière première au second[16].

Ce qu'il convient tout de même de dire à propos de l'origine du vocabulaire, c'est que la majeure partie du lexique omawa parvenu jusqu'à nous se conforte d'une origine tupi bon teint, sans paraître autrement affectée par la date de collecte du mot par les observateurs. Cela montre simplement que nombre de champs sémantiques allogènes, tels que les animaux domestiques, la

---

[15] L'évangélisation des Omawa ayant été faite par des Espagnols ou des pères d'obédience espagnole, ce n'est sans doute pas avant le XVIIIe siècle que l'influence de la *língua geral* a pu se faire sentir. Par ailleurs, le poids considérable qu'eut, durant les trente premières années de notre siècle, le Père Tastevin, non seulement infatigable évangélisateur mais aussi géographe et linguiste qui employait la *língua geral* pour les mystères du culte, n'est sans doute pas à écarter.

[16] Ce type de dérive sémantique est d'ailleurs beaucoup plus fréquent qu'on ne le pense.

numération, les objets de troc et, dans une moindre mesure, la religion importée, furent emplis très tôt dans l'histoire du contact de la langue avec ses voisines.

Refermons ce chapitre sur l'idée qui s'en est petit à petit dégagée : dans un processus d'acculturation majeure, comme celui auquel fut soumise chaque population indigène de la vallée de l'Amazone, les phénomènes touchant au déclin du lexique des langues naturelles ont accompagné les processus portant atteinte à la société et à la vision qu'elle s'était forgée de son environnement naturel. Tout a volé en éclat. Par contre, le vocabulaire touchant à l'individu a davantage résisté, car c'est en tant qu'individu que chacun doit désormais s'appréhender, par exemple au moment d'envisager le saut dans la société nationale[17]. La seule cellule sur laquelle l'individu puisse encore compter est la famille, ce qui explique donc aisément la poche de résistance linguistique autour de ce pôle de sécurité. On peut penser que c'est dans ces moments-là que l'expression *langue maternelle* atteint sa plus émouvante légitimité.

Je n'ai, jusqu'à présent, abordé que les questions de vocabulaire. Qu'en est-il donc de la morphologie et de la syntaxe des bribes de la langue que j'ai recueillies ? C'est le naufrage. Les mots ont résisté en tant qu'unités, non en tant qu'éléments constitutifs d'une phrase et encore moins d'un discours. Autrement dit, l'évolution a été absolument parallèle à celle qui vient d'être dégagée pour l'individu par rapport à la société et pour le vocabulaire corporel et familial par rapport au vocabulaire culturel et social.

Mes deux informateurs, par exemple, s'ils essayaient toujours de faire jaillir un mot avec son contexte, se plaignaient de n'y pas parvenir («ça ne remonte pas» ou bien «ça m'a quitté, c'est parti», disait l'un) de même qu'ils pestaient contre la concurrence déloyale que leur faisait alors les autres langues connues («Bon, ça, c'est de la *língua geral*», ou «ça ne vient qu'en portugais», disait l'autre). Les mots sortaient dans des morceaux d'énoncés mal ficelés («le poisson a perdu *ton* [mis pour *son*] sang»). Les deux vieillards m'annonçaient une phrase pour finalement me donner quelques éléments d'une autre, «parce que c'est celle-là qui vient mieux».

Parallèlement à cette idée que l'individuel et le quant-à-soi ont mieux résisté que le collectif et le prochain, on peut ranger la conservation du **ta–**, «je» face à la perte totale du «vous» et du «ils» et à quelques timides apparitions du **yene**, «nous», cependant que **ura**, «il»/«elle» est bien souvent confondu avec **ru–**, **ra–**, «son»/«sa». Cette dernière confusion s'explique d'ailleurs assez bien, les langues tupi ayant souvent des énoncés sans verbe du type modalité personnelle + prédicat nominal pour exprimer l'état (*ma fatigue = je suis fatigué;*

[17] C'est d'ailleurs bien individuellement que la société nationale cherche à intégrer les membres épars des sociétés tribales, car cet éparpillement est justement sa seule garantie contre les tentatives de restructuration.

mon enfant = j'ai un enfant). Quant à *tu*, il peut être considéré comme résiduel. Autrement dit, on constate une inflation démesurée du *je*, ce qui est somme toute normal pour des locuteurs sans interlocuteurs[18].

Les modalités aspecto-temporelles du verbe sont non seulement appauvries mais anarchiques. Le temps le plus simple, le présent, domine de façon écrasante, donné d'ailleurs de nombreuses fois avec l'acception du parfait malgré l'oubli de tout adverbe, alors que c'est ainsi qu'on le rencontre dans la plupart des autres langues tupi. Le futur, simple morphème préfixé au verbe et délesté, là encore de ses adverbes situationnistes, ne subsiste guère que pour la première personne avec l'unique idée de futur immédiat. Enfin, les formes négatives et interrogatives sont la plupart du temps hasardeuses.

Quand à la syntaxe, elle a sombré corps et biens. Ou bien les deux hommes s'en tenaient à des énoncés minimaux, ou bien, emportés par un élan incontrôlé, ils y suppléaient par des inclusions de portugais dont ils n'étaient pas toujours conscients, en tout cas qui ne semblaient pas les gêner, tout occupés qu'ils étaient par leur quête lexicale.

4. Résistance passive d'une langue

Tout ce qui précède ne répond pas à cette angoissante question du processus d'extinction d'une langue. Un Indien Micmac la pose à sa façon depuis le lointain Canada : «Combien de temps faut-il pour mourir à une langue et à un peuple qui n'en finissent pas d'agoniser depuis quatre siècles ?» (LABILLOIS, 1992 : 368).

Mes enquêtes sur la *língua geral* m'ont confrontée au même problème et des épisodes presque identiques à ceux que j'ai relatés pour l'omawa se déroulèrent, tel celui-ci. Un homme d'une quarantaine d'années vint un jour me voir dans notre embarcation accostée à la berge de l'Amazone en amont de Tefé, havre que nous regagnions chaque soir après nos journées d'enquête passées à terre, pour m'inviter chez lui. Sa femme, du même âge que lui, désirait elle aussi me confier les mots de la langue ancienne que sa mémoire conservait. M'étonnant de sa relative jeunesse, il me conta que très tôt orpheline, elle avait été élevée par sa grand-mère qui ne parlait pas d'autre langue que la *língua geral*. Le lendemain, ils nous attendaient dans la première pièce de leur maison

[18] Odile Renault-Lescure m'ayant fait remarqué à juste raison qu'une situation d'enquête systématique conduit facilement à une prolifération d'énoncés où les formes verbales et possessives sont spontanément données à la 1e personne du singulier, je voudrais indiquer que mes enquêtes n'ont eu précisément aucun caractère systématique ou dirigé. Je n'ai fait que suivre les rebonds de la mémoire des deux hommes, respectant les errances et les silences auxquels chacune nous contraignit.

de bois. La dame nous servit du café dans les habituelles tasses de poupée et se mit à me parler de sa grand-mère. Au bout d'une heure, estimant que cette évocation aurait suffi à domestiquer sa mémoire, elle m'invita à l'interroger. Je commençais par des mots très simples : *maison*, *rivière*... elle se troubla sans répondre; *enfant*, *grand-mère*[19]... elle branla du torse sur sa chaise et m'invita à poursuivre; *manioc*, *couteau*, *eau*... A ce mot, elle ne se contint plus : «Comment puis-je avoir oublié ce mot ? Ce n'est pas possible; pas ce mot, pas l'*eau* ! Ma grand-mère était très vieille; tous les jours elle me disait : "Ma petite-fille, va chercher de l'*eau* à la rivière, de l'*eau*, va chercher de l'*eau*, ma petite fille, de l'*eau*"...». Et elle éclata en tristes sanglots silencieux. Son mari la consola du mieux qu'il put. Tout en resservant le café, il chercha à l'excuser : «Ça n'est de sa faute. On nous a interdit de parler notre langue. Il faut nous comprendre.» Enfin calmée, mais prête à sombrer dans un océan de tristesse, elle laissa son mari nous raconter que lorsque ses enfants étaient allés en classe, elle avait suivi son conseil de consigner dans un cahier d'écolier tout ce qu'elle savait de la langue ancienne. Que cela avait vite empli un cahier, puis un second, car à cette époque-là, elle se souvenait de tout. D'ailleurs, il les avait cherchés ce matin, avant mon arrivée. Elle l'interrompit d'un douloureux haussement d'épaule : il y avait maintenant bien longtemps que les enfants les avaient tout gribouillés, tout déchirés. On avait dû les jeter. Enfin elle se leva et, s'excusant de m'avoir dérangée pour rien, elle passa dans la pièce d'à côté.

Les Canadiens français, particulièrement sensibilisés à la sociolinguistique de par leur propre situation sur l'échiquier langagier de leur pays, ont développé de bons outils analytiques pour appréhender le problème de l'érosion linguistique (MAURAIS, éd., 1992 : 134 *sq*; 139 *sq*). Selon eux, «s'il est vrai qu'en théorie, il n'existe pas d'opposition nécessaire entre la langue minoritaire et la diffusion de la langue majoritaire, il reste que le bilinguisme généralisé risque d'entraîner rapidement l'assimilation au profit de la langue majoritaire chez les minorités ethnolinguistiques» (*op. cit.* : 391).

Parmi les causes d'extinction d'une langue, on cite régulièrement l'enseignement obligatoire dans une autre langue. Deux autres causes, l'une géographique, l'autre démographique, se conjuguent souvent pour freiner l'usage d'une langue : plus le nombre des locuteurs se raréfie, plus il devient difficile de maintenir une langue en vie, certes. On peut aussi facilement imaginer qu'à des locuteurs éparpillés sur les lambeaux d'un territoire devenu hétérogène, il devint acrobatique de converser, et l'exemple de nos deux compères omawa à la messe à Tefé en sont l'illustration. C'est pourquoi il me semble plus important encore de parler de densité démographique, car sa faiblesse entraîne moins la dispersion

---

19 Peu m'importait d'ailleurs de recueillir un terme d'adresse, un terme de référence, ou même un nom propre. Il fallait enclencher le processus de mémorisation sur les images qui lui emplissaient le cœur.

des locuteurs qu'elle n'entrave les possibilités qu'ils auraient à se rencontrer, ce qui n'est pas du tout la même chose.

Le changement culturel occupe une place importante dans le processus d'érosion lexicale; il peut prendre diverses formes selon les lieux et les époques. «Une bonne partie de la langue [devient] inusitée, donc non transmise à l'autre génération : c'est le cas du vocabulaire lié à la chasse, à la forêt, à la géographie physique», nous dit une Indienne Montagnaise (MAURAIS, 1992 : 372) en parlant de son peuple, sollicité par la vie citadine. Pour ce qui est des Omawa, c'est Marcoy, dans la citation que j'en ai faite plus haut, qui nous indique quelques pistes. Il dit que les Omawa ne parlent plus leur langue qu'en secret; il ajoute qu'ils s'expriment en tupi (entendre *língua geral*). L'on sait que ces deux langues, toutes deux appartenant à la famille linguistique tupi-guarani, sont très voisines. La complexité du problème fut encore renforcée par la présence de leurs voisins très proches et souvent parents, par le biais de métissages anciens, les Kokama, également locuteurs d'une langue tupi-guarani.

Et la langue s'en est allée à reculons jusqu'à passer pour éteinte[20]. Il me semble qu'ici trois facteurs ont joué. Le premier est à mettre au compte d'une pratique courante plus que d'une politique consciente, celle d'intégrer à sa communauté toutes les personnes, bribes de famille ou familles entières qui, pour les mille et une raisons que tous les réfugiés du monde pourraient nous bredouiller, demandent asile pour une nuit, un jour, une vie. Les Omawa de la région de Tefé ont ainsi non seulement accueilli d'autres Omawa en provenance du Pérou, non seulement des Kokama, mais encore des membres d'ethnies de familles linguistiques totalement différentes. TASTEVIN (1927) cite des Kayuishana, encore individualisés dans le bas Japurá, des Kueretu, des Yahuna, des Passé, des Maku, des Tikuna et autres Mura. On peut également rencontrer des Miraña du Caqueta ou des Mayoruna du Javari, et enfin de pauvres hères, les uns dits noirs, les autres dits blancs, tous misérables rescapés du mirage du caoutchouc, descendus avec leurs «patrons» ou déjà dispersés dans l'arrière-pays immédiat de Tefé. Cette concentration régionale, véritable creuset interethnique, ne laissa que peu de place à l'utilisation des langues indigènes. Même si l'on voit, dans les années 1970, émerger des communautés soudées souvent autour d'une appellation ethnique[21], l'enquête de terrain menée par FAULHABER

---

[20] Je peux parler avec sûreté pour le groupe brésilien, mais il faudrait aller y voir de plus près pour ce qui est du Pérou.

[21] Ces communautés, installées sur les *municípios* de Tefé, Alvarães et Uarini, étaient au dernier recensement (1987) au nombre de sept et occupaient des aires indigènes *identifiées*, ou même *délimitées*, selon la terminologie officielle, mais non encore *homologuées* par décret présidentiel. Ce sont :
• la communauté de Santa Cruz, regroupant sous le mouvement messianique du même nom des personnes d'origines très diverses (316 habitants); • la communauté de Barreira da Missão dont les habitants s'identifient comme Cambeba (Omawa) et Kokama, avec 120 habitants; • celle d'Igarapé Grande ou Laranjal, habitée par une cinquantaine de Cambeba; • celle de

BARBOSA (1983), puis par nous-mêmes, montre que les mariages interethniques sont fréquents, y compris avec des non-indiens ou même des individus d'ethnies récemment disparues !

Un tel imbroglio rendait presque impossible le maintien de langues maternelles très nombreuses d'une part, et parlées par trop peu de locuteurs par communauté d'autre part. Autant la communication demeure possible entre des langues très proches, lorsque chacun des interlocuteurs peut discourir dans sa propre langue, autant elle est entravée dès lors que les langues sont distantes et nécessitent un truchement, une langue véhiculaire. Justement, la *língua geral* joua longtemps ce rôle dans la région, mais sa régression fut somme toute assez rapide face au portugais et c'est là que, selon moi, intervient le second facteur. La généralisation conjointe de l'école, le déferlement de la radio puis aujourd'hui, quoique sur une moindre échelle, de la télévision, enfin la nécessité d'acquérir la langue dominante pour tenter, à travers elle, de faire entendre sa voix, défendre son point de vue et étayer ses revendications, ont permis le développement du portugais dans une mesure dépassant largement toute espérance gouvernementale, même si à l'arrivée, le portugais d'Amazonie est une langue singulière, exubérante, baroque avait déjà dit Marcoy, ornée de tout un apport indigène composite et indétrônable. Le troisième facteur est que la convivialité avec des langues très proches peut aboutir à la fragilisation de la langue minorée, cette fois dans l'espace public et sociabilisé. On en a vu un exemple lorsque j'ai parlé plus haut du vocabulaire de la nature, anémié pour l'omawa, enrichi de tout un butin indigène, via la *língua geral*, pour le portugais.

Autrement dit, les étapes classiques de l'acculturation linguistique purent se mettre en place :

D'abord figure l'établissement d'un bi-, voire tri-linguisme, comme conséquence d'un contact intense. Or, à des situations socio-économiques de dépendance, correspondent des langues maternelles subordonnées à la ou aux langues dominantes. Pour SOLIS (1987), «la situation de contact de sociétés de culture différente et de développement économique inégal» est la cause majeure de l'extinction d'une langue. On assiste alors à l'instauration d'une situation de diglossie entre une langue vernaculaire devenue minoritaire et une langue majoritaire caractérisée par l'instauration d'usages différenciés : la première s'approprie l'éducation, l'administration, la santé, le culte. La seconde finit par se cantonner dans des champs d'expérience informels de plus en plus étroits : la vie privée, l'artisanat, des réseaux communautaires de plus en plus émiettés. RENAULT-LESCURE (1991 : 528) par exemple, étudiant avec minutie le

---

Meria, qui abrite des Miranha, des Uitoto, des Karapana, des Mura et des Issé (sans doute Passé), avec 77 habitants; • celle des soixante Cambeba de Jaquiri; • celle de Marajai habitée par 280 Matse (Mayoruna); • enfin, la réserve de Miratu, où à côté de Miranha, on rencontre aussi des Uitoto, des Karapana, des Mura et des Issé, le tout atteignant 350 habitants (Terras Indígenas no Brasil, 1987).

problème du multilinguisme tukano sur le haut Rio Negro, prend soin de noter que «les femmes sont beaucoup plus conservatrices que les hommes et s'adressent en tukano à leurs enfants plus fréquemment que leurs maris»; elle conclut cependant de façon identique : malgré le fait que «d'abord, l'usage du tukano se double de celui du portugais – à chacune des deux langues sont réservés des domaines d'usage particulier –, dans un deuxième temps, le tukano tend à s'effacer devant le portugais» (*ibid.*).

On assiste ensuite à une fracture douloureuse entre les classes d'âge, la population adulte utilisant seule et dans des domaines allant en s'étiolant, la langue indigène; la jeunesse utilisant, de façon de plus en plus prégnante, la langue dominante. On aboutit ainsi presque inéluctablement à une classe d'âge d'enfants ayant une connaissance uniquement passive de la langue de leurs grands-parents. L'empiétement progressif de la langue dominante, par élargissement de son champ d'utilisation, se fait pour ainsi dire de soi-même. Quant à la diminution du nombre de bons locuteurs bilingues, elle ne fait que suivre la raréfaction naturelle (avec le passage des générations) et progressive du nombre des unilingues. Si l'on ajoute à ce triste tableau la généralisation des mariages mixtes, on a réuni tous les ingrédients présidant à la disparition d'une langue.

Ainsi allèrent les choses dans la vallée de l'Amazone : le portugais prit de la rondeur tandis que les langues indigènes dépérissaient d'anémie.

Reste à cerner pourquoi, dans ce processus de gommage identitaire, il est des choses auxquelles on s'accroche plus qu'à d'autres. Comment la langue omawa, donnée moribonde pendant si longtemps, puis éteinte, a-t-elle pu offrir encore une dernière flambée en cette fin du XXe siècle ?

Les Omawa parlaient leur langue en secret, a-t-on dit. Ce qui aurait pu être un facteur de perte linguistique se révéla être un facteur de secrète résistance. Un trait culturel qui ne s'affiche plus cesse d'être combattu et a ainsi de fortes chances de poursuivre une vie occulte protégée. Ils parlaient aussi la *língua geral*. Là encore, on eût pu croire à un facteur aggravant de perte pour l'omawa. Pourtant, je connais au moins un cas de résistance linguistique avérée favorisée ainsi par l'extrême congruence entre deux langues, il s'agit de l'émerillon et du wayãpi[22], où la première, minoritaire, tire sa légitimité d'emploi de l'effort constant auquel la soumet la comparaison avec sa voisine. Dans un autre cas, c'est le mawe qui s'est maintenu jusqu'à aujourd'hui dans cette région du moyen Amazone où la *língua geral*, langue tupi-guarani comme elle (RODRIGUES, 1984-85), a joui longtemps du statut de langue quasi officielle. Autrement dit, la langue omawa avait besoin sans cesse, pour devoir exister, de se démarquer de

[22] Deux langues également tupi-guarani parlées uniquement en Guyane Française pour l'une et également en Amapá (Brésil) pour l'autre, par deux peuples distincts dont l'histoire a aujourd'hui rapproché le destin.

deux autres langues proches, l'une au statut inférieur équivalent, le kokama, l'autre au statut supérieur, la *língua geral*. C'est pourquoi j'émets l'hypothèse que la pratique obligatoire de la *língua geral* pour les questions publiques d'une part, et la convivialité indispensable avec le kokama d'autre part, renforça, chez les Omawa, l'usage privé et domestique de leur propre langue dont ils pouvaient ainsi mieux soigner les contours. J'en veux pour preuve le soin que prenaient mes deux informateurs, tous deux locuteurs de la *língua geral* et connaisseurs du kokama, à bien distinguer les trois langues. Il m'est d'ailleurs très difficile, dans la mesure où les deux vieillards ne m'ont pas donné deux séries strictement identiques de mots omawa, de trancher si les cas de confusion ou de chevauchement avec la *língua geral* ou le kokama sont de leur fait ou s'ils marquent le degré de perméabilité entre les trois langues.

La qualité de vie des locuteurs est certainement un facteur de résistance linguistique auquel on pense trop peu souvent.

Il est probable que la misère des Caboclos environnants, leur état d'abandon social et leur individualisme forcené sur leurs minuscules bouts de terre en front de fleuve, non seulement aidèrent les Omawa à prendre conscience de leur unité et de leur richesse culturelles mais encore contribuèrent à ce qu'ils retrouvent une fierté perdue. Plusieurs événements précis, tels celui qui va suivre, furent pour quelque chose dans cette prise de conscience : Les Omawa de Jaquiri ont, il y a de cela plus de quinze ans, accueilli un jeune couple de Caboclos déguenillés demandant l'aumône de quelques kilos de tubercules de manioc qu'il se proposait de transformer en farine si on leur en laissait l'opportunité. Le choc ne fut pas dans l'acte de mendicité en soi, mais dans la découverte que ces jeunes gens arrivés au terme de l'extrême misère, s'ils étaient coupés de toute racine, l'étaient aussi de toute culture : ils durent tout réapprendre, la technologie du manioc, l'agriculture, la pêche, et même le nom des arbres, avant de pouvoir revivre ici. Car ils sont restés. Interrogé, l'homme, autrefois nordestin, dit aujourd'hui être omawa.

La prise de conscience de l'unité culturelle passe par une volonté, ou plutôt un violent désir de retour aux sources. Le véhicule qui semble alors le plus adapté est la langue maternelle; même si elle fut extirpée, même s'il semble aux chercheurs être déjà trop tard, tous les Amérindiens le disent. Il semble bien qu'une langue ne puisse revivre que de l'intérieur. Et c'est bien de l'intérieur qu'a surgi la volonté de renaître de la langue omawa. Les hommes avaient perdu la pratique de leur langue, l'homogénéité et la maîtrise de leur territoire, toute culture propre, et jusqu'à l'apparence physique distinctive, mais ils avaient gardé le sentiment d'une ascendance commune, la référence à des ancêtres omawa, sans doute cette «aura of descent» dont parle COHEN (1978 : 387, *in* CHIBNIK, 1991). Voilà pourquoi les Omawa, conscients que leur langue était une pierre essentielle à la reconstruction de leur identité, ont décidé de s'en servir comme du levier qui, soulevant cette chape émolliente sous laquelle ils avaient lentement basculé dans l'oubli de soi, les ferait se redresser. Or les lieux autour desquels le revivalisme linguistique peut espérer s'ancrer, «la famille, le voisinage, la communauté, la vie quotidienne» (MAURAIS éd., 1992 : 398) et qui semblent aussi constituer le dernier quartier de défense d'une langue, étaient déjà moribonds dans l'omawa.

Une langue meurt lorsqu'on perd tout à la fois l'envie, la fierté et le courage de la parler. Elle ne peut revivre sans les trois réunis. Certes, les renversements de situation existent, encore faut-il qu'il y ait quelque chose à sauver et quelqu'un pour y croire.

Conclusion : désirs et stratégies d'une communauté

Ainsi donc, puisqu'aussi bien une langue est construite pour être parlée, lorsqu'elle cesse de l'être, elle se déconstruit. Les ornements tombent en premier : ce sont les finesses de la morphologie qui disparaissent. Les murs se lézardent : c'est l'appauvrissement du lexique. Puis la charpente s'écroule : et la syntaxe part en lambeaux. Il ne reste plus alors que des pierres éparpillées sur le sol, certaines encore soudées deux à deux par un léger mortier : ce sont les mots, ces quelques six cents mots que deux hommes ont hissés un par un du fond de leur mémoire. Mais peut-on pour autant espérer un jour rebâtir une maison ?

Voilà pourtant le désir fou qui anima les communautés omawa de Jaquiri, Laranjal et Barreira da Missão, perchées sur leur berge haute des rives de l'Amazone, en amont et en aval de Tefé, au cours de l'année 1988. A deux reprises, les chefs des trois communautés ayant convoqué tous les membres dans la salle commune, nous remercièrent en portugais, seule langue qu'ils connussent vraiment, pour le travail que nous faisions pour eux et nous demandèrent d'écrire tous ces mots de leur langue pour la leur rendre. Ils expliquèrent que la *língua geral* était une langue qu'ils avaient «emprunté» jadis et le portugais, une langue qu'on leur avait imposée. Quelqu'un d'autre ajouta : «notre langue nous fut volée par le portugais». La seule qui fût à eux, je venais, dirent-ils, de la ressusciter.

J'ai dis plus haut que mon enquête coïncidait par hasard (par hasard, vraiment ?) avec le temps où les Omawa avaient décidé de relever la tête, de se battre, de se fédérer en colonies agricoles, bref, d'exister à nouveau en tant qu'Omawa; de revivre, non plus seulement en tant qu'individus mais en tant que nation indigène, en tant que collectivité[23]. Ils avaient décidé de redevenir une

[23] Citons ici le travail de P. Faulhaber Barbosa (1983) qui se dédie depuis plusieurs années à faire avancer la cause des Omawa.

entité collective, de dire *nous* et plus seulement *je*. Il était logique qu'ils songeassent à s'unir sous le drapeau de leur langue retrouvée. Mais six cents mots sont une bien pauvre bannière, sans ampleur et toute effilochée. Malgré tout, je promis de «leur rendre leur langue». Quelques mois plus tard, je leur remis, au cours d'une cérémonie émouvante, cinquante exemplaires de vingt et une pages chacun, collationnant le savoir des deux vieillards. L'entrée était en portugais, l'alphabet également, sauf la voyelle centrale [ɨ] dont l'originalité même facilite le repérage; les exemples retenus l'avaient été pour leur simplicité et leur justesse. Les chefs des communautés procédèrent à la distribution, partageant les brochures entre chaque famille, veillant à ce que les deux institutrices et l'instituteur en aient plusieurs exemplaires puis expliquèrent à chacun que grâce à ce trésor retrouvé, les communautés allaient bientôt pouvoir récupérer leurs terres. C'était donc cela!

Le gouvernement brésilien de l'époque avait en effet eu l'idée de dresser une typologie des groupes amérindiens en fonction de la maîtrise de la langue. Ceux qui étaient monolingues, les sauvages, seraient considérés comme des gens à civiliser entièrement, mais qui, dans un premier temps, nécessitaient des ménagements et à qui l'on accorderait donc des réserves indigènes. Ceux qui, déjà passés au vernis de la civilisation, parlaient encore leur langue, seraient considérés comme indigènes et, en attendant de se fondre dans la nation, obtiendraient des colonies agricoles. A ceux qui ne parlaient plus leur langue, on dénierait le statut d'Indiens. Ils seraient considérés comme des métis en voie d'insertion dans la société nationale, individus qui, en tant que tels, n'auraient plus aucun besoin de terres collectives. Les habitants des communautés de base de Jaquiri, Laranjal et Barreira da Missão, alors même que les travaux de délimitation de leurs terres étaient engagés, refusèrent de se soumettre. En quelques mois, ils rejetèrent le terme de métis (*caboclos*) et celui de Cambeba («tête plate») sous lesquelles ils étaient précédemment connus et voulurent revenir à l'appellation ancienne de Omawa. Désormais, ils entendaient en outre réapprendre leur langue dans le but de se réapproprier leurs terres.

Nous eûmes le courage suicidaire de leur expliquer que leur entreprise était vouée à l'échec. On ne reconstruit pas une maison sans charpente. Heureusement le Brésil, en se donnant une nouvelle constitution, abandonna partiellement son projet inique. Les Omawa pourront donc envisager leur langue avec moins d'appréhension et plus de plaisir. Les six cents mots resteront trésor et ne seront pas marqués du sceau d'une inflation dangereuse.

Sans doute ma plus grande joie restera-t-elle ce long aveu du fils aîné du vieil homme, celui qui était si fier de l'uniforme de femme de ménage de sa fille :

> «*Auparavant, je regardais mon père comme un vieil Indien qui n'a rien à dire. Aujourd'hui, je sais qu'il n'est pas inutile. Mais vous savez,* Dona, *tous ces mots qu'il vous a donnés dans sa langue, à nous, il ne les avait jamais donnés. Nous ne savions pas qu'il connaissait encore sa langue. Jamais il ne nous avait parlé de cela. Depuis*

que vous êtes passée au village, mon père a changé, il est moins renfermé sur son monde. Et nous aussi, on a changé, on parle davantage avec lui. Aujourd'hui, grâce à vous, je sais que mon père est important. Ça a été pour nous comme une conscientisation [sic] et je vous en remercie.»

Il parle de son père, Aloiso Urbano Anacri, qui vit à Jaquiri avec son épouse. Le second vieillard porte le nom de Pedro Marinho. Lui et son épouse, dona Isabel, habitent à Barreira da Missão. Le troisième homme, plus jeune, chef de la communauté de Laranjal et père de celui de la communauté de Jaquiri, se nomme Waldomiro Cruz.

Épilogue

Un étudiant brésilien en écologie travaillant après nous dans la même région rencontra l'un des deux vieillards. La mémoire de ce dernier ayant encore exhumé quelques mots du puits de l'oubliance, il formula le souhait qu'ils me soient remis en ultime cadeau. Les Brésiliens étant gens de cœur mais non gens de plume, l'étudiant a promis de me faire parvenir ce maigre et inestimable butin. Il a promis. Peut-être le vieil homme a-t-il eu enfin le regard assez vaste pour embrasser le *ciel*. L'étudiant ne sait pas s'il y a, sur sa liste, le mot pour dire *ciel*. Et puis, elle est mal écrite, il ne connaît pas la phonétique, il ne faudra pas que je me fâche, et je ne devrais pas montrer tant de bonheur, la liste est une toute petite liste, il n'y a que quelques mots, une dizaine, peut-être même pas, il ne se souvient plus. Mais il va l'envoyer. Il a promis.

Bibliographie

ACUÑA, C. d', 1986, Nuevo descubrimiento del gran rio del Amazonas, en el año 1639, *Informes de Jesuitas en el Amazonas, 1660-1684*, Iquitos, Monumenta Amazónica : 29-101.

BESSA FREIRE, J., 1983, Da «fala boa» ao português na Amazonia brasileira, *Amerindia*, 88 : 39-83.

CHAUMEIL, J.-P., *Una visión de la Amazónia a mitad del siglo XIX° : el viajero Paul Marcoy*, ms.

CHIBNIK, M., 1991, Quasi-ethnic groups in Amazonia, *Ethnology*, XXX (2) : 167-182.

ESPINOSA, Padre L., 1935, *Los Tupí del Oriente peruano*, sección de antropogeografía, lingüística, publi. de la Exped. iglesias al Amazonas, Madrid.

FAULHABER BARBOSA P., 1983, *Indios civilisados. Etnia e alianças em Tefé*, Brasilia, UnB.

GARCIA R., 1917, O diario do Padre Samuel Fritz, com introducção e notas, Rio de Janeiro, *Revista do Instituto historico e geographico brasileiro*, tome 81.

GIRARD, R., 1958, *Indios selvaticos de la Amazonia Peruana*, Libro Mex Editores.

GRENAND, F., 1988, *Vocabulário preliminário da língua omawa*, document multigraphié, Manaus, ORSTOM.

— 1989, *Dictionnaire wayãpi-français et lexique français-wayãpi*, Coll. «Langues et sociétés d'Amérique traditionnelle», 1, SELAF n° 274, Paris, Peeters/SELAF.

GRENAND, F. & FERREIRA, E. H., 1989, *Pequeno dicionário da língua geral atualmente falada no Amazonas (Brasil)*, série Amazonas, Cultura Regional, 6, SEDUC, núcleo de recursos tecnológicos, Manaus.

GRENAND, F. & GRENAND, P., 1990, L'identité insaisissable : Les *Caboclos* amazoniens, «États et sociétés nomades», *Études Rurales*, n° 120 : 17-39.

JORNA, P., 1991, Vuelta a la historia : los Cambebas del Rio Solimões, *Etnohistoria del Amazonas*, Jorna, P. Malaver, L. & Oostra, M. eds., Lima, colección 500 años : 36, ABYA-YALA.

MARCOY, P., 1869, *Voyage à travers l'Amérique du Sud*, tome 2 : de l'Océan Pacifique à l'Océan Atlantique, Paris, Hachette.

MARTIUS, K. F. von, 1867, *Ethnographie und Sprachenkunde Amerika's*. II Zur Sprachenkunde, Leipzig.

MAURAIS, J. (ed.),1992, *Les langues autochtones du Québec*, dossiers CLF, 35, Les publications du Québec, Québec.

MEGGERS, B., J., 1971, *Amazonia : Man and culture in a Counterfeict Paradise*, AHM Publishing Corporation.

MÉTRAUX, A., 1928, *La civilisation matérielle des tribus tupi-guarani*, Paris, P. Geuthner.

— 1979, *A religião dos Tupinambás e suas relações com a das demais tribos tupi-guaranis*, Brasiliana, vol. 267, Editora da Universidade de São Paulo.

MOREIRA NETO, C. de Araujo, 1988, *Indios da Amazonia, da maioria a minoria (1750-1850)*, Vozes, Petropolis.

ORR, C. & WRISLEY B., 1965, *Vocabulario quichua del Oriente del Ecuador*, serie de vocabularios indigenas, 11, Instituto Linguistico de Verano, Quito.

PORRO, A., 1981, Os Omagua do alto Amazonas : Demografia e padrões de povoamento no século XVII, *Contribuições à antropologia em homenagem ao Professor Egon Schaden*, São Paulo, coleção Museu Paulista, série Ensaios, 14.

RENAULT-LESCURE, O., 1991, La tentation monolingue : exemple d'acculturation linguistique chez des Indiens multilingues d'Amazonie brésilienne, *Cahier des Sciences Humaines*, 27 (3-4) : 517-534, Paris, ORSTOM.

RIVET, P., 1910, Les langues guaranies du haut Amazone. *J.S.A.*, Paris, nouv. sér. tome VII : 149-178.

RIVET, P. & TASTEVIN, Père C., 1921, Les tribus indiennes des bassins du Purus, du Juruá et des régions limitrophes, *La Géographie*, t. XXXV, n° 5 : 449-482, Paris, Société de Géographie.

RODRIGUES, A. D., 1984-85, Relações internas na família lingüística tupi-guarani, *Revista de antropologia*, XXVII-XXVIII : 33-53.

SOLIS, G., 1987, Multilinguismo y extinction de lenguas indigenas, *Am. Ind.*, XLVII (4) : 631-646.

SPIX, J. B. von & MARTIUS K. F. von, 1976, *Viagem pelo Brasil, 1817-1820*, 3 vol., São Paulo, Edições Melioramentos.

STARK, L. R. & MUYSKEN P. C., 1977, *Diccionario español-quichua, quichua-español*, Quito, Publicaciones de los Museos del Banco Central del Ecuador.

STRADELLI, E., 1929, Vocabulários de língua geral : portuguez-nheêngatú e nheêngatú-portuguez, Rio de Janeiro, *Revista do Instituto Histórico e Geográfico Brasileiro*, tome 104.

TAYLOR, G., 1985, Apontamentos sobre o nheengatu falado no Rio Negro, Brasil, *Amerindia*, 10 : 5-25.

TASTEVIN, Padre C., 1923, Grammática da língua tupy e Vocabulário tupy-portuguez, *Revista do Museu Paulista*, XIII.

— 1927, La région du Moyen-Amazone ou Solimões (Brésil), *La Géographie*, t. XLVIII, n° 5-6 : 259-281, Paris, Société de Géographie.

Terras indígenas no Brasil, 1987, CEDI-Museu Nacional, São Paulo-Rio de Janeiro.

TESSMANN, G., 1930, *Die Indianer Nordost-Perus, Grundlegende forschungen für eine systematische Kulturkunde*, Hamburg, Friederichsen de Gruyter.

WILLE, N. F., 1959, Vocabulario breve del idioma cocama (tupi), Lima, *Revista Peru Indigena*, vol. VIII, n° 18-19.

Table des illustrations

Carte. Ethnies faisant l'objet d'un article dans le présent ouvrage 9

De l'arc au fusil

Carte. Ethnies citées dans le présent article 29
Figure 1. Les pointes de flèches des Wayãpi 31
Figure 2. Sections d'arc brésiliens 35
Figure 3. Sections d'arcs guyanais : Wayãpi, Palikur, Wayana, Waimiri-Atroari...... 35
Figure 4. Différents empennages. Brésil (2), Guyane (1) 35

Évolution de la thérapeutique chez les P'urhépecha de la Sierra Tarasca

Carte. Aire p'urhepecha. Principales régions (Sierra Tarasca, Lac de Patzcuaro)...... 58

Une mémoire de l'espace

Carte. Localisation des communautés maya autour du lac Atitlan, Guatemala.......... 72
Figure 1. Le village de Santa Catarina Palopó 80
Figure 2. Le ponton du village de Santa Catarina Palopó 80
Figure 3. Le volcan San Pedro 85

Dynamique des traditions religieuses afro-brésiliennes

Figure 1. Statuette d'un caboclo (photo) 119
Figure 2. Salle des cérémonies du Temple Guaracy (photo) 119
Figure 3. L'autel d'Oxum dans l'espace sacré (photo) 120
Figure 4. Salutations aux *atabaques*, tambours cérémoniels (photo) 120
Figure 5. Cosmogrammes des rites afro-brésiliens 127

Messianisme et modernité chez les Ngöbe-Guaymi de Panama

Figure. Alphabet ésotérique ngöbe 150

La restructuration linguistique interne en quichua équatorien

Carte. Les provinces de l'Équateur 178

Table des matières

Françoise Grenand

Introduction
Transition culturelle
Des tracasseries quotidiennes aux enjeux symboliques 11
Changement culturel 14
Changements linguistiques 17
Ouvrages cités 21

Pierre Grenand

De l'arc au fusil
Un changement technologique chez les Wayãpi de Guyane 23
1. L'armement traditionnel des Wayãpi 26
1.1. Les arcs et les flèches des Wayãpi du XIXe siècle à nos jours 26
1.2. L'armement traditionnel des Wayãpi est il ancien ? 33
2. Les contacts successifs avec le fusil 37
2.1. Étapes fluctuantes d'un changement 38
2.2. De l'arc au fusil : vers une appropriation 43
3. De l'objet à sa représentation 46
Bibliographie 51

Élisabeth Motte-Florac

Évolution de la thérapeutique chez les P'urhépecha de la Sierra Tarasca, Michoacán, Mexique 55
1. Les P'urhépecha ou Tarasques 57
2. Le parcours de l'accouchée 59
3. La fonction de sage-femme traditionnelle 61
3.1. Portrait 61
3.2. Les tâches 62
3.3. Le statut 63
4. Les pratiques de la sage-femme traditionnelle 64
4.1. Vers l'hygiène 64
4.2. Du *totum* à la molécule 65
4.3. Du macrocosme au microcosme 65
5. Au-delà de l'accouchement, l'évolution de la thérapeutique traditionnelle p'urhépecha 66
Conclusion 68
Bibliographie 69

Perla Petrich

Une mémoire de l'espace
Changements dans l'écosystème et leur interprétation chez un groupe maya du lac Atitlán au Guatemala 71
1. Les limites du changement : les agencements symboliques 71
2. Santa Catarina Palopó 73
3. L'univers des enfants 77
4. L'univers des jeunes 81
5. L'univers des adultes 81
6. L'univers du village 82
7. La mémoire : source de sens 83
8. Matérialité de la mémoire collective : le lac et les volcans 83
9. La vision de la Vierge 87
Bibliographie 90

Éric Navet

Qu'est-ce qui fait bouger le mythe ?
Création et recréation du mythe chez les Émerillon de Guyane Française 91
1. Les mythes nous parlent-ils ? 91
2. La Création selon les Émerillon 93
3. Être ou ne pas être, version émerillon 105
Bibliographie 112

Ming Anthony

Dynamique des traditions religieuses afro-brésiliennes
Candomblé et Umbanda 115
1. Le Temple Guaracy do Brasil 121
  1.1. Le centre religieux 121
  1.2. Organisation du centre religieux 122
  1.3. La *gira de caboclos*, cérémonie publique 123
2. L'*Umbanda*, combinaison variable de traditions 125
  2.1. Des traditions changeantes 125
  2.2. Des traditions multiples 126
  2.3 Des traditions diversement combinées 131
3. Représentation du monde divin, *Orixás* et «Entités» 132
  3.1. L'*Orixá* en pays yoruba (Nigéria, Bénin) 132
  3.2. *Orixá* et «Entité» au Brésil 133
4. Évolution des religions afro-brésiliennes 137
  4.1. «Africanisation», «yorubanisation» du *Candomblé* 137
  4.2. Syncrétisme de l'*Umbanda* 139
Conclusion 140
Bibliographie 142

Françoise Guionneau-Sinclair

Messianisme et modernité chez les Ngöbe-Guaymi de Panama ... 145
1. Conditions d'une difficile enquête ... 146
2. Le mouvement prophético-messianique ngöbe ... 146
    2.1. Portrait d'un messie ... 147
    2.2. Cadre de l'annonciation ... 148
    2.3. La prophétie ... 149
    2.4. Les injonctions de Mama Chi ... 151
    2.5. Lutte contre des rituels traditionnels ... 153
    2.6. L'organisation ecclésiastique ... 155
3. La période post-Mama Chi ... 155
    3.1. La mort de la prophétesse ... 155
    3.2. L'instauration d'un ordre nouveau ... 156
    3.3. Les idéaux de la nouvelle République ... 157
    3.4 La fin de la République Guaymi Libre ... 157
    3.5. Le mouvement des chamanes ... 158
4. Du messianisme au combat politique : une synthèse inachevée ... 158
Bibliographie ... 161

Nicole Tersis

Une langue en kit
La créativité lexicale en inuit du Groenland oriental ... 163
1. Historique d'un changement ... 163
2. La continuité dans le changement ... 164
    2.1. Une langue en kit ... 165
    2.2. Les formations motivées : structure ... 167
    2.3. Les formations dérivées ... 170
    2.4. L'accumulation de sens : polysémie ... 171
3. Les emprunts directs au danois ... 173
Conclusion ... 175
Bibliographie ... 176

Anne Fauchois

La restructuration linguistique interne en quichua équatorien ... 177
1. Historique ... 177
    1.1. Les rapports à la société nationale ... 179
    1.2. La scolarisation de l'enfant quichua ... 180
2. Le changement ... 181
    2.1. Les fédérations ... 182
    2.2. L'alphabétisation et l'éducation primaire en quichua ... 184
    2.3. Le quichua à la radio ... 187

3. L'apparition d'une nouvelle classe quichua et d'un nouveau registre de langue 187
4. Le changement linguistique 190
4.1. Les nouvelles situations de communication 190
4.2. Les formes du changement 198
5. Le quichua, pour quelles fonctions ? 205
Bibliographie 207

Françoise Grenand

Langue évanouie et quête identitaire
L'omawa dans la région de Tefé (Amazonas, Brésil) 209
1. Climat d'une découverte 209
2. L'histoire sans fin 215
3. Analyse diachronique du lexique omawa 218
4. Résistance passive d'une langue 225
Conclusion : désirs et stratégies d'une communauté 231
Épilogue 233
Bibliographie 234

Table des illustrations 237

ORIENTALISTE, KLEIN DALENSTRAAT 42, B-3020 HERENT